3rd Edition

임상
치과재료학

Clinical Aspects of Dental Materials

김영숙 이민영 장선옥 안선하
이재기 이혜진 임근옥 김인걸

군자출판사

임상
치과재료학 3rd Edition

첫째판 1쇄 발행 | 2009년 3월 05일
둘째판 1쇄 발행 | 2011년 3월 10일
셋째판 1쇄 발행 | 2016년 8월 26일
셋째판 2쇄 인쇄 | 2018년 7월 27일
셋째판 2쇄 발행 | 2018년 8월 07일
셋째판 3쇄 발행 | 2020년 9월 10일

지 은 이 김영숙, 이민영, 장선옥, 안선하, 이재기, 이혜진, 임근옥, 김인걸
발 행 인 장주연
출 판 기 획 군자기획부
편집디자인 군자편집부
표지디자인 군자표지부
발 행 처 군자출판사(주)
　　　　　등록 제 4-139호(1991. 6. 24)
　　　　　본사(10881) 파주출판단지 경기도 파주시 회동길 338(서패동 474-1)
　　　　　전화(031) 943-1888   팩스(031) 955-9545
　　　　　홈페이지 | www.koonja.co.kr

ISBN 979-11-5955-083-6

정가 37,000원

저자 소개

Author Introduction

- **김영숙** (수원여자대학교 치위생과)
- **이민영** (U1 대학교 치위생학과)
- **장선옥** (한림성심대학교 치위생과)
- **안선하** (경북전문대학교 치위생과)
- **이재기** (남서울대학교 치위생학과)
- **이혜진** (동부산대학교 치위생과)
- **임근옥** (선문대학교 치위생학과)
- **김인걸** (한양치과의원장)

치과재료학은 환자의 구강건강증진과 구강병 치료와 예방을 위한 치과위생사의 기초 학문 가운데 하나이다. 치과위생사는 양질의 치위생 서비스를 제공하기 위해서 치료적, 교육적, 예방적 측면의 지식과 기술을 모두 가지고 있어야 한다.

특히 재료들을 취급하고 관리하며 재료의 선택, 조작 및 발생할 수 있는 문제점에 관하여 치과의사 및 치과기공사와 의사소통이 가능해야 하므로 치과재료에 관해 올바른 지식을 갖추고 있어야 한다.

치과재료의 개발은 지금 이 순간에도 이루어지고 있으며 재료의 발전은 편리성뿐만 아니라 치과 임상의 질을 바꿔놓는 데 큰 기여를 하고 있다. 많은 종류의 치과 재료 중에서 환자에게 적합하고 알맞은 제품을 찾는다는 것은 매우 어려운 일이고 그 재료를 적절하고 정확하게 다루는 일은 더욱 더 어려운 일이다.

그러나 치과재료의 기본적인 성질과 올바른 조작법을 제대로 알고 있게 된다면 향후 치위생과를 졸업하고 임상에 진출하였을 때 재료를 올바르고 적합하게 사용할 수 있는 바탕이 될 것이다.

본서의 저자들은 치위생학을 전공하는 학생들의 재료에 대한 지식 습득에 도움이 됨은 물론 임상에서 사용되는 재료의 선택 및 적용에 관한 가이드로서 기초적인 이론과 함께 재료의 성질을 이해하는데 도움이 될 수 있도록 자세하게 설명하고자 노력하였다.

3판에서는 2판의 미흡하고 이해하기 어려워했던 내용을 보다 명확하고 자세하게 설명하고자 노력하였으며 재료의 성질 부분을 보다 충실하게 보완하였다. 아직 더 많은 부분에서 지속적인 개정이 필요하기는 하지만 국내에서 치위생학과 학생들이 치과재료를 이해하고 바르게 사용하여 치과위생사의 역량을 발휘하는 데 조금이나마 그 역할을 할 수 있는 교재가 되길 기대한다.

끝으로 교재 발간에 바쁜 일정에도 적극적으로 협조해 주신 장선옥 교수, 꼼꼼하게 잘 살피고 편집해 주신 이민영 교수와 물심양면으로 애써주신 군자출판사 임덕영 과장님께 감사의 말씀을 드린다.

2016년 8월
임상치과재료학 편집위원회

PART 01

서론

01 치과재료의 기초

01 치과재료의 기초
Basic of Dental Material

✓ 치과위생사들의 치과재료학 지식습득 이유를 설명할 수 있다.
✓ 국제표준규격을 설명할 수 있다.
✓ 치과재료를 용도와 제작위치, 수명 및 소재에 따라 분류할 수 있다.

●-●-●-●------------------------------------

치과재료학이란 치과에서 사용되는 재료의 성분 및 성질을 연구하고 조작 및 응용법을 다루는 학문으로서 화학, 물리 공학이 결합된 학문이다. 치과재료는 치아 손상의 정도, 치료부위, 환자의 식습관 및 구강 상태, 건강 정도에 따라 사용할 수 있는 재료의 선택이 달라지므로, 이러한 모든 조건을 종합 분석하여 치과재료를 선택하여야 한다. 따라서 치과위생사는 치과재료에 대한 올바른 지식을 갖추어야 치과재료를 적절히 취급할 수 있다.

1. 치과재료 학습의 필요성

치과재료학은 환자의 구강건강증진과 구강병 치료와 예방을 위한 치과위생사의 기초 학문 가운데 하나이다. 치과위생사는 양질의 치위생 서비스를 제공하기 위해서 치료적, 교육적, 예방적 측면의 지식과 기술을 모두 가지고 있어야 한다.

치과위생사들은 재료들을 취급하고 관리하며 재료의 선택, 조작 및 발생할 수 있는 문제점에 관하여 치과의사 및 치과기공사와 의사소통이 가능해야 하므로 치과재료에 관해 잘 알고 있어야 한다.

치과위생사들의 치과재료학 학습에 대한 필요성은 다음과 같다.

1) 재료에 대한 이해

치과위생사는 구강 내 특정상황에서 치과재료가 어떤 기능을 하고 어느 종류의 재료가 이용가능한지, 그리고 그 재료의 성질은 어떠한지에 관하여 잘 알고 있어야 환자에게 양질의 진료를 제공할 수 있다. 예를 들어 세라믹은 단단하여 취성(깨지는 성질)이 강하기 때문에 이갈이 등의 구강습관이 있는 환자에게는 적당하지 않기 때문에 심미치과 치료를 위한 재료의 선택에서 올 세라믹 크라운이 좋을지 금속-세라믹 크라운이 적당할지를 선택하여 환자에게 바르게 상담해 줄 수 있다.

치과위생사가 재료의 특성을 잘 알고 있다면 세라믹 보철물을 장착하고 있는 환자에게 불소를 도포할 때 산성의 불화인산염(APF, Acidulated Phosphate Fluoride gel) 대신 중성인 불화나트륨으로 도포해 줄 수 있을 것이다.

2) 적절한 재료의 조작

치과재료의 적절한 조작은 재료의 물리적, 화학적, 기계적 성질에 있어 매우 중요하며 올바른 조작은 재료의 이러한 성질에 많은 영향을 미친다. 재료의 조작 여부에 따라 재료의 성공과 실패 요인에 영향을 미치게 되며, 잘 조작된 재료는 질 높은 환자 진료를 제공할 수 있다.

인상재를 정확히 혼합하여야 정확한 인상을 채득할 수 있으며 모형재를 원칙에 맞게 잘 다뤄야 변형이 없는 치아모형을 만들 수 있고 이것은 좋은 수복물을 만들어 환자에게 수명이 긴 보철물을 제공함으로써 치과의료 서비스의 질적 향상을 도모할 수 있게 된다.

3) 환자 상담 및 관리

치과재료로 제작된 수복물들은 주로 구강 내에 존재하게 된다. 따라서 치과재료는 구강 내 습도나 산도, 열, 저작력 등의 열악한 환경에 견딜 수 있어야 하므로 치과위생사는 치과재료의 특성과 성질을 잘 알고 재료에 대한 식견이 있어야 구강 내 환경에서 치과재료가 어떤 영향을 미치는지 환자에게 설명할 수 있다.

예를 들어 구강 내 교정 장치를 장착한 환자들이 구강위생관리를 잘하지 못하면 치아우식증과 치은염 등이 유발되고 이러한 구강 내 환경은 이에 사용된 치과재료에도 나쁜 영향을 미치게 된다.

의치 역시 잘못된 구강관리로 세균이나 다른 미생물이 의치에 군집하게 되면 악취와 구내염의 원인이 된다. 따라서 이러한 특성과 성질은 치과재료의 사용과 선택에 많은 영향을 미치게 된다.

사용된 재료가 어떻게 사용되고 관리되느냐에 따라 수복물의 수명에 영향을 미치게 되므로 치과위생사는 환자들에게 사용된 재료의 특성과 사용 시 주의사항, 구강 내 재료의 사용법에 관한 올바른 지식의 습득을 통하여 환자에게 적절한 상담과 관리를 할 수 있다.

2. 구강환경과 치과재료의 조건

구강 내 조직이 상실되면 치과재료로 손실된 조직을 대체한다. 대체된 재료는 구강의 기능에 적합하여야 하며 구강 내 다양한 온도 변화나 산도 변화 등의 악조건에 잘 견딜 수 있어야 한다. 치과재료는 다음과 같은 구강 내 생물학적인 환경에 적합해야 한다.

① 치아나 재료의 파절에 영향을 미치는 저작력
② 구강 내 온도변화(수복물 주위의 과도한 수축, 팽창으로 인해 생긴 미세누출로 인한 치아의 지각과민이 최소화되어야 함)
③ 구강 내 산도변화
④ 구강 내 타액이나 음식물로 인한 금속 부식

또한 구강 내 치과재료는 생체적합성(biocompatability)과 심미성이 우수해야 구강조직을 원형대로 재현할 수 있다.

3. 치과재료의 역사와 재료 사용

1) 역사

(1) 고대부터 1700년까지

치과재료는 기원전부터 페니키아인과 에트루리아인들에 의해 금을 이용하여 국소의치(partial denture)를 제작하였고 치과용 보철물 제작을 위해 금(gold)을 사용했었다는 사실 등이 여러 문헌에서 나타나고 있다.

근대 치과의술은 1728년 Fauchard가 상아로 인공의치 제작방법과 여러 형태의 치과보철물에 관한 논문을 발표하면서 시작되었다. 그 후 1756년 Pfaff가 처음으로 왁스로 구강 내 인상을 채득하였고 인상체에 보통 석고를 부어 모형을 제작하는 방법을 발표하였다. 1792년 Dechamant는 세라믹 치아의 제작과정을 연구 발표하였으며, 그 결과 세라믹으로 보철물을 제작하는 방법에 관해 많은 관심을 가지게 되었다.

1700년대 후반에는 금이 부식저항성뿐만 아니라 작업성이 좋고 사용하기 편리하여 널리 사용되었으나 과학적 지식에 기초를 두고 사용한 것은 아니었다.

(2) 1800년대

1800년대 후반에는 아말감(amalgam)의 연구가 시작되면서 치과재료에 지대한 관심이 나타나게 되었으며, 이와 같은 지식의 산발적인 발전은 1895년에 G.V. Black의 연구에 의해 최종적으로 집대성되었다.

새로운 재료의 개발은 빠른 속도로 퍼져나갔으며 아말감

이 충전재로 널리 사용되기 시작하였고 포세린 역시 인레이(inlay)와 금관(crown)에 많이 사용되었다.

(3) 1900년대

치과재료학이 과학적으로 발전하기 시작하였으며 새로운 학문으로 자리를 잡았다. 새로운 재료와 기술이 끊임없이 개발되었고 다양한 충전재가 사용되었다.

금관과 계속가공의치(bridge), 국소의치에 금합금과 니켈-크롬 합금, 크롬-코발트 합금, 그리고 티타늄이 사용되었다. 그 외에 중합체(polymer)와 복합레진(composite)이 사용되기 시작하였다.

(4) 2000년대

새로운 세라믹 재료들이 다양한 기술 공법으로 개발되었으며 치과재료의 개발은 더욱 빠른 속도로 발전하고 있다. 또한 사용할 수 있는 재료의 종류가 많아지고 선택의 폭도 다양해졌다.

2) 치과재료와 제품의 선택

치과재료에 대한 지식은 제품 선택 시 많은 도움이 된다. 제조업체에서도 해당 재료의 강도나 성질, 다양성 등에 관하여 많은 정보를 제공해주고 있다. 또한 임상실험을 통하여 재료의 생체적합성이나 재료의 질적인 우수성을 제시해주고 있어 이런 여러 가지 요인들을 상호 비교하여 재료를 선택하고 사용할 수 있다.

같은 제품이라도 술자들은 취급특성, 회사의 명성과 서비스, 포장과 사용하는 용기, 내용물의 형상에 따라 제품을 다양하게 선택한다. 치과재료는 사용자가 특수용도에 적절한 재료를 선택할 수 있도록 제품의 성질을 설명하고 있다. 따라서 제조업체에서 재료가 유통되기 전에 재료에 대한 철저한 검사 및 품질 보증을 하였는지 반드시 확인하고 치과의사와 상의한 후 환자에게 적용하여야 한다.

4. 치과재료규격

치과재료의 표준은 각기 다른 산업체에서 다른 방법으로 개발되어 왔다. 그러나 최근에는 제품의 성질을 정리하여 사용자들이 제품을 선택하는 데 도움을 줄 수 있도록 제품의 규격을 국제규격으로 통일하고 있다.

규격은 이제 삶의 전반에 폭 넓게 확산되고 있어 휘발유, 필름 감광도, 너트(nut)와 볼트(bolt), 컴퓨터와 저지방 식품에까지 모든 것이 국제규격에 맞도록 요구되고 있다.

1) 국제표준기구(International Organization for Standardization: ISO)

국제표준기구(ISO)는 비정부기구로 세계 80개국 이상이 참여하는 국립표준기구이다. 국제표준화기구 치과의료기기 기술위원회(ISO / TC 106-Dentistry)는 치과재료에 대한 용어와 시험방법을 표준화하고 치과재료, 기구, 장치 및 장비의 규격을 제정하는 작업을 하고 있다.

ISO/TC 106-Dentistry는 제1분과(치과용 충전 및 수복재), 제2분과(보철재료), 제3분과(치과 용어), 제4분과(치과용 기구), 제6분과(치과용 장비), 제7분과(구강관리용품), 제8분과(치과용 임플란트), 제9분과(치과용 CAD/CAM)으로 구성되며, 그 외에 제10작업반(치과재료의 생체적합성), 제11작업반(치과용 CAD-CAM 시스템)이 활동 중이다(표 1-1).

2013년에는 국제표준규격(ISO/TC 106 Dentistry) 제49차 총회가 한국에서 열렸다.

2) 미국국립표준연구소(American National Standards Institution: ANSI)와 미국치과의사협회규격(American Dental Association: ADA)

미국 내 치과재료의 평가방법은 미국 국립표준연구소와 미국치과의사협회의 규격을 사용하고 있으며 미국치과의사협회의 과학위원회(Council on Scientific Affairs)가 규격을 개발하고 규격에 부합하는 제품을 인증하고 있다. 과학위원회는 치과 치료용 약품, 재료, 기구, 장비를 평가한다. 평가결과가 위원회의 조건에 충족되면 미국치과의사협회 인증문장(ADA's seal of acceptance)을 받는다(그림 1-1).

표 1-1. **치과분야 국제 표준 동향(ISO)**

TC/SC	분류명	관련 규격수
TC106	Dentistry	
TC106/SC1	치과용 충전재 및 수복재(Filling and restorative materials)	18
TC106/SC2	보철 재료(Prosthodontics materials)	29
TC106/SC3	치과용어(Terminology)	7
TC106/SC4	치과용 기구(Dental instruments)	73
TC106/SC6	치과용 장비(Dental equipment)	19
TC106/SC7	구강관리용품(Oral care products)	12
TC106/SC8	치과용 임플란트(Dental implants)	11
TC106/SC9	치과용 CAD/CAM(Dental CAD/CAM systems)	2

그림 1-1. ISO 인증마크

그림 1-2. ADA / KS 인증마크

미국치과의사협회 지침은 실험실에서 측정한 물리적, 기계적 성질의 특정 요구사항을 기술하고 있는데 이것을 미국치과의사협회 규격이라고 한다(그림 1-2). 미국치과의사협회 승인문장은 3년 후에 지원회사 제품을 재 제출하게 되어 있으며, 인증계획은 자발적으로 관리된다. 미국식품의약국(FDA)이 제품 판매를 승인해도 일부 제품은 검사할 때 미국치과의사협회 규격에서 탈락될 수 있다. 미국치과의사협회 승인을 받은 제품광고는 미국치과의사협회가 관리한다.

한국에서는 대한치과의사협회 규격을 제정, 사용하고 있다(그림 1-2).

3) 한국산업표준규격(Korean Standards: KS)

우리나라는 광공업품의 품질개선과 생산능률 향상을 기하며 단순화와 공정화를 도모함으로서 제한된 자원을 절약하고 경제적 효율을 극대화하기 위하여 한국산업표준규격(KS)을 실시하고 있다(그림 1-2). KS인증제도는 산업 표준화 및 품질경영의 조사, 연구, 개발 및 보급을 촉진하고 과학기술의 진흥과 생산능률의 향상을 도모하여 국민경제 발전에 기여함을 목적으로 하고 있다.

따라서 산업표준을 널리 활용하게 함으로서 소비자를 보호하며 소비자의 다양한 욕구를 충족시킬 수 있도록 하는 제도로서 특정상품이나 가공기술이 한국산업규격 수준에 해당함을 인정하는 인증제도이다.

한국산업표준에 해당하는 제품이나 가공기술을 생산하는 자에게 일정한 생산조건을 심사하고 제품의 품질을 시험 검사하여 한국산업규격 수준 이상의 제품을 계속적으로 생산할 수 있다고 인정되면 KS마크를 제품에 표시 할 수 있도록 하는 인증제도인데 최근에는 점차 ISO로 바뀌어가고 있는 추세이다.

5. 치과재료의 분류

1) 용도에 따른 분류

상실된 구강조직을 수복하는 재료를 수복물(restoration)이라 한다. 수복물에 사용되는 재료는 상실된 치아조직과 기능을 회복해 주어야 하므로 물성이 강하고 단단해야 하며, 외형을 잘 재현할 수 있는 심미성과 생체적합성이 있어야 한다.

(1) 수복물(restoration)

치아파손 정도에 따라 상실된 치질을 수복하기 위해 다양한 수복물 또는 충전재를 사용한다(그림 1-3A, B).

수복물은 손상된 치질을 수복하고 잔존치질을 지지하며 유지해 주어야 한다. 수복물에 사용하는 재료는 아말감(amalgam)이나 복합레진(composite resin), 금(gold) 등이 있다. 수복물은 결손된 치질의 물리적 크기에 의해 사용이 제한되는데 과도하게 큰 수복물은 환자의 발음, 저작, 저작근의 피로에 영향을 미친다.

(2) 금관(crown)

많은 양의 치질이 상실된 치아는 치관부에 금관을 제작하여 수복한다(그림 1-4). 금관은 잔존치질을 감싸면서 지지를 받는다. 금관제작에 주로 사용되는 재료는 금이 있으며 니켈-크롬합금이나 세라믹이 사용되기도 한다.

금관은 인레이(inlay)처럼 해당 치아에 시멘트로 접착한

다. 금관 제작 시 크기가 너무 크거나 외관을 과도하게 제작하면 치은조직에 해를 가할 수 있다.

(3) 계속가공의치(bridge)

계속가공의치는 인접하는 치열에서 1개 또는 그 이상 결손치아를 포함하여 치아를 회복한다(그림 1-5). 계속가공의치는 모양이 길이나 강을 가로지르는 다리와 같아 bridge라고 하며 가공의치의 끝은 치아에 의해 지지되는데 이것을 지대치(abutment)라고 한다. 결손된 치아는 인공치아(pontic)로 결손공간을 회복하는데 치아의 치관부만 제작한다. 인공치와 지대치로 구성되는 계속가공의치는 저작력에 의해 파괴되지 않게 서로 강하게 연결해야 한다. 계속가공의치 제작에 주로 사용되는 재료로는 금합금이나 백금합금, 금속-세라믹합금, 니켈-크롬합금 등이 있다.

(4) 총의치와 국소의치(complete and partial denture)

의치는 상실 또는 인위적으로 발거한 치아나 뼈, 치은의 인공대체물이다. 의치상은 금속으로 제작되어 왔으나 1937년 폴리메틸메타크릴레이트(polymethyl methacrylate)가 의치상 재료로 도입된 이래 대부분의 의치상은 아크릴레진 중합체를 이용하고 있다. 여기에 레진이나 세라믹으로 만든 인공치를 접합하여 사용한다.

치열궁의 모든 치아가 상실되면 총의치(그림 1-6)라 불리는 보철물로 전체 치아결손부를 회복한다. 총의치는 상악

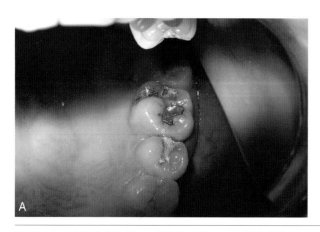
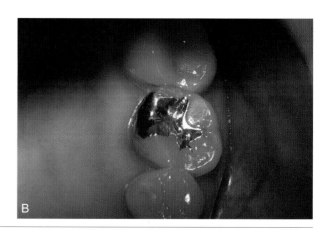

그림 1-3. 구강내 수복물(A: 아말감 수복, B: 금 인레이 수복)

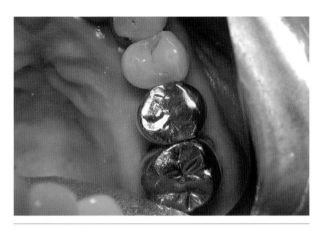

그림 1-4. 금관

그림 1-5. 계속가공의치(bridge)

또는 하악의 점막조직에 의존하여 지지를 받는다. 총의치는 음식 저작, 적절한 발음, 심미성을 회복하는 기능이 있어서 환자의 자존심, 외모, 구강기능을 개선시킬 수 있다.

국소의치는 상·하악 치열 내에 일부 치아가 존재할 때 치아결손부위를 수복하는 대체 보철물을 말한다(그림 1-7). 계속가공의치를 해당 잔존치아에 시멘트로 접합하는 고정성 국소의치와 한 개 이상의 결손부 치아를 회복하는 가철성 국소의치로 구성된 전형적인 가철성 국소의치에 고정성 계속가공의치의 지대치처럼 보철물을 안정시키기 위해 몇 개의 잔존하는 치아를 감싸도록 설계된 금속성 클래스프(clasp)가 부착되어 있다.

(5) 인상채득(impression), 모형(cast)

수복물이나 보철물을 제작하려면 환자구강 내 지지조직의 정확한 복제가 필요하다. 복제본(또는 양형본)을 제작하기 위해 구강 내 인상을 채득한다(그림 1-8). 수복물은 모형(혹은 석고 모델)이라 불리는 복사본에서 제작되는데 구강조직의 크기와 위치를 측정하는데 사용하는 것을 연구용 모델 또는 캐스트(cast)라고 한다. 환자 구강조직의 복제는 두 가지 기능이 있다. 첫째는 연구용으로 치아와 다른 구강조직간 위치를 연구하는 역할이 있고 두 번째는 수복물을 제작하는 작업용 역할을 한다. 복제본을 만들기 위해서는 치과용 인상제(또는 음형본)에 석고 등의 모형재료를 채워넣는다(그림 1-9).

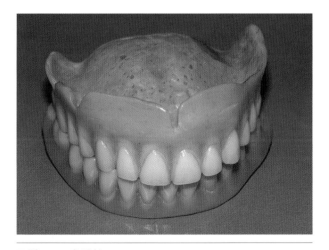

그림 1-6. 총의치

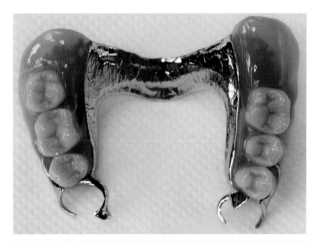

그림 1-7. 국소의치

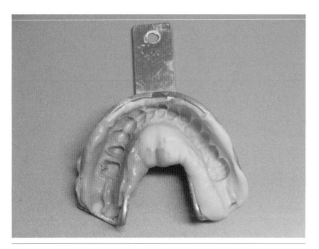

그림 1-8. 구강내 인상

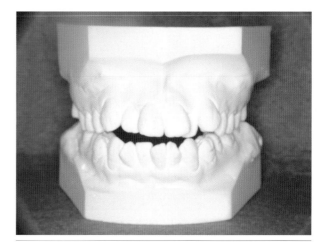

그림 1-9. 석고양형모형

(6) 시멘트(cement)

시멘트는 사용하는 방법에 따라 두 가지 용도로 사용된다.

① 접착재료: 금관, 계속가공의치, 인레이 등의 수복물을 치아에 고정할 때 사용하는 것이다.

접착이란 두개의 물체를 서로 붙이는 것으로서 시멘트 합착(cementing)이라고도 한다. 묽은 용액처럼 흐름성이 있는 시멘트를 혼합하여 수복물에 채우면 시멘트는 몇 분 안에 경화되고 구강용액에 용해되지 않는 강한 재료로 바뀐다. 따라서 치과용 시멘트의 적절한 취급은 환자치료의 성공에 중요하다.

② 베이스와 이장재(base and liner): 시멘트는 자극성 있는 산성 재료로부터 치수를 보호해야 하거나 외부로부터 전달되는 화학적 자극이나 열 자극, 저작압 등의 압력에 의한 완충작용, 유리되는 금속 원소나 색소 등의 침투를 차단하기 위해서 수복물 하방에 절연층으로 사용되기도 하는데 이렇게 사용하는 것을 시멘트 베이스(cement base)라 한다.

금속은 법랑질과 상아질보다 빠르게 열(냉온)을 전달한다. 베이스는 강도와 열 절연도를 갖고 있어 금속성 수복물 하방에 도포하면 냉온 식품과 음료에 의해 나타나는 과민성 반응이 감소되거나 제거되지만 이장재는 그렇지 않다. 이장재는 화학자극으로부터 하부 상아질을 보호하기 위해 도포

되는 비교적 얇은 재료층으로 외부자극제에 의한 자극을 줄여주는 역할을 한다.

(7) 임시재료(temporary material)

① 임시 치관: 구강 내 보철물을 제작하여 환자 구강 내에 삽입하기까지는 며칠이 소요되므로 치질을 적절한 방법으로 보호하지 않으면 그 부위에 동통을 느끼거나 치질이 상하게 된다. 또한 임시 치관을 제작하지 않은 전치부는 심미적인 문제를 야기시킨다. 이런 경우 임시 치관을 제작하여 영구치관이 제작되는 동안에 사용할 수 있도록 한다(그림 1-10).

플라스틱 임시치관은 결손된 치질을 재현하기에 적합한

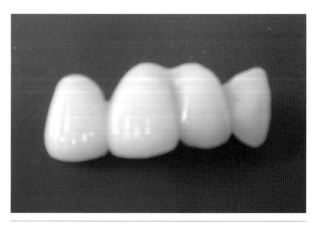

그림 1-10. 임시치관

재료이다. 임시 치관은 영구치관을 시멘트로 접합하기 위해 형성된 치아에서 쉽게 제거될 수 있어야 하므로 임시시멘트로 약하게 접합한다.

② 임시 수복(충전)물: 최선의 치료를 보장하지 못할 경우나 치수의 정확한 상태가 환자증상에서 명확히 나타나지 않을 때에는 치아의 전체 또는 일부 우식증을 제거한 다음 필요한 치료를 결정하기 전에 임시수복물을 장착하여 치수 치유시간을 제공한다. 주로 알루미늄 크라운이나 레진으로 만든 임시 수복물을 사용한다.

(8) 예방재료(preventive material)

치아우식증을 예방하거나 질환 또는 외상에서 치아를 보호하는 데 사용하는 재료이다.

① 치면열구전색재(pit and fissure sealant): 교합면 우식을 예방하기 위해 사용한다(그림 1-11).
② 구강보호대(mouthguard)와 트레이(tray): 구강보호대는 운동선수의 상해를 예방하기 위해 사용되며(그림 1-12) 트레이는 불소국소도포나 미백치료를 위해 사용한다(그림 1-13).

(9) 연마재료(polishing material)

치아나 수복물, 혹은 장치를 제작하기 위하여 재료를 과도하게 깎은 경우 제거한 부분의 거친 표면을 평활하게 마무리 또는 연마하여 음식물 찌꺼기나 치면세균막이 부착되지 않도록 하는 것을 연마재료라 한다. 연마는 물체 표면에서 마모제를 이용하여 연마할 재료를 얇은 층으로 제거하여 깨끗하고 매끈하며 광택 있는 치아표면을 만드는 것이다. 치과에서는 치아와 수복물의 연마를 위해 많은 재료와 기구를 사용한다. 러버 컵(rubber cup)에 마모제를 넣어 연마(polishing)를 하거나 치면의 치면세균막과 잔사를 제거하기도 한다.

(10) 치과용 임플란트(Dental implant)

임플란트는 치아의 결손이 있는 경우 치조골 내에 티타늄과 같은 금속을 식립하여 그 위에 금관을 제작해주는 술식으로 기존의 계속가공의치에서 인접치아를 삭제해야 하는 불편함을 개선하였다(그림 1-14).

치근형 임플란트를 만드는 합성재료는 금, 백금, 이리듐 및 팔라듐이 연구되고 있다.

(11) 특수재료(specialty material)

특수재료는 다양한 치과분야에서 사용된다. 교정치료에서 고무 밴드나 보존치료의 근관충전용 재료가 한 예이다. 치은조직용 재료, 뼈 재생재료는 구강외과와 치주치료에서 사용되며 봉합사가 사용되기도 한다.

2) 제작위치에 따른 분류
(1) 직접수복재료

구강 내에서 직접 제작하는 수복물을 직접수복재료라 한

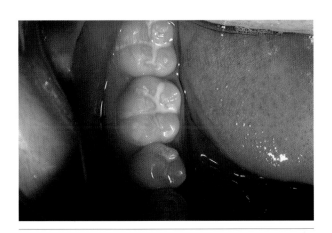

그림 1-11. 치면열구전색

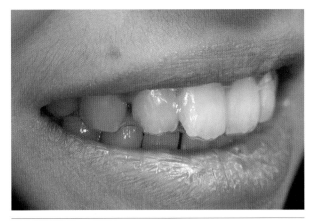

그림 1-12. 구강보호대

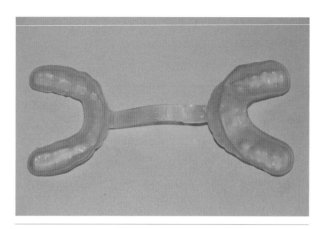

그림 1-13. 불소도포용 트레이

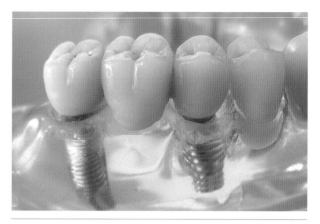

그림 1-14. 임플란트

다. 직접수복재료는 구강 내에 와동을 형성한 후 수복재료를 와동형성부에 직접 도포하는 것을 말한다.

① 아말감: 액상수은과 분말금속의 결합으로 형성된 금속성 재료이다. 잘 혼합된 아말감을 와동에 직접도포하고 결손치질과 유사한 형태로 조각해서 경화시킨다.

② 콤포짓트 레진(composite resin): 구강 내에서 중합되는 플라스틱 재료이다. 치아형성부위에 도포가 쉽게 연고(pastes)형으로 공급되며 경화반응으로 경화된다(그림 1-15).

③ 글라스아이오노머(glass ionomer) 및 기타 시멘트: 구강 내에서 산-염기 화학반응으로 경화되는 재료로 심미수복재이다.

(2) 간접수복재료

수복재료의 많은 성분은 유해하므로 구강 밖에서 수복물을 제작한다. 구강조직의 복제본에서 간접 제작하므로 간접수복재료라 한다.

① 금관과 인레이(온레이): 각 환자가 필요로 하는 정확한 크기와 형태의 몰드(mold)에 금속을 녹여 부어서 제작하는 수복물이다.

② 세라믹: 세라믹 분말을 고온에서 여러 번 소성하여 세라믹 금관을 제작한다(그림 1-16).

③ 간접 수복용 중합체(레진 인레이): 플라스틱 수복재를 높은 온도와 압력에서 가공 또는 중합하여 제작한다(그림 1-17).

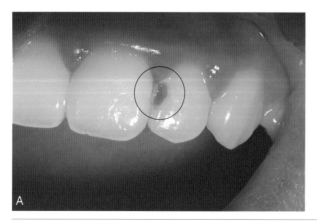

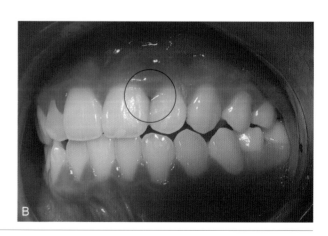

그림 1-15. 콤포짓트 레진 수복재(A: 치료 전, B: 치료 후)

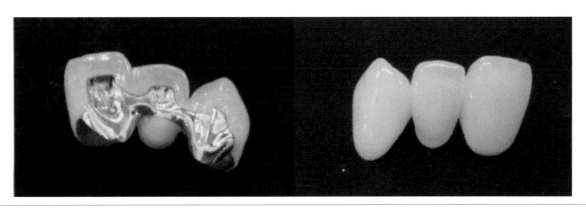

그림 1-16. 세라믹 금관

3) 수명에 따른 분류

(1) 영구수복물

영구수복물은 충전물, 금관, 계속가공의치, 총의치, 국소의치 등이 구강 내에서 탈락되지 않고 영구적으로 사용할 수 있도록 하는 수복물이다. 치아의 수복물과 재수복물의 교체주기는 환자마다 다르며 재료에 따라서도 많이 달라진다.

(2) 임시수복물

임시수복물은 단기간(1주~1개월)에 교체할 계획이 있는 수복물을 말한다. 임시치관은 치아형성 후 당일 제작하여 장착하는데 최종 보철물을 제작할 동안 치아를 보호하기 위해 사용한다.

4) 소재에 따른 분류

(1) 금속재료

거의 모두가 생체비활성재료로서 구강 내에서 부식을 일으키지 않고 구강조직과 반응하지 않으며 안전하게 남아 있어야 한다. 주로 구강 내에서 보철물이나 그 구조물로 사용되고 있다. 과거에는 부식이 적은 귀금속을 널리 사용하였으나, 가격이 저렴하고 기계적 성질이 우수한 크롬을 함유한 비귀금속을 많이 사용하고 있으며 최근에서는 티타늄 소재에 관심이 집중되고 있다.

(2) 고분자재료

치과분야에서 치과보철물이나 수복물의 소재로 사용하고 있고, 최근 일반의료용 생체재료로서의 고분자재료는 생체활성재료로써 활발히 연구되고 있으며, 대개 인공봉합사나 의약품의 전달체계용 재료로 체내 또는 배양액 내에서 흡수되는 생체 흡수성재료이다.

(3) 세라믹재료

내식성이 우수하고, 화학적 안정성이 뛰어나며 심미성이 우수하여 치과 보철물이나 수복물의 소재로 많이 사용되어 왔는데 이들은 대부분 생체비활성재료이다. 그러나 최근에는 고분자재료와 마찬가지로, 골 대체재로서의 응용이 많이 연구되고 있으며 생체활성재료로서의 세라믹에 관심이 집중되고 있다.

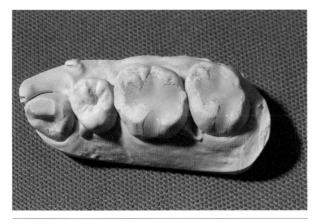

그림 1-17. 레진 인레이

G.V. Black의 와동분류(그림 1-18)

Class Ⅰ : 교합면 소와열구 부위의 와동을 말한다.

Class Ⅱ : 구치부 인접면 사이 접촉부 하방의 와동을 말하며 방사선사진을 통해 진단한다.

Class Ⅲ : 전치부 인접면 사이 와동을 말하며, 방사선사진과 임상검진으로 Class Ⅲ 병소를 진단한다.

Class Ⅳ : 전치부의 절단면이 파절되어 생긴 와동을 말한다.

Class Ⅴ : 전치와 구치의 협설면 치경부 1/3의 와동이 해당된다.

Class Ⅵ : Black 와동분류에서 나중에 첨가된 항목으로 치아의 교두 첨두 또는 절단연이 이환된 Class Ⅵ 병소로 Class Ⅵ는 실제로 아주 드물게 나타난다. 그러나 교두 첨두 또는 절단연의 마모는 흔하다. 교모는 인접한 법랑질이 더 단단하므로 상아질 노출로 마모가 빨라진다.

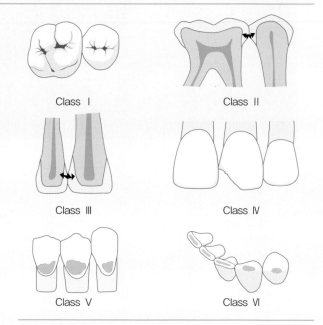

Class Ⅰ | Class Ⅱ

Class Ⅲ | Class Ⅳ

Class Ⅴ | Class Ⅵ

그림 1-18. G.V.Black의 와동분류

≫ Summary

- 치과위생사는 환자에게 치과재료의 특성과 성질을 바르게 설명하고 적당한 관리 방법을 교육해주어야 하므로 치과재료에 대한 올바른 지식을 갖추어야 한다.
- 현재 전 세계적으로 국제표준기구(International Organization for Standardization: ISO)의 규격을 이용해서 치과재료에 대한 용어와 시험방법을 통일하고 있다.
- 치과재료는 용도, 제작 위치, 수명, 소재에 따라 분류한다.

≫ Learning Activities

1. 주변 상점이나 약국 등에서 ISO 마크나 KS 마크를 조사해보자.

2. 전치부와 구치부 치질 상실에 각각 어떤 재료를 사용해야 하는지 말해보자.

3. 서로 짝을 이루어 치경(dental mirror)을 이용하여 구강 내 치면열구전색이나 교정장치, 기타 수복물이 있는지 살펴보고 어떤 재료들이 사용되었는지 얘기해보자.

4. 수복물이 사용된 경우라면 Black의 와동 분류 중 어디에 해당되는지 분류해보고 직접수복물인지 간접수복물인지 설명해보자.

Review Questions

01 비정부기구로서 국제표준기구로 사용하고 있는 표준규격은?

① FDA(Food and Drug Administration)

② ADA(American Dental Association)

③ AADA(American Association for Dental Research)

④ ISO(International Organization for Standardization)

02 다음 중 간접수복재는 어느 것인가?

① 아말감

② 글라스아이오노머 시멘트

③ 콤포짓트

④ 세라믹

03 치아의 치경부 1/3 부위에 형성된 와동을 몇 급 와동이라 하는가?

① I 급   ② II 급   ③ III 급

④ IV 급   ⑤ V 급   ⑥ VI 급

참고문헌

1. 성혜숙. 물질의 상태변화, 씽크하우스, 2008.

2. 한국치과재료학교수협의회. 치과재료학 5판, 군자출판사, 2008.

3. Anusavice KJ. Phillip's Science of Dental Materials. 1th ed. Philadelphia: Saunders, 2003, Chapter 1.

4. Gladwin M. Bagby M: Clinical aspects of dental materials; theory, practice, amd cases, 3rd ed. Philadelphia: Lippincott Williams & Wilkins, 2007.

5. ISO 4049:2009 Dentistry - Polymer-based restorative materials.

6. Jablonski S. Illustrated Dictionary of Dentistry. Philadelphia: Saunders, 1982.

7. Marica Gladwin, Michael Bagby. Clinical Aspects of Dental Materials: Theory, Practice, and Cases, 3rd. ed Lippincott Williams & Wilkins, 2008, Chapter 1 and 2.

8. Powrers JM & Sakaguchi RL. eds. Craig's Restorative Dental Materials. 12th ed. St. Louis: Mosby, 2006, Chapter 1.

9. Stedman's Medical Dictionary for the Dental Professions. Baltimore: Lippincott Williams & Wilkins, 2006.

10. Wilkins EM. Clinical Practice of Dental Hygienist. 9th ed. Baltimore: Lippincott Williams & Wilkins, 2008, Chapter 1.

정답 | 1.④ 2.④ 3.⑤

PART 02

치과재료의 특성

✓ 물질의 결합을 설명할 수 있다.
✓ 치과재료의 물리적·화학적 성질을 설명할 수 있다.
✓ 치과재료의 기계적 성질을 설명할 수 있다.
✓ 치과재료의 생물학적 성질을 설명할 수 있다.

• • • • •

치과재료학은 자연과학의 한 부분으로 재료의 특성과 작용을 설명하는 것을 목적으로 한다. 치과재료학을 배우는 데 있어 재료의 원자와 분자에, 그리고 그 원자와 분자 간에 존재하는 결합 형태에 기초하여 재료가 왜 그런 특성을 나타내는지 알아야 한다.

치과재료의 특성은 물리적, 화학적, 기계적, 생물학적 특성으로 나눌 수 있으며, 구강 내 환경에서 치과재료의 특성을 장기간 유지하면서 기능을 충분히 발휘할 수 있어야 한다. 따라서 치과위생사는 치과재료의 조작과정에서 발생할 수 있는 문제점과 잠재적으로 발생될 수 있는 임상적 실패요인을 충분히 검토하여 가장 적합한 치과재료를 선택해야 할 것이며 이를 위하여 각 재료들이 갖는 일반적인 특성을 먼저 이해할 필요가 있다. 본 장에서는 이러한 치과재료의 각 특성을 살펴보도록 하겠다.

1. 물질의 결합

1) 원자 결합

우리가 음식을 먹고 씹을 때 생기는 힘을 치아는 어떻게 견뎌낼 수 있을까? 치아의 강도를 이해하기 위해 우리는 원자 결합의 속성을 이해할 필요가 있다. 치아와 수복재료들은 우리가 먹는 음식보다 더 강한 원자구조를 가져야 한다.

원자(atomic)는 모든 물질의 기본 단위로서 물질을 이루는 작은 알갱이다. 하나의 원자는 특별한 성질을 가진다. 물질마다 성질이 다른 것은 대부분의 물질이 분자로 이루어져 있기 때문이다. 분자는 2개 이상의 원자가 결합한 것이며, 원자 및 분자간의 결합은 여러 유형으로 나타나고, 다양한 크기의 결합력과 결합에너지를 갖는다. 원자는 따로 존재하는 것보다 여러 원자가 결합함으로써 더 안정되기 때문에 서로 결합하려고 한다.

(1) 상(phase)

모든 물질은 그들간의 다양한 결합을 통해서 집단구조를 형성한다. 분자는 1차 결합에 의해 형성된 원자군으로서 물질의 성질을 나타내는 기본단위이다. 물질은 크게 고체와 액체, 기체의 세 가지 상(phase)으로 구분할 수 있다. 상의 조성을 나타내는 물질을 성분(component)이라고 한다. 상은 재료의 원자간 결합력을 이해하는데 매우 중요하다.

① 기체(gas)

기체는 고체와 달리 일정한 모양과 부피를 갖지 않으며, 액체처럼 유동성(flowable)은 있으나 용기 전체에 확산되고 액체보다 훨씬 압축되기 쉬운 물체의 상태를 가리킨다. 세상에서 기체를 볼 수 있는 사람은 아무도 없다. 기체가 눈에 보이지 않는 까닭은 기체 분자들이 서로 멀리 떨어져 있기 때문이다. 기체 분자들은 넓은 운동장에서 띄엄띄엄 놀고 있는 아이들의 모습과 같다. 즉 분자사이의 연결고리들이 모두 끊어지고 각 분자들은 혼자서 자유로이 돌아다니고 있는 상태이다. 분자들이 뭉쳐있어야 눈에 보이는데 점보다 더 작은 분자들이 곳곳에 퍼져 있으니 눈에 보이지 않는 것은 당연한 이치이다. 따라서 기체 분자 간의 원자 결합은 매우 약하다.

② 액체(liquid)

기체의 온도를 낮추거나 압력을 높여주면 액체 상태로 변한다. 이는 분자간의 거리와 운동 에너지가 감소하기 때문이다. 액체 상태의 분자들은 서로 접촉할 수 있을 만큼 거리가 가깝지만 고체 상태의 분자들처럼 강하게 붙어있지 않으므로 어느 정도의 유동성이 있다. 따라서 물이나 기름과 같이 자유로이 유동하여 용기의 모양에 따라 그 모양이 변하며 일정한 형태를 가지지 않고 압축해도 거의 부피가 변하지 않는다. 하나의 물질이 고체에서 액체로 변화하는 현상을 융해, 액체 면에서 기화하는 것을 증발이라고 한다. 액체가 기체로 변하는 현상을 비등이라 하며, 대기압과 같은 일정한 압력에서 융해 또는 비등이 일어나는 온도를 그 물질의 녹는점 또는 끓는점이라 한다.

③ 고체(solid)

고체는 구성 원자나 분자 사이의 결합이 매우 강하기 때문에 개개의 원자나 분자는 자유운동을 할 수 없다. 다만 서로 구속되어 정해진 위치에서 작은 진동운동만 한다. 고체는 분자 간의 상대적 위치가 거의 변하지 않기 때문에 기체나 액체와는 다르게 유동성이 없고 단단한 특징을 가진다. 즉 고체는 외부에서 가해진 힘에 저항하는 성질을 가진다. 고체는 구성 원자나 분자의 거리가 가깝기 때문에 외부 압력에도 형태가 잘 변하지 않으며 전단응력이 가해져도 모양이 변화하는 방식으로 탄성력이 만들어져 전단응력을 버텨낼 수 있다. 또한 원자들과 분자들 간에 강한 인력이 존재한다. 고체의 단단함을 결정하는 것은 고체 분자들의 연결

고리가 얼마나 강한지에 달려 있다. 분자들의 간격이 더 촘촘하고 더 강하게 연결될수록 고체는 더 단단하다. 즉 단단함의 차이는 물체를 구성하는 원자형태와 재료가 결합된 원자결합의 강도에 의해 결정된다. 고체의 원자결합은 물체의 모양을 유지시키고 이것에 가해지는 외부의 힘으로부터 견디게 해준다. 고체는 기체 및 액체와는 달리 일정한 형태를 유지할 수 있다. 따라서 고체는 부피와 모양이 일정한 형태를 유지하고 있는 물질로서 각 분자들이 자리를 빠져나가거나 움직일 수 없다.

(2) 일차 결합(primary bond)

일차 결합은 원자 간에 일어나는 결합으로서 전자궤도의 특징에 따라서 그 유형이 결정된다. 이 원자들은 전자들을 이동하고 나누는 것을 포함하고 있다.

원자는 양성자, 중성자 그리고 전자들로 이루어져 있다. 양성자와 중성자는 전자핵을 구성하며 전자들은 외피 안에서 핵 주변을 움직인다. 원자 바깥외피에 있는 전자들은 화학적 반응과 원자결합을 한다.

일차 결합은 이온 결합, 공유 결합, 금속 결합으로 구분된다.

① 이온 결합(ionic bond)

이온 결합은 주로 양이온과 음이온이 정전기 인력으로 결합하여 생기는 화학 결합이다(그림 2-1). 전자를 잃은 양이온과 전자를 얻은 음이온이 전기적 힘에 의해 결합한다.

1개의 양이온 주위에는 몇 개의 음이온이 정전기 인력에 의해 둘러싸여 있으며 음이온 하나하나가 정전기인력에 의해 양이온에 둘러싸여 있는 형태로 3차원적으로 연결되어 있다. 순수한 이온결합으로만 이루어지는 물질은 많지 않으며, 대부분 공유 결합이 어느 정도 포함되어 있다.

② 공유 결합(covalent bond)

공유 결합은 화학결합의 일종으로 두 원자가 전자를 제공하여 공유함으로써 안정된 전자배열을 갖는 결합 상태이다. 원자들은 1개 또는 2~3개의 전자를 나누어 갖는다.

다른 원자와 같이 공유하는 전자들은 이들의 바깥 외피를 전자들로 채우기 위해 하나의 원자를 받아들인다.

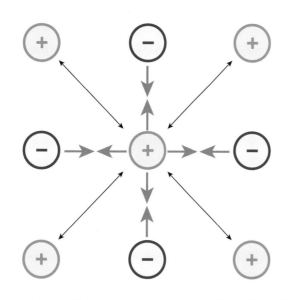

그림 2-1. 이온결합, 전자를 잃은 양이온과 전자를 얻은 음이온이 전기적 힘에 의해 결합함.

전자를 공유하는 두 원자 간의 공유 결합은 매우 강하나 공유 결합만으로 이루어진 재료는 거의 없다. 공유결합으로 된 재료 중 하나가 다이아몬드이다. 이는 공유 결합을 통해서 각각의 탄소원자에 4개의 다른 탄소원자들이 결합되어 있다. 가장 단단한 재료 중 하나로 알려진 이유가 바로 이 결합 때문이다. 많은 재료들은 공유 결합이 된 원자들의 긴 사슬로 이루어져 있으며 그 사슬은 강하다. 고분자는 공유 결합 된 탄소원자의 긴 사슬들로 이루어져 있다.

③ 금속 결합(metallic bond)

은, 철, 구리 등은 우리와 친숙한 금속이다. 이러한 금속들은 한 종류의 원자로 이루어져 있다. 고체 금속은 무수히 많은 원자가 규칙적이며 일정한 배열을 이루고 있으며 개개의 금속원자는 최외각 전자 껍질의 전자를 쉽게 내주려고 한다. 전자를 내놓고 양이온(+ 이온)이 되어 일정한 배열을 이루면, 전자들이 양이온 사이를 자유롭게 이동해 다니는 자유전자(free electron)로 존재함으로써 양이온 사이의 반발력을 없애 결합이 유지되도록 한다. 금속은 자유전자가 있기 때문에 전기와 열을 잘 전도하며 일반적으로 밀도가 높

고 무겁다. 금속의 이와 같은 특성은 금속 결합의 결과이다.

금속물체에 있어 공유 결합의 전자와 다른 점은 두 원자에 의해 공유된 것이 아니라는 것이다. 대신 그들은 그 물체를 구성하는 모든 원자들에 의해 공유되어 있다.

즉 금속원자는 그림 2-2와 같이 음전하를 띤 자유 전자무리 속에 양이온으로서 위치한다. 금속원자는 이같이 금속이온과 자유전자 간의 방향성 없는 정전기적 결합으로서 모든 금속 및 합금 물질에 나타나는 결합유형이다. 결합에너지는 다른 일차 결합에 비해서 비교적 낮은 편이다. 금속 결합을 갖는 물질의 특징은 높은 전도성, 전성 및 가소성을 갖고 다양한 범위의 녹는점을 갖는다.

(3) 이차 결합(secondary bond)

이차 결합은 전자의 이전 또는 공유 없이 원자들 사이에 정전기적 인력으로 결합이 유지되어 상대적으로 약한 인력을 갖는 결합이다. 수소 결합이나 또는 반데르발스(van der Waals) 결합이 있다. 이차 결합은 일종의 화학 결합으로서 다른 결합들이 외각전자가 채워지지 않은 상태에서 결합전자의 재배열을 통해 발생하지만 이차 결합은 불활성 기체와 같이 외각 전자가 채워진 상태에서 발생하는 것으로 비대칭적 전자 분포에 의해 발생한 전기 쌍극자(dipole)에 의한 약

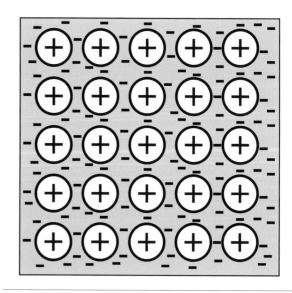

그림 2-2. 금속 결합(이차적인 원자결합)

한 결합력이 생기는 것을 말한다. 이차 결합은 원자 또는 분자 주변의 전자들이 불균형하게 분배되면서 생기는 부분적 전하의 결과이다. 그 전하는 임시적, 영구적일 수 있으며 매우 약할 수도 있고 또는 다소 강할 수도 있다. 이차결합은 고분자의 속성을 결정짓는 중요한 결합으로 고분자 자체 또는 고분자 사슬의 상호작용을 결정짓는다.

2) 치과재료의 원자 결합

재료를 이루는 원자와 이러한 원자들의 결합방법은 물질의 특성을 결정한다. 약한 결합은 약한 물질을 만들고, 반대로 강한 결합은 강한 물질을 만든다. 재료는 그들의 일차적인 원자결합에 의해 세 가지 종류로 구분할 수 있으며 금속, 세라믹, 고분자가 있다.

(1) 금속

각 성분 금속의 원자가 결합격자 가운데 정해진 위치에 있는 합금을 금속간 화합물이라 한다. 금속은 금속 결합으로 이루어져 있다. 하지만 순수한 금속 결합의 금속은 많지 않다.

대다수 금속은 금속 결합이 우세하지만 약간의 공유 또는 이온 결합의 경향을 나타내는 결합도 있다.

순금의 유연성은 금이 깨지지 않으면서도 강도를 유지하고 쉽게 구부러진다는 의미이다. 금은 도자기나 플라스틱처럼 세라믹 물질과는 다르게 반응한다. 이러한 물리적 특징은 금속 결합의 결과이다.

금속의 굽힘성과 형태를 가질 수 있는 용이함은 초기 인류에게 단단하면서 분쇄에 견딜 수 있는 강력한 도구를 만들 수 있게 하였다. 만약 해머를 금속이 아니라 세라믹이나 고분자 물질로 만들었다면 어떻게 되겠는가?

교정용 와이어나 국소의치의 클래스프(clasp)를 구부릴 때, 혹은 치아와동을 금으로 수복하기 위해 원자가 서로 미끄러지도록 힘을 가하면 금속이 구부러진다.

금속간 화합물의 결정구조는 복잡하며 소성변형(plastic deformation)을 거의 일으키지 못하기 때문에 단단하고 취성(brittle)이 크다.

(2) 세라믹

대부분의 세라믹은 이온 결합을 하지만 일상생활에서 사용되는 접시, 도자기, 벽돌과 같은 세라믹 물질 등은 이온 결합과 공유 결합으로 결합되어 있다. 이온 결합은 경도와 취성이 큰 물질이 된다. 이러한 물질결합의 특성은 세라믹 물질의 처리과정과 화학적 안정성을 위해 높은 온도가 필요하다.

치과재료에서 세라믹의 장점은 색(color)의 자연스러움이다. 세라믹 물질로 만들어진 치관은 환자 본래의 자연치아와 같은 색으로 만들어질 수 있다. 세라믹 물질은 반투명성인데 이것은 자연 치아처럼 약간의 빛을 통과하고 반투명체인 세라믹 치관이 다른 물질이 줄 수 없는 자연스러움을 준다(그림 2-3). 그러나 어떤 세라믹 물질은 투명하다. 유리는 무정형 또는 비결정체 세라믹 물질의 일반적인 용어이다. 많은 세라믹 물질들은 원자들이 서로 힘을 가하고 있기 때문에 강하고 화학적으로 불활성이며 압력을 가했을 때 잘 견딜 수 있다. 하지만 서로 밀고 있는 힘 때문에 세라믹 물질은 잡아당기거나 구부려졌을 때 약하고 쉽게 깨지게 된다.

(3) 고분자(polymer, 중합체, 플라스틱(plastic))

고분자는 폴리머라고도 하며 공유결합된 구조가 중첩되는 사슬 모양 구조로 구성되어 있다. 이것은 수천 개의 탄소와 수소, 그리고 다른 요소들로 이루어져 있다. 다양한 고분자들은 우리 일상생활에 사용된다. 고분자 중에서 약하고

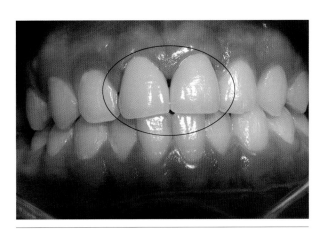

그림 2-3. 세라믹 크라운

부드럽고 유연한 것을 플라스틱이라 부르고, 단단하고 딱딱하며 강한 재료를 합성수지라고 한다.

고분자 재료의 기본 구성 성분은 탄소와 수소지만 첨가 원소에 따라 다양한 특성을 갖는 고분자로 변화시킬 수 있다. 예를 들면 기본 구조에 산소가 첨가되면 아크릴 레진, 질소가 첨가되면 나일론, 실리콘이 첨가되면 실리콘 레진 등으로 변환할 수 있다.

왜 고분자는 이러한 광범위한 특성을 나타내는 것일까? 이것은 고분자 재료가 광범위한 다양성을 가진 것과 같이 고분자 사슬간의 결합이 다양하기 때문이다. 고분자 사슬 내의 단량체들은 강한 일차 결합(공유 결합)으로 구성되어 있지만 고분자 사슬 간에는 약한 이차 결합(수소 결합, 반데르발스 결합)으로 구성되어 있어 기계적 강도가 상대적으로 낮으며 열팽창 계수는 매우 높은 단점이 있다.

2. 치과재료의 물리적·화학적 성질

1) 물리적 변화와 화학적 변화

물리적 변화는 물질의 성질을 그대로 유지한 채 겉모습만 바뀌는 것을 의미하며, 물리적 변화가 일어난 것은 원래 상태로 되돌리는 것이 가능하다.

화학적 변화는 물질의 성질이 변하여 처음과는 아주 다른 물질이 되는 것으로 물질의 원자 결합이 깨지거나, 새로운 결합에 의해 일어난다. 화학적 변화가 일어나면 고유한 성질이 변했기 때문에 처음의 물질로 되돌아 갈 수 없다.

화학적 변화가 일어날 때는 새로운 물질이 만들어지기 때문에 변화과정에서 이전에는 없던 것이 나타나기도 한다. 예를 들면 물질의 색이 변하거나 열이나 빛이 나는 것이다. 때로는 기체가 발생하거나 독특한 냄새가 나기도 한다. 종이가 구겨지는 것은 물리적 변화이다. 따라서 종이가 가진 성질이나 빛깔을 그대로 갖고 있다. 하지만 종이가 타는 것은 화학적 변화로 탄 종이는 색깔이 변하면서 성질이 변한다.

2) 밀도(density)

주어진 체적에 함유된 재료의 양 또는 질량으로 밀도의 단위는 g/cm³이다. 원자의 수가 증가함에 따라 밀도도 증가한다. 또한 원자의 유형과 그 재료 안의 빈 공간들에 따라 달라진다. 대개 금속은 밀도가 높으며 원자가가 높고 고형 내로 서로 긴밀히 충전된 원자를 갖는다. 밀도가 높은 금속으로 제작된 상악 국소의치는 구강 내 잔존치아와 잘 접합되지 않으면 중력에 의해 구개부에서 탈락될 가능성이 있다.

3) 끓는점(boiling point)과 융점(melting point)

끓는점과 융점은 재료의 물리적 성질이다. 융점과 비점의 개념은 종종 혼재되어 사용되기도 한다. 혼합물의 경우 특정한 융점 또는 끓는점 보다는 융점 범위 또는 끓는점 범위를 가진다. 치과용 왁스는 녹는 범위가 혼합되어 나타나는 대표적인 재료이다.

4) 증기압(vapor pressure)

증기압은 용액이 증발하여 발생되는 기체의 측정값이다. 증발하는 속성이 있고 기체가 된다. 액체의 온도가 증가하면 열에너지가 증가하게 되어 수증기압도 증가하게 된다. 열이 가해짐에 따라 물주전자에서 점점 더 증기가 올라오는 것을 생각해보면 잘 알 수 있다. 높은 증기압을 가진 재료를 이용하여 점성용액을 용매와 혼합하게 되면 묽게 되므로 흐름성이 높은 혼합체를 물체 표면에 도포할 수 있다. 이 때 도포 액에서 용매가 증발하면 점성용액의 얇은 층만 남는다.

치과에서 코팔 바니쉬(copal varnish)나 상아질 접착제 같은 진한 용액을 얇은 층으로 치면에 도포할 때 이런 용매를 사용한다. 코팔 바니쉬는 상품에 내장된 희석제를 이용하여 용액의 점도를 조절하며 원하는 물질의 얇은 피막이 남게 되는 과정을 이용하여 보호막을 형성하거나 틈 사이를 메꾼다. 아크릴릭 레진(acrylic resins)의 주성분인 메틸메타크릴레이트는(methylmethacrylate)는 증기압이 높아서 의치를 제작할 때 쉽게 증발한다. 따라서 의치제작 시 메틸메타크릴레이트 증발과 기포발생을 최소화하는 방법을 고안하여 설계해야 한다.

5) 열전도성(thermal conductivity)

열전도성은 재료를 통과하는 열 흐름 속도이다. 열전도성은 시간당·미터당·온도당 칼로리(calories/second·meter·degree) 단위로 측정할 수 있어 cal/sec·meter로 측정한다.

금속 같은 전도성 재료가 치수에 근접할수록 치수 예민도가 나타난다. 비열이 낮고 열전도율이 큰 금합금과 아말감과 같은 수복물들은 법랑질에 비해 열확산율이 훨씬 크다. 따라서 깊은 우식부위에 금속 수복물을 사용할 때는 치수 단열을 위해 수복물 하방에 단열성 베이스(base)를 도포한다. 그러나 플라스틱 재료는 열전도성이 낮아 수복물 하방에 단열성 베이스를 도포할 필요가 없다.

의치에 사용되는 재료는 열전도성이 높은 것이 좋으며 수복용 재료는 치수보호를 위해 열전도성이 낮은 것이 좋다.

6) 열용량(heat capacity)

재료의 열용량은 재료가 저장할 수 있는 열에너지의 총량을 말한다. 어떤 재료들은 데워지는데 다른 것보다 더 많은 에너지를 필요로 한다. 특정 열용량은 해당재료의 질량이 1℃ 단위 온도를 증가하는데 필요한 에너지 양이다.

특정 열용량은 cal/g으로 측정한다. 물의 열 용량은 1 cal/g이다.

7) 열팽창계수(coefficient of thermal expansion)

열팽창계수란 온도를 높이면 팽창하고, 낮추면 수축하는 성질을 말하는데, 대부분의 재료들은 가열하면 팽창하고 냉각하면 수축한다. 열팽창계수는 온도의 상승에 따라 나타나는 재료의 길이 변화를 나타내는 값으로 온도가 1℃ 상승할 때 재료의 길이 팽창율로 나타낸다. 열팽창계수의 차이가 크면 수복재는 수축과 팽창이 반복되어 수복된 치아에서 미세누출이나 지각 과민증, 재발성 우식증을 일으키는 원인이 된다.

온도 상승으로 인한 수복재의 팽창은 치아의 파절이나, 만성적인 치수자극의 원인이 될 수 있고, 반대로 온도의 하강으로 인한 수복재의 수축은 접착면에서 수복물과 치질 사이의 결합력을 파괴시켜 미세누출을 초래할 수 있다. 따라서 수복재의 열팽창계수는 법랑질이나 상아질과 유사하여야 한다.

치과재료의 열팽창계수 값들을 치아와 비교해보면, 금합

표 2-1. 열전도율과 열확산율, 열팽창계수

재료	열전도율 (cal/cm·sec·℃)	열확산율 (cm²/sec)	열팽창계수 (×10-6/℃)
물	0.0014	0.0014	
법랑질	0.0022	0.0047	11.40
상아질	0.0015	0.0018~0.0026	8.00
인산아연 시멘트	0.0028	0.0029	0.32
산화아연유지놀 시멘트	0.0011	0.0039	35.00
아크릴릭 레진	0.0005	0.0012	76~80
세라믹	0.0025	0.0064	4~12
아말감	0.0550	0.0960	22~28
티타늄	0.0360	0.0727	8.36
금	0.7100	1.1900	14.20
은	1.0060	1.6700	19.20
동	0.9180	1.1400	16.50

금, 아말감, 고분자재료 순으로 유사하며, 세라믹 등은 치아보다 더 작은 값을 갖거나 치아와 유사하다.

8) 융해열과 기화열(heat of fusion and vaporization)

융해열은 재료를 녹이는 에너지 양이고 기화열은 재료를 끓이는 데 필요한 에너지 양이다. 융해열과 기화열은 열용량과 큰 관련이 있다. 주어진 양의 물 1℃ 올리는 것 보다 같은 양의 얼음을 녹이는데 80배의 에너지가 필요하다. 같은 양의 물을 끓이려면 540배의 에너지가 필요하다. 금속의 융해열은 금 주조온도를 초과해야 하므로 고형금속을 융해온도까지 가열하려면 금속을 녹일 정도의 에너지 양이 필요하다. 물질이 고체에서 액체로 변화가 일어나는 온도를 융점(melting point)이라고 한다. 유리와 같은 비결정 재료는 고체 상태에서 열을 가하면 단단함이 소실되는 데 이때의 온도를 유리전이온도라 한다. 유리전이온도를 가지는 재료로는 인상용 콤파운드, 왁스가 있으며 융점이 높은 재료는 백금, 팔라듐, 니켈, 크롬 등이 있다.

9) 용해도(solubility)

용액 내에서 물질의 성분이 용액으로 빠져나가는 용해(dissolution)의 정도를 말한다.

구강 내 도포 및 장착되는 재료는 다양한 구강 내 수용액에 노출된다. 물에 의한 재료의 용해도는 중요한 고려사항이다. 수복재료는 구강 내에서 용해되지 않아야 한다. 일부 재료는 산성 환경에서 더 빨리 녹는 경향이 있다. 치과용 시멘트의 용해도 측정은 임상적으로 중요하다. 시멘트의 과잉 용해도는 시멘트 접착제의 상실로 인하여 재발성 우식증 위험을 증가시킨다. 인산아연시멘트의 경우 경화된 후에도 타액과 같은 수분에 노출되는 경우 용해가 일어난다.

글라스아이오노머(glass ionomer) 시멘트는 경화과정에서 수분과 접촉하면 유리분말이 용해되어 생성된 규산의 겔화를 방해하므로 강도가 저하된다.

용해도나 흡수도가 낮은 재료는 금속과 세라믹이다.

10) 물 흡수도(water sorption)

물을 흡수하는 일부 재료의 성질로서 물 흡수도는 용해도처럼 측정한다. 실험시편을 물에 담궈 시편이 얻은 무게를 물 흡수도라 한다. 고체나 액체의 표면에 흡착(adsorption)된 물질이 확산과 삼투에 의해 내부로 빨려 들어가는 현상으로 흡수도는 용액 내에서 물질이 물을 빨아들이는 흡수(absorption)의 정도를 말한다. 즉, 수복재료의 내부로 구강액의 일부가 빨려 들어가는 현상이다.

흡수는 물성의 저하, 변색, 팽윤에 의한 크기 변화 및 변형을 초래한다.

- 흡착: 물질의 표면에만 흡수가 일어나는 현상
- 흡수: 물질의 내부까지 흡수가 일어나는 현상

11) 젖음성(wettability)과 접촉각(contact angle)

젖음성은 고체 물질이 액체물질에 의해 젖어드는 정도를 말한다. 접촉각은 고체의 액체에 대한 젖음성의 표현척도로 고체 표면 위에 놓인 액체방울이 고체표면과 이루는 각을 말한다.

젖음성이 좋으면 액체는 고체에 잘 부착되고 반대로 젖음성이 나쁘면 부착성도 나빠진다. 치면열구전색재와 같이 좁은 소와와 열구를 잘 흘러들어가야 하는 재료는 젖음성이 좋아야 하고, 콤포짓트 레진과 같은 수복재는 젖음성이 낮아야 잘 녹지 않는다. 고체의 표면 에너지가 클수록, 액체의 표면장력이 작을수록 접촉각은 작아진다.

물에 대한 접촉각이 큰 물질을 소수성(hydrophobic), 작은 물질을 친수성(hydrophillic)이라 한다. 치면열구전색재 같은 접착재료의 표면 젖음 성질은 화학적 및 기계적 결합을 일으키는데 치아 표면(피착제)과 긴밀한 연관이 있다. 젖음은 그림 2-4에서 보여지는 것처럼 고체에 대한 액체의 접촉각에 따라 결정된다.

치과에서 젖음은 인상체에 모형재를 부을 때 발생한다. 혼합된 석고(gypsum)재료가 인상체 표면을 적시면 인상체의 미세부가 복사된다. 젖음이 불량하면 인상체 표면에 충분히 젖지 못하여 기포가 발생되어 미세부 재현을 불가능하게 한다.

12) 점성(viscosity)

재료를 도포할 때 재료의 조작 특성은 중요하다. 일부 재

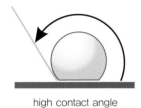
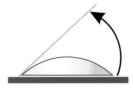

high contact angle
(poor wetting)

low contact angle
(good wetting)

그림 2-4. 고체에 대한 액체의 잦음성과 접촉각. 접촉각이 크면 젖음성이 낮고 접촉각이 작으면 젖음성이 좋다.

료는 흐름성이 양호하여 치아 표면을 쉽게 적실 수 있는 성질을 요구하나 어떤 재료는 원하는 형태로 적합 또는 형성 가능한 반죽(putty)상태를 필요로 하기도 한다. 재료의 점성은 흐르는 능력을 말하는데 진하거나 점성이 있는 용액은 흐름성이 불량하고 반면에 묽은 용액은 흐름성이 양호하여 쉽게 흐른다. 점성은 온도에 의존하는 성질이 있다. 용액이 따뜻할 때는 좀 더 쉽게 부을 수 있다. 낮은 점성과 표면의 젖음성은 치과용 재료를 사용할 때 매우 중요하다.

13) 콜로이드(colloid)

콜로이드는 기체, 액체, 고체의 혼합물질로 둘 이상의 상으로 만들어진 물질이다. 둘 이상의 상이라고 해서 소금물과 같이 다른 물질에다 다른 한 물질을 녹인 용액 같은 것이 아니라, 공기 중에 눈에 보이지 않는 물방울 부유물이 있는 연기처럼 다른 물질에 또 다른 물질이 부유하고 있는 것과 같은 것을 말한다. 즉, 기체나 액체, 고체 상태의 분산질이 다양한 조건에서 분산매에 분산되어 있는 것이다.

콜로이드 상태는 분산매와 분산질의 혼합에 의해 분류된다. 분산질은 분산의 매체를 말하는 것으로서 용액에서는 용질로 이해할 수 있다. 녹말용액의 예를 든다면 녹말이 분산질이고 물이 분산매이다.

콜로이드의 형태는 고체입자가 액체에 분산된 경우로서 일반적으로 졸(sol)과 겔(gel)로 알려진 두 가지 상태로 존재한다. 이 중에서 분산매가 액체여서 전체가 액상인 것이 콜로이드 용액으로서 이를 졸(sol)이라 한다. 한천이나 젤라틴 등의 농후한 졸을 냉각시키면 유동성을 잃고 반고체 상태가

된다. 이것을 겔(gel)이라고 하며 겔화는 콜로이드 입자가 운동성을 잃어버림으로써 일어난다. 즉 졸은 분산질이 분산매에 분산되어 있는 점성이 있는 액체 상태이고, 겔은 졸 상태의 물질이 냉각이나 화학반응에 의해 젤리와 같은 반고체상태로 굳어진 것이다. 분산매가 물인 경우 친수성을 나타내므로 물과 접촉할 때 물을 흡수하여 팽창을 보이지만 반대로 건조한 공기 중에 방치하면 수분의 증발로 인해 수축이 일어난다.

액체에서 겔 상태로의 변환은 콜로이드 물질의 중요한 특성이다. 이 물질을 데우면 액체 상태로 변하고 식히면 반고체 상태인 겔로 되는데 이러한 성질을 가역성이라 한다. 재료 중에서는 하이드로콜로이드 아가 인상재가 대표적이다.

14) 전기 전도도(electrical conductivity)와 갈바니즘
(galvanism)

금속은 양호한 전도체이다. 고분자와 세라믹은 전기 유도성이 좋지 않으며 이러한 전도체를 절연체라 한다. 전기 전도도는 기구의 부식정도에 따라 영향을 받는다. 갈바니즘은 구강 내에 두개 이상의 이종 금속 물질이 이온화 경향의 차이로 인해 전위차가 발생하여 타액을 전류액 삼아 전류가 흐르는 현상이다. 증상은 신경에 전기 자극으로 통증이 오게 되는데, 식사 중에 금속 숟가락으로 전기 전도도를 전달 받으면 숟가락에서 아말감을 거쳐 치수로 전기가 흘러 들어가 갈바닉 쇼크(galvanic shock)를 발생시키고 아말감 충전물 등이 손상 받는다.

갈바니즘(galvanism)이 발생되면 재료의 부식은 더 많이 나타나게 되며 이종 금속들이 서로 마주칠 때 마다 순간적으로 단락 전류가 치수를 통하여 흐르면 갈바닉 쇼크에 의한 지속적인 통증을 유발할 수 있다.

3. 치과재료의 기계적 성질

1) 응력(stress)

하중을 받은 물체 내에서 일어난 힘을 응력이라 한다. 응력은 가해진 힘 또는 하중에 비례하며 물체의 크기와 관련이 있다.

응력은 물체의 단면적으로 하중을 나눈 것이다.

- 응력 = 하중/단면적

물체에 가해진 하중 또는 힘은 물체 전 길이에 응력을 발생시킨다. 응력은 psi(pound/square inch)로 측정되며 미터법으로 pascal로 측정한다. 응력은 megapascal 단위를 사용한다.

응력의 유형(type of stress)은 다음과 같다.

① 압축응력(compression): 물체를 누르는 힘에 의해 발생
② 인장응력(tension): 물체를 잡아당기는 힘에 의해 발생
③ 전단응력(shear): 물체에 방향이 반대인 두 힘에 의해 발생
④ 굽힘응력(bending): 물체를 구부리는 힘에 의해 발생 (그림 2-5)

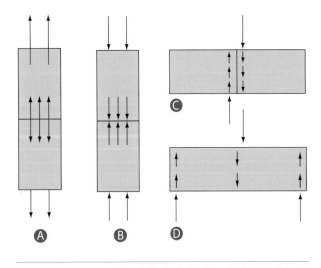

그림 2-5. 외력의 작용 방향에 따라 재료 내에 발생하는 응력의 형태(A 인장응력 B 압축응력 C 전단응력 D 굽힘응력)

2) 탄성(elasticity)

우리가 어금니로 물었던 것을 이완할 때 치아는 본래의 길이로 돌아온다. 원자 결합과 재료들이 어떻게 힘에 반응하는지 알아보기 위해 일반적인 용수철의 예를 살펴보자. 용수철에 걸려있는 작은 장식물의 수를 늘려 하중을 늘릴 때 용수철의 길이는 증가된다.

물체를 구부리면 이와 같은 원자 결합의 늘어뜨려짐이 물체의 일부분에서 나타나 원자 결합이 늘어나게 된다. 그러나 그림 2-6에서와 같이 다른 부위는 원자 결합의 압축이 일어난다. 힘을 제거하면 원자가 본래 위치로 되돌아가기 때문에 물체는 원래 형태로 되돌아간다.

이렇게 재료가 원래 자기 형태로 돌아가는 현상을 탄성이라 한다.

3) 변형률(strain)

물체를 탁자 위에 올려놓으면 힘이 탁자에 가해진다. 물체 내부에는 힘에 저항하는 반대 힘 또는 응력이 발생한다. 물체에서 발생된 힘 또는 응력은 원자 결합의 신장(또는 압박)의 원인이 된다. 탁자 위의 물체 개수를 증가시키면 하중이 증가하고 결합이 신장되며 물체에서 응력이 증가한다. 하중받은 물체의 압박 또는 신장은 전형적으로 매우 작다. 변형은 최초의 길이로 나눠지는 길이의 변화이다. 변형은 분할(예를 들어 0.02) 또는 백분율(예를 들어 2%)로 측정한다. 물체가 길면 길수록 같은 변형을 가지기 위해 더 신장된다.

4) 응력과 변형률과의 관계(relationship of stress and strain)

탄성구간 내에서 변형률에 대한 응력의 비이다. 응력과 변형률은 비례하며 항상 동시에 일어난다. 응력과 변형률이 정비례 관계를 나타내는 지점을 비례한도(proportonal limit)라 하며 응력과 변형율의 기울기를 탄성계수(elastic modulus) 또는 영률(Young's modulus)이라 한다(그림 2-7). 응력-변형률 곡선에서 직선 구간의 기울기이다.

직선의 경사가 심할수록 탄성계수는 커지지만 상대적으로 변형은 작아진다.

- 탄성 계수(율) = 응력(stress)/변형률(strain)

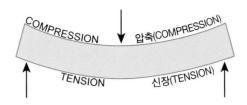

그림 2-6. 물체를 구부렸을때의 신장과 압축

탄성계수가 높으면 재료는 강직하며 뻣뻣한 재료(stiff)이고, 탄성계수가 낮으면 유연한(flexible) 재료이다(그림 2-7). 법랑질은 탄성계수가 높고 고무줄은 탄성계수가 낮다. 응력처럼 계수는 psi 또는 pascals로 측정되는데 많은 값(stress)을 작은 값(strain)으로 나누므로 매우 큰 값이 된다.

- 법랑질과 비슷한 탄성계수: 금합금
- 상아질과 비슷한 탄성계수: 복합레진, 인산아연시멘트

5) 응력 - 변형률 곡선(stress-strain plot)

하중증가와 탄성체 길이 변화의 그래프에서 초기에는 직선이고 다음은 탄성계수와 동등한 경사를 갖는다(그림 2-8).

(1) 비례한도(proportional limit, P)

재료가 탄성을 갖는 최대 응력이다. 응력과 변형률 사이에 정비례의 관계가 성립하는 최대응력값(p)으로 표시한다. 이 영역에서는 응력이 제거되면 변형이 회복되어 원래의 형상을 회복한다. 가해진 하중을 제거하면 탄성체는 원래 길이로 복원되어 이 길이를 탄성한도(elastic limit, e)라고 한다. 일반적으로 모든 재료는 비례한도 보다 낮은 수준의 응력이 작용한 경우에도 미세한 정도의 영구변형이 나타나므로 0.001%의 영구변형을 보일 때의 응력을 비례한계로 표시하고 있다.

- 탄성변형: 응력이 제거되었을 때 그 재료가 원상태로 돌아가는 경우
- 소성변형: 원래상태로 돌아가지 못할 정도로 변형된 경우

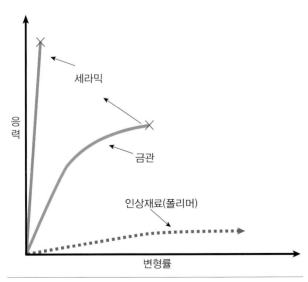

그림 2-7. 응력-변형률

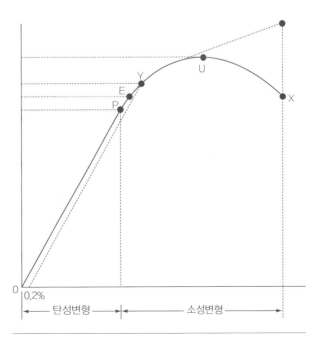

그림 2-8. 응력-변형률 곡선

(2) 항복강도(yield strength, Y)

재료가 탄성을 소실하고 영구변형이 일어나는 응력을 말한다. 하중을 계속 가하면 그래프 선상의 한 점부터 곡선을 그리기 시작하고 응력은 더 이상 변형에 비례하지 않는다. 이 점에서 하중을 제거하면 탄성체가 원래 길이로 복원되지 않고 영구적으로 신장된다. 이 현상을 항복강도라고 하며 응력-변형률 곡선에서 직선구간이 끝나고 0.1~0.2%의 변형이 일어나는 지점을 말한다. 즉 재료가 소성변형을 일으키기 시작하여 응력과 변형률 사이에 비례관계가 성립하지 않을 때의 응력값(y)으로 표시한다.

응력-변형율 곡선에서 탄성변형률과 소성변형률 사이의 경계점이 명확하지 않기 때문에 항복강도는 특정한 소성변형율에 해당하는 응력값을 선택한다.

(3) 극한강도(ultimate strength, U)

재료의 파절이 일어날 때까지의 최대 응력점이다.

일반적으로 재료의 강도라 하면 극한강도를 말한다. 인장 시의 극한강도를 인장강도(tensile strength), 압축시의 극한강도를 압축강도(compressive strength)라 하고 재료가 파괴될 때까지 나타나는 응력의 최대점(u)으로 표시한다.

교정용 선재(wire)에 힘을 가하면 구부러지는데 힘이 크면 선재가 원래 형태로 복원되지 않고 변형된다. 그림 2-8에서 하중을 더 가하면 일부 점에서 탄성체가 부러지는데 그 점의 응력을 극한강도라 한다. 인장실험에서는 극한 인장강도라 하고 압축실험에서는 극한 압축강도라 한다. 탄성체에 하중을 가하면 서로 재료를 잡아당기는 원자결합 강도보다 큰 응력(힘)이 탄성체에서 발생하여 탄성체가 부러진다.

6) 경도(hardness)

경도는 재료의 단단함의 정도를 나타내는 것으로 특수 도구로 실험재료의 표면을 눌러 측정한다. 법랑질은 인체에서 가장 단단한 구강생물학적 조직이다. 단단한 재료로 연한재료를 긁으면 단단한 재료는 긁힌 자국이 나지 않고 부드러운 재료에 자국이 난다. 경도를 측정하는 도구는 금속이나 다이아몬드 같은 단단한 재료를 사용하여 특수형태로 제작한다. 경도는 압흔(indentation)의 크기를 측정하며 브리넬

(brinell), 누프(knoop), 락크웰(rockwell), 비커스(vickers) 같은 경도측정법을 사용할 수 있다(그림 2-9). 법랑질의 누프 경도값(KHN)은 350, 세라믹의 경도값은 400~500, 아크릴릭 레진의 경도값은 20이다. 기타 재료는 법랑질 만큼 단단하지 않다. 재료가 푹신하여 압흔이 남지 않으면 여러 종류의 경도검사를 시행한다. 경도계는 측정 부위에 내장된 철강 볼(steel ball)이 재료를 누르면서 재료의 깊이를 측정한다.

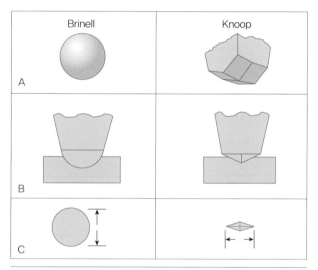

그림 2-9. 브리넬과 누프의 경도 측정(A: 두 tip의 물체와 첩촉시 단면도, C: 경도를 측정했을 때의 압흔 모양)

7) 마모저항성(abrasion resistance)

단단한 재료는 부드러운 재료보다 마모에 잘 견딜 수 있는 마모저항성이 크다. 치아 수복물은 음식물과 대합치에 대한 마모저항성이 커야 되지만, 수복재료가 너무 단단하면 대합치를 마모시킬 수 있다. 세라믹 의치에 대합되는 자연치아의 절단면이나 교합면이 과잉 마모된 것을 종종 확인할 수 있다. 수복물이 마모되지 않도록 단단해야 하나 대합치를 과도하게 마모할 정도로 단단해서는 안 된다. 재료의 성질은 선택된 재료의 최대값이 아닌 특정 값 범위 내에 위치하는 게 적당하다.

8) 기타 기계적 성질

(1) 포아송 비(Poisson's ratio)

고형물체는 탄성체에 하중을 가하는 방법과 다르게 변형된다. 고무 밴드를 잡아당기면, 그림 2-10에서 나타난 것처럼 고무 밴드의 폭이 좁아지는 걸 알 수 있다. 단지 한 방향으로 힘을 가해도 모든 재료는 3차원 방향으로 형태변화가 나타난다. 포아송 비는 응력에 수직되는 방향의 변형(strain)에 대한 응력방향의 변형비율로 정의되는 기계적 성질이다.

충전재를 구강 내에서 저작하여 교합 면에서 치근단 방향으로 압력이 가해지면 충전재는 근원심 및 협설 방향으로 넓어진다. 치과용 수복물이 한 방향으로 변형되면 동시에 다른 두 방향에서도 변형이 된다.

(2) 탄성에너지(resilience)와 인성(toughness)

미식 축구선수는 거의 대부분 구강보호대(mouth guard)를 착용하고 있다. 구강보호대는 외부 충격에너지를 흡수하는 역할을 한다. 상대편 선수가 구강 주변으로 외상을 가하면 해당 선수의 치아와 기타 안면조직이 아닌 구강보호대를 사용해 에너지를 흡수할 수 있으므로 구강 주변 외상을 예방할 수 있다. 에너지를 흡수하여 영구변형이 되지 않게 하는 범위를 재료가 흡수할 수 있는 탄성에너지(resilience)라 한다. 탄성에너지는 응력-변형률 곡선 하방지역에서 항복강도까지의 면적으로 측정한다. 기타 안전 장구는 변형이나 파절을 나타내는 에너지를 흡수하기 위해 설계되어 있다. 재료가 파괴될 때까지 흡수하는 에너지의 총량을 인성(toughness)라고 하며, 응력-변형률 곡선에서는 파절되는 점 아래의 전체 면적으로 측정한다. 일반적으로 플라스틱은 탄성에너지와 인성값이 높다(그림 2-11).

(3) 파괴인성(fracture toughness)

일부 재료는 소성변형 없이 바로 파손되며, 균열과 결손이 일어난다. 파괴인성은 균열이 있는 재료의 파괴에 필요한 에너지 측정값이다. 유리 제품과 치과용 세라믹 재료와 같이 쉽게 깨지는 재료는 파괴 인성 값이 낮으며 금을 포함한 금속은 파괴 인성 값이 높다.

(4) 연성과 전성

재료가 하중을 받았을 때 파절됨이 없이 영구변형이 일어나는 재료의 능력을 연성(ductibility)이라 한다. 인장 시 변형률은 연신율이라 하는데 연신율이 우수할수록 연성이 좋다. 연성이 가장 우수한 재료로는 금합금이 있다. 재료가 압축하중을 받았을 때 파절됨이 없이 영구변형이 일어나는 재료의 능력을 전성(malleability)이라 한다. 재료의 압축 시 변형률을 압축률이라 하는데 압축율이 우수할수록 전성이 좋다. 전성이 가장 좋은 재료 역시 금합금이다 .

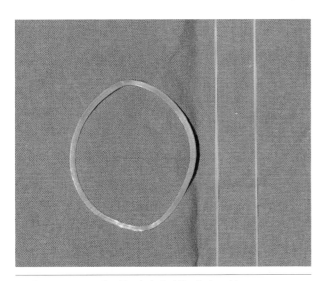

그림 2-10. 고무밴드를 잡아당겼을 때의 모양

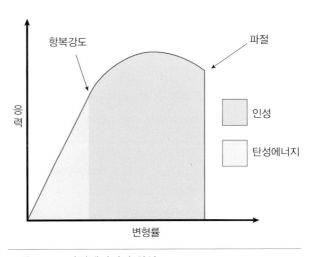

그림 2-11. 탄성에너지와 인성

27

따라서 연신율이 우수한 재료는 연성(ductility)이 좋고 압축률이 우수한 재료는 전성(malleability)이 좋아 버니싱(burnishing)을 통하여 변연 적합성을 높일 수 있다.

8) 시간과 관련된 성질(time-dependent properties-optional)

(1) 크리프(creep)

물체에 계속 압력이 가해지는 경우 나타나는 작은 형태변화로, 외력이 단시간에 걸쳐서 적용되는 경우는 탄성 한계 이하의 하중조건에서 하중이 증가하지 않는 한 변형이 증가하지 않지만, 하중이 장시간에 걸쳐서 작용하면 시간이 경과하면서 변형이 서서히 증가하는 현상이 나타나는데 이것을 크리프라 한다. 크리프는 온도가 높고 작용력이 크고 하중의 작용시간이 길수록 커진다. 크리프가 큰 재료는 아말감이 있다. 크리프는 아말감 선택에서 중요한 요소로써 제품 간에 큰 차이를 나타낸다. 아말감 수복물에 교합력이 작용하여 크리프가 일어날 경우 항복강도보다 낮은 응력 하에 변형이 일어나게 되므로 교합면의 형상이 변하거나 변연부가 돌출되는 현상이 일어날 수 있으며 이 때문에 변연파절이나 음식물 찌꺼기의 정체로 인한 2차 우식증이 발생할 수 있다. 아말감과 복합레진 수복물은 계속되는 응력만큼 크리프가 완만한 변화를 나타낸다.

국소의치에서 클래스프와 교정용 선재를 장시간 사용하였을 때 이들의 물성이 저하되는 것도 크리프이다.

(2) 피로도(fatigue)

재료에 장시간 반복응력을 가하여 일어나는 재료의 파손을 피로도라 한다. 반복적으로 사용한 scaler 등의 치석제거 기구가 부러지는 것은 피로도 때문이다. 피로도 시험은 주어진 힘으로 시편을 주기적으로 압박하면서 당기고 구부려서 시편이 부러지는데 필요한 주기 횟수를 그래프로 그려서 나타낸다.

(3) 응력이완(stress relaxation)

응력이완은 크리프와 유사하다. 크리프는 형태의 변화이지만 응력이완은 장시간에 걸쳐 물체가 갖고 있는 힘이 완만하게 감소된다는 것이 차이점이다. 고무줄이 일정 길이까지 신장되면 시간이 초과할수록 당김은 감소되거나 이완된다. 고무줄의 당김이 응력을 상실하거나 힘의 감소로 나타나는 것을 응력이완이라 한다. 같은 힘의 상실 또는 응력이완은 교정용 고무줄을 살펴보면 잘 알 수 있다. 교정환자는 해당 치아에 적절한 힘을 가하기 위해 고무줄을 자주 교환해 주어야 한다. 하악과두골절환자 역시 상하악간 생리적 운동을 위해 상·하악 연결용 고무줄을 자주 교환해 주어야 한다. 크리프와 응력이완은 가해지는 시간에 의존하기 때문이다.

(4) 응력집중(stress concentration)

구멍이나 긁힘, 균열, 기포 등 기타 결점이 있으면 응력은 그 결점 주변에 몰려 증가하게 된다. 이러한 현상을 응력집중이라고 부른다. 균열이 결손부 주위에서 일어나고 물체를 통해 확산되어 파절이 나타나게 된다.

치과임상에서는 기포와 결손부 발생을 줄이기 위해 재료의 적절한 혼합 및 취급이 중요하다. 적절한 수복물 제작 설계, 표면 연마(polishing), 세라믹의 유약처리 등은 응력이 집중되는 표면 결손부를 제거하여 재료의 파절을 막을 수 있다. 그 결과 수복물을 장기간 사용할 수 있고 오랜 시간 지속되는 수복물은 환자의 치료 만족도를 향상시킨다.

4. 치과재료의 생물학적 성질

1) 자극성(irritation)

자극성은 피부나 점막과 같은 부위에 외피성 조직의 발적이나 궤양 등을 유발하는 것을 말한다. 레진 단량체, 산부식액, 소독재 등이 자극 유발 물질이다. 피부나 점막에 접촉되면 국소적으로 발적과 수포가 생기며 심한 경우 궤양을 일으킬 수 있다.

2) 알러지(allergy)

이종물질에 의해 임파구가 즉각적으로 과민반응을 일으키는 현상을 말한다. 즉 이종물질(항원, antigen)에 의해 림

프구가 감작(sensitization) 되었을 때 항원이 침입하면 림프구가 과민반응을 일으켜 점막과 치은부에 염증이 생기는 현상을 말한다. 알려지는 특정한 재료에 의해 생기지만 개인에 따라 발생여부와 정도에 차이가 많다. 레진단량체, 니켈, 아연은 알려지 유발 물질이다.

3) 발암성(calcinogenecity)

인체에 암을 발생할 수 있는 성질을 말한다. 발암성 물질로는 니켈, 베릴륨, 코발트 등의 금속, 아스베스토스 등과 같은 실리카 계 금속이 있다.

4) 독성(toxicity)

생명체의 생명활동을 억제하거나 사멸시키는 성질이다. 금속의 부식 생성물이 가장 대표적인 물질인데 부식생성물이 황, 염소기 등에 결합하여 여러 가지 장애를 유발한다.

>>> Summary

- 모든 물질은 원자 또는 이온으로 구성되며 그들 간의 다양한 결합을 통하여 집단구조를 형성한다. 분자는 일차 결합에 의해서 형성된 원자군으로서 물질의 성질을 나타내는 기본 단위이다.
- 일차 결합은 원자 간에 일어나는 결합으로서 전자궤도의 특징에 따라서 그 유형이 결정된다. 일차 결합은 이온 결합, 공유 결합, 금속 결합으로 구분된다.
- 이차 결합 또는 반데르발스 결합은 일종의 화학 결합으로서 다른 결합들이 외각전자가 채워지지 않은 상태에서 결합전자의 재배열을 통해 발생하는데 반해 이 결합은 불활성 기체와 같이 외각 전자가 채워진 상태에서 발생하는 것으로 비대칭적 전자 분포에 의해 발생한 전기 쌍극자(dipole)에 의한 약한 결합력이 생기는 것을 말한다.
- 재료의 물리적·화학적 성질에는 밀도, 끓는점과 융점, 증기압, 열전도성, 열용량과 열팽창계수, 융해열과 기화열, 용해도, 물흡수도, 젖음성과 접촉각, 점성과 콜로이드, 전기전도도가 있다.
- 재료의 기계적 성질에는 응력, 탄성변형률, 탄성한계, 비례한계, 항복강도, 극한강도, 경도, 마모저항성 등이 있다.
- 응력의 종류에는 압축, 인장, 전단, 굽힘응력이 있다. 탄성에너지와 인성, 피로도, 크리프, 응력이완과 응력집중 등도 중요한 기계적 성질 중의 하나이다.
- 재료의 생물학적 성질에는 자극성, 알러지, 발암성, 독성이 있다.

>>> Learning Activities

1. 고무줄을 오랜 시간 동안 당겼다가 놓았을 때의 변화를 관찰해보자.
2. 철사를 구부려 놓았을 때의 변화를 관찰해보자.

Review Questions

01 양이온과 음이온이 정전기 인력으로 결합하는 것을 무엇이라 하는가?

① 금속 결합　② 이차 결합
③ 공유 결합　④ 이온 결합

02 화학결합의 일종으로 두 원자가 전자를 제공하여 이루어진 결합을 무엇이라 하는가?

① 금속 결합　② 이차 결합
③ 공유 결합　④ 이온 결합

03 원자 간에 일어나는 결합으로서 전자궤도의 특징에 따라서 그 유형이 결정되는 결합은 무엇인가?

① 일차 결합　② 이차 결합
③ 공유 결합　④ 이온 결합

04 다음 중 이차 결합이 아닌 것은?

① 이온 결합　② 공유 결합
③ 금속 결합　④ 수소 결합

05 반데르발스 결합은 어느 결합의 일종인가?

① 일차 결합　② 이차 결합
③ 공유 결합　④ 이온 결합

06 기타 줄을 팽팽하게 조인다면 기타에 발생하는 응력은?

① 압축응력(compression)
② 인장응력(tension)
③ 전단응력(shear)
④ 굽힘응력(bending)

07 재료를 비틀 때 나타나는 현상은?

① 압축응력(compression)
② 인장응력(tension)
③ 전단응력(shear)
④ 굽힘응력(bending)

08 용액 내에서 잘 녹는 성질을 무엇이라 하는가?

① 점주도　　② 물 흡수도
③ 용해도　　④ 젖음성

09 이종 금속 간의 이온화 경향으로 인한 전위차에 의해서 전기가 발생하는 현상은?

① 갈바니즘　② 부식
③ 마모　　　④ 피로도

10 재료가 탄성을 갖는 최대 응력은?

① 비례한계(proportional limit)
② 항복강도(yield strength)
③ 극한강도(ultimate strength)
④ 파괴인성(fracture toughness)

정답 | 1.④ 2.③ 3.① 4.④ 5.② 6.② 7.③ 8.③ 9.① 10.①

참고문헌

1. 한국치과재료학교수협의회. 치과재료학 5판, 군자출판사, 2008.

2. 한국치과재료학교수협의회. 치과재료학 7판, 군자출판사, 2015.

3. Anusavice KJ. Phillips' Science of Dental Materials. 11th ed. Philadelphia: Saunders, 2003:22-26, Chapters 3 and 4.

4. Callister WD. Materials Science and Engineering: An Introduction. 7th ed. New York: Wiley, 2007, Chapter 2 and 6.

5. Park JB, Lake RS. Biomaterials: An Introduction. 2nd ed. New York: Plenum, 1992, Chapters 1-4.

6. Powers JM, Sakaguchi RL, eds. Craig's Restorative Dental Materials. 12th ed. St. Louis: Mosby, 2006, Chapter 3 and 4.

7. Van Vlack LH. Elements of Materials Science and Engineering. 6th ed. Redding, MA: Addison-Wesley, 1990, Chapters 1 and 2.

PART 03

수복재

✓ 고분자 재료의 특성을 설명할 수 있다.
✓ 복합레진의 조성을 설명할 수 있다.
✓ 복합레진의 성질에 대해 설명할 수 있다.
✓ 치면열구전색재의 두 가지 중합방법을 설명할 수 있다.
✓ 치면열구전색재의 전색방법을 설명할 수 있다.

●─●─●─●────────────────────────────

치질의 회복을 위하여 치아를 수복하는 방법은 전통적으로 아말감(amalgam)을 많이 사용했지만, 최근에는 수은의 위험성과 심미성의 문제로 인하여 자연 치아와 유사한 색조를 이용하는 심미수복재가 많이 사용되고 있다. 1871년 심미수복재로 가장 먼저 개발된 실리케이트 시멘트(silicate cement)는 마모저항성이 너무 낮아 장기간 사용되는 수복재로는 사용할 수 없었다. 1940년대 후반 사용된 화학중합형 아크릴릭 레진은 중합수축과 열팽창계수가 커서 미세누출이 발생되고 기계적 성질과 마모 저항성이 낮은 단점이 있었다. 그러나 이러한 문제는 1950년대 필러(filler) 입자가 첨가되면서 열팽창계수가 감소됨으로서 개선되었다. 최근에는 접착시스템의 개발로 결합력이 향상되고 미세누출이 감소되어 직접수복재로 많이 사용되고 있다.

직접 수복재와 치과용 인상재, 치면열구전색재와 같은 예방재료 등은 모두 치과용 고분자로 이루어진다. 치과위생사는 심미 수복재에 대한 이해를 위해서 고분자 재료에 대한 이해와 복합레진과 상아질 접착재, 글라스아이오노머 수복재에 대한 특성을 정확히 알고 있어야 한다.

1. 고분자(polymer)

고분자는 단량체(monomer)가 공유결합에 의해 반복적으로 연결된 최소 분자량이 5,000 이상인 거대분자를 말한다. 분자량이 크고 구조 단위가 길고 복잡하게 얽힐수록 물리적, 기계적 성질이 향상된다.

고분자 화합물의 구조 단위는 선형(linear), 분지형(branched), 교차결합(cross-linked)형을 보이며(그림 3-1), 고분자의 분자량이 클수록 고분자 사슬(polymer chain)의 길이가 길고, 교차결합과 같은 복잡한 구조를 보일수록 중합체는 수분흡수도와 용해도가 감소되며, 쉽게 변형이 되지

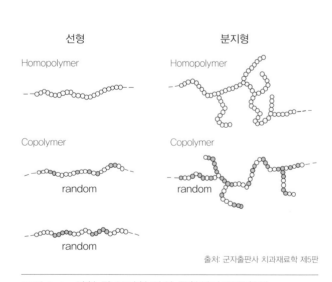

출처: 군자출판사 치과재료학 제5판

그림 3-1. 선형 및 분지형 단일 종합체와 공중합체

않고 강도가 증가한다.

1) 치과용 고분자 재료의 요구조건

(1) 심미성: 구강조직을 심미적으로 재현시킬 수 있어야
한다.

(2) 물리적 특성: 크기변화가 없거나 작아야 하며, 타액에
젖어 있는 환경에서도 쉽게 용해되지 않아야 한다.

(3) 기계적 성질: 대체될 구강조직의 기능을 대신할 수 있
을 정도의 강도와 탄성이 있어야 한다.

(4) 생물학적 특성: 맛, 냄새, 독성, 자극성이 없어야 한다.

(5) 취급의 용이성: 사용 장비가 간단하고 사용이 편리해
야 한다.

(6) 경제성: 비용이 저렴해야 한다.

(7) 보관이 용이하고 변질되지 않아야 한다.

2. 중합반응

하나 이상의 저분자량 단량체들이 커다란 분자를 만들기
위해 반복적으로 반응하여 중합체로 바뀌는 것을 중합반응
(polymerization reaction)이라 한다. 단량체(monomer)는 고
분자 화합물, 또는 화합체를 구성하는 단위체가 되는 분자
량이 작은 물질로서 중합반응에 의해 중합체를 합성할 때
의 출발물질이다.

치과용 고분자는 중합반응에 따라 부가중합(addition
polymerization)과 축합중합(condensation polymerization)으
로 분류할 수 있다. 축합중합은 축중합이라고도 하며 두 분
자가 반응하여 작은 분자가 빠지면서 보다 큰 분자를 형성
하는 것을 말한다. 따라서 축합중합은 두개 이상의 작용기
를 가지고 있는 단량체의 단계적 결합으로 성장하므로 물과
알코올과 같은 반응 부산물을 생성한다.

부가중합은 단량체가 한 번에 하나씩 활성화되어 중합체
사슬에 반복적인 결합을 통해 중합반응이 일어나며 반응부
산물이 생기지 않는다. 부가중합을 하는 화합물은 분자 내
에 불포화 이중결합기(unsaturated double bond group)가 있
어야 한다. 수복재료, 시멘트, 치면열구전색재, 접착제 같은

아크릴릭 레진과 콤포짓트 레진 재료는 부가중합을 거쳐 경
화된다. 아크릴릭 레진과 콤포짓트 레진의 화학반응은 자유
라디칼(free radical)중합 또는 부가중합이라고 한다.

단량체는 중합반응에 참여하는 반응성 분자로 작용기
(functional group)를 가지고 있다. 아크릴릭 레진 단량체의
작용기는 탄소-탄소 이중결합($C=C$)이다.

부가중합은 비공유 전자의 자유라디칼 반응에 의한 중합
방법이다. 자유라디칼은 열이나 화학물질, 가시광선 등의
에너지에 의해 자유라디칼을 생성하는 분자가 활성화(acti-
vation) 되면 발생한다. 부가중합은 한 시기에 하나씩 단량
체 반응이 진행될 때 중합체 사슬에 추가되면서 중합반응
이 일어난다. 부가중합은 다양한 중합체(polymer) 또는 플
라스틱을 만드는데 사용되는 매우 일반적인 중합반응이다.

1) 부가중합의 단계

(1) 개시(initiation)

개시는 부가중합반응의 첫 단계로, 먼저 비공유 전자를
형성할 수 있는 자유라디칼 생성에 참여한다. 두 번째 반응
에서 자유라디칼이 단량체 분자와 반응하여 사슬 성장이
시작된다.

- 자유라디칼 생성(중합 활성): 개시제 분자는 화학물질
  이나 열, 가시광선에 의한 반응으로 활성화 된다. 여러
  유형의 화학반응에 의해 자유라디칼이 형성된다. 개시
  제의 활성방법을 분류하면 열중합, 화학중합, 광중합
  이 있다. 가장 일반적인 개시제는 벤조일 퍼옥사이드
  (benzoyl peroxide)이다.

(2) 성장(propagation)

부가중합의 두 번째 단계는 사슬 성장 또는 길이 증가 단
계로 성장단계라 한다.

개시된 사슬의 자유라디칼은 단량체와 반응하여 새로운
단량체의 이중결합이 단일결합이 되면서 새로운 자유라디
칼을 만들고 이렇게 성장하는 분자사슬은 길어지게 된다.
사슬이 수백 또는 수천 개의 단량체가 될 때까지 성장단계
에서는 성장하는 사슬에 단량체가 첨가된다.

(3) 정지(termination)

성장하는 사슬 끝에서 2개의 자유라디칼이 만나서 반응하면 탄소단일결합이 형성되면서 중합반응이 종료된다. 사슬이 계속 성장하면 자유라디칼이 전혀 남지 않고 양측 사슬의 중합이 정지된다.

2) 공중합(copolymerization)

공중합은 사용목적에 맞는 중합체의 성질을 개선시키기 위해 둘 이상의 다른 단량체를 중합시키는 것을 말한다.

3. 복합레진(composite resin)

복합레진의 공급형태는 다양한 색조와 취급특성에 따라 달라진다. 치과용 접착제의 발전으로 치아를 적게 삭제하면서도 심미적인 치료를 할 수 있게 되면서, 치과에서 사용되고 있는 수복재 중 복합레진의 사용은 계속 증가하고 있다.

심미성 재료로 치과용 복합레진이 소개되기 이전에는 아크릴릭(acrylic) 레진이 사용되었지만, 높은 열팽창계수와 과도한 중합수축으로 아크릴릭 레진 수복물 하방 및 그 주위의 재발성 우식이 쉽게 나타나 직접 수복재료로는 사용되지 않고 있다.

1960년 Bowen R.L.에 의해 발견된 Bis-GMA 단량체에 충전재(filler)를 배합하여 충전재로서 물성을 향상시킬 수 있었고, 높은 열팽창계수도 감소될 수 있었다. 이렇게 시작된

것이 치과용 복합레진이다. 또한, 산부식법의 개발로 변연누출을 감소시키고 유지력이 증가되었다.

1) 복합레진의 조성

복합레진의 주요 성분은 레진기질(resin matrix), 무기필러(filler), 실란 커플링제로 구성된다.

(1) 레진기질(resin matrix)

치과용 복합레진의 기질은 중합체(Bis-GMA 또는 유사한 단량체)로 구성되며 어떤 물질의 배경을 이루고 있는 것으로 폴리머 기질이라고도 한다. 기질에 희석제를 첨가하여 최종 제품의 점도를 조절하여 사용한다. 중합반응은 화학중합 또는 광중합으로 일어나는데 복합레진의 기질은 주로 부가중합에 의해 중합된다.

치과용 복합레진의 기질은 중합하여 고상의 덩어리를 형성하는 상과 치질에 접착하는 상을 형성한다. 레진기질은 치과용 복합레진 재료에서 가장 약하고 마모저항이 낮은 상이며, 물이 흡수되면 착색과 변색이 잘 된다. 레진기질의 양을 최소로 하고 필러의 양을 최대로 첨가하면 강한 복합레진 재료가 된다.

(2) 무기필러(filler)

무기필러는 충진재라고도 하며, 치과용 복합레진의 물성을 강화하기 위해 사용한다. 무기필러는 주로 석영(quartz)과 붕규산글라스(borosilicate glass)로 구성된다. 석영은 강

표 3-1. 콤포짓트 레진의 주요 구성성분

레진 기질	단량체		Bis-GMA, urethane dimerhacrylate
	희석제 및 가교제		EGDMA, TEGDMA 등
무기 필러	실란 처리된 석영, 글라스 세라믹, 콜로이달 실리카 등		
중합개시제	화학중합형	중합개시제	벤자민 퍼옥사이드
		경화촉진제	3차 아민(N, N-dimethyl p-toluidne 등)
	광중합형	광개시제	자외선 중합형	벤조인 알킬 에테르
			가시광선 중합형	Camphorquinone
				N, N-dimethyl aminoethyl methachate

하고 단단하며 화학적으로 구강 내에서 안정된 재료이다. 붕규산글라스는 치과용 복합레진에 적절한 강도, 경도, 광학적 및 화학적 성질을 제공한다. 필러의 마모성 때문에 복합레진의 혼합 및 조작에는 플라스틱 스파튤라(plastic spatula)를 사용해야 한다.

치과용 복합레진의 필러 크기는 수복물 표면의 매끄러움을 결정한다. 필러의 종류에 따라 거대입자, 미세입자, 초미세입자, 혼합입자로 분류되며, 입자가 크면 거친 표면을 가지게 된다.

또한, 필러의 비율은 치과용 복합레진의 물성에 중요한 요인이다. 필러 양이 증가하면 레진기질의 양이 감소하게 되어 중합수축은 감소되고 열팽창계수와 경도, 마모저항성이 증가한다. 필러는 물리적 성질을 강화시키기 위해 선택하며, 필러로 사용되는 단단한 세라믹 재료는 열팽창계수가 낮다. 복합레진 시스템은 레진기질이 적어 경화 시 중합수축을 감소시킨다.

필러를 추가하면 강도가 증가되고 중합수축은 감소시키면서 치질에 근접한 열팽창계수를 갖게 되므로 제조사는 치과용 복합레진에 필러의 양을 최대한 첨가하지만, 레진기질에 첨가할 수 있는 필러의 양은 한계가 있다. 무리하게 필러를 많이 첨가하면 모든 필러 입자를 레진기질(액상 단량체)로 적절히 적시지 못하여 필러 입자 사이에 기포와 미세한 틈이 나타난다. 기포가 생기면 재료에 가해지는 일부 응력에 저항하지 못하고 기포 근접부위에 응력이 집중되어 수복재로서 수명이 단축된다.

(3) 실란 커플링제(silane coupling agent)

필러와 레진기질이 결합되면 기질을 단독으로 사용하는 것 보다 더 강하고 유용하다. 실란 커플링제는 레진기질과 필러가 화학적으로 결합할 수 있도록 해준다.

실란은 필러 및 레진 상과 화학적 친화성을 이루며 약한 레진 상에서 강한 필러 상으로 보철물에 가해진 응력을 전달한다.

복합레진의 마모는 실란과 필러 입자 사이의 결합이 구강 환경에서 약해져 분리되는 것이다. 결합이 파괴되면 필러 입자는 레진기질과 분리되고, 레진이 마모로 제거되면 구강환경에 더 많은 필러 입자가 노출된다. 거대 필러는 크고 거친 필러 입자로 인하여 치면세균막의 축적이나 치면 착색의 가능성이 크다.

Dr. Bowen은 중합체에 세라믹 필러를 혼합하여 치과용 수복재의 강도를 증가시키기 위해 기질에 실란과 필러 입자를 결합하였다. 실란은 약한 기질에서 강한 필러로 응력을 전달한다. 치과용 복합레진은 실란 처리된 세라믹 필러 입자를 사용한다. 실란 분자의 끝은 중합체 기질과 반응하고 다른 끝은 세라믹 필러와 반응한다. 이 때 실란이 필러와 반응하며, 이것을 실란 커플링제라고 한다.

2) 수복용 복합레진의 용도

복합레진 수복물은 치아에 직접 도포되는 심미 보철재료이다(그림 3-2). 복합레진은 직접 심미 수복재료 중에서 가장 매끈한 표면과 우수한 반투명도를 가지나 세라믹 수복물

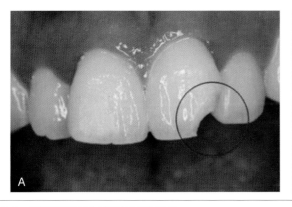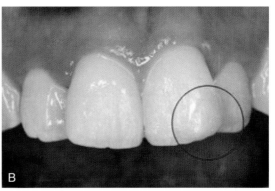

그림 3-2. 상악전치부의 심미수복재 적용

이 복합레진에 비해 자연치와 더욱 유사하다.

(1) 와동 수복

표면 광택보다 강도와 마모저항이 필요한 중등도의 응력을 받는 수복물에 혼합형이 사용된다.

① 1급 와동(와동의 크기가 크지 않는 교합면): 산부식법과 압축충전 가능 복합레진의 개발로 교합력이 많이 가해지는 부위의 복합레진 적용 가능

② 2급 와동: 간접법에 의한 레진 인레이 적용 가능

③ 3급 와동(절치 절단면을 포함하지 않는 와동)

④ 4급 와동(전치 인접면과 절단을 일부 포함한 와동)

⑤ 5급 와동(치경부 1/3 부위 와동)

⑥ 치간 이개 수복

⑦ 왜소치와 기형치 등의 치아 형태 개선을 위한 수복

⑧ 반점치 등의 치아 표면 색상을 개선하기 위한 수복

(2) 레진 시멘트(resin cement)

① 조성

복합레진 시멘트 재료는 다른 치과용 복합레진과 같은 구조이다. 필러로 강화된 레진기질로 구성된다. 수복용 복합레진과의 차이는 복합레진 시멘트는 레진의 비율을 증가시켜 흐름성을 증가시키고 작은 입자크기의 필러를 사용해 피막도(film thickness)를 감소시켰다.

② 장점

복합레진 시멘트의 장점은 치질과의 결합력이 있다는 것이다. 복합레진 시멘트는 세라믹 수복물의 접착을 위한 최선의 재료이다. 치아 형성부위의 유지력이 원하는 것보다 낮을 때 사용한다.

(3) 복합레진 재료의 다른 용도

① 간접 복합레진 수복물

필러 함량이 많은 혼합형 복합레진을 사용하는 복합레진 인레이 법이 있다. 치과기공소에서 간접 제작하는 복합레진 수복물이다. 간접 복합레진 재료는 개선된 강도를 가지며 구강 내 보다 높은 온도와 좀 더 강화된 가공 조건에서 제작된다.

기공실에서 가공한 복합레진 수복물은 구강 내에서 형성된 치아를 인상 채득하여 모형을 제작하고 모형에서 복합레진으로 인레이를 제작 연마하고 접착성 레진을 사용하여 인레이를 치아에 부착한다.

최근에는 가공용 복합레진 재료가 소개되고 있다. 강도를 필러로 강화시킨 가공용 복합레진은 복합레진 금관과 짧은 계속가공의치 제작에 사용된다.

② 아크릴릭 레진 대용제로서 복합레진

복합레진 재료가 아크릴릭 재료보다 강도와 다른 성질이 우월한 다양한 용도로 아크릴릭 레진 재료를 대체하고 있다. 일부 아크릴릭 레진 대체용 복합레진으로는 Bis-GMA 유형 단량체와 교차(가교)결합하는 폴리에스테르 레진(polyester resin)이 사용되고 있다. 복합레진 재료는 임시치관, 의치용 치아, 일반 트레이 제작, 기타 기공 용도로 사용된다.

3) 복합레진의 중합

모든 치과용 복합레진은 부가중합을 통해 중합된다.

(1) 중합개시제와 중합촉진제

복합레진의 중합개시제는 벤조일 퍼옥사이드와 캄포로퀴논(camphorquinone)이 사용된다. 벤조일 퍼옥사이드는 열중합과 화학중합에서 중합개시제로 사용되며 중합촉진제인 유기분자 3급 아민(NR$_3$)이 반응하여 자유라디칼을 생성하도록 한다. 광중합형 복합레진의 중합개시제는 420~480 nm(특히 468 nm 부근) 파장에 해당되는 가시광선의 청색광 에너지를 흡수하는 캄포로퀴논을 사용하여 광개시제가 자유라디칼을 형성하도록 하여 중합이 개시된다.

레진 상 내부에는 0.17~1.03%의 캄포로퀴논이 함유되어 있다. 중합촉진제는 빛을 흡수하여 개시제와 반응한다. 광활성으로 자유라디칼을 함유하는 분자를 형성하며 중합반응은 재료가 해당 광원에 노출될 때까지 시작되지 않는다.

(2) 화학중합

화학중합 아크릴릭 레진도 열중합과 마찬가지로 분말/용

액을 서로 혼합하여 사용한다(그림 3-3, 4). 2개의 연고 혼합 시에는 두 가지 색이 한 가지 색이 되도록 혼합한다. 연고는 작은 플라스틱 용기에 담겨 있거나 주사기로 공급된다.

화학중합 아크릴릭 레진의 중합개시제에도 벤조일 퍼옥 사이드가 사용된다. 두 개 연고를 혼합하면 지연제는 짧은 시간에 생성된 자유라디칼을 파괴시킨다. 그 후 제한된 시 간 동안 재료를 도포하고 치아 모양을 형성해야 한다. 지연 제 반응이 끝나면 중합이 시작된다. 2개 연고를 혼합할 때 는 공기가 들어가지 않도록 주의해야 한다. 기포가 형성되면 경화된 재료의 강도가 약해지고 표면착색을 증가시킨다. 임 시치관, 개인용 트레이, 교정용 유지 장치 및 다른 구강 장 치 제조에 사용된다.

금속 금관을 접착할 때 광선이 금속을 통과하지 못하여 복합레진 시멘트에 도달하지 못하므로 화학중합형 복합레 진을 사용한다.

(3) 광중합

광중합 재료는 광 개시제와 아민 활성제가 함유된 하나의 연고로 공급되며(그림 3-5) 임상에서 별도의 혼합 없이 적용 하면 혼합과정에서 포함될 수 있는 기포를 최소화시켜 강도 가 증가된다. 광중합 재료는 빛에 의해 활성화되어 경화되기 때문에 작업시간은 술자의 계획에 따라 조정이 가능하다.

광원의 파장은 468 nm의 근 자외선 영역의 청색광을 사 용하기 때문에 광원을 직접 관찰하거나, 중합광의 간접관찰 은 눈에 손상을 준다. 그러므로 술자의 눈을 보호하기 위해 필터 보안경을 착용하는 것이 필요하다.

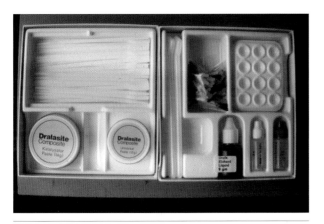

그림 3-3. 화학중합형 콤포짓트 수복재료

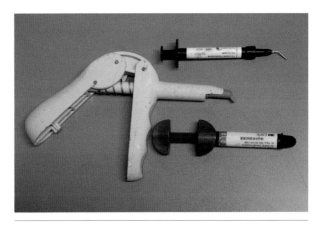

그림 3-5. Piston-, gun-, screw-type syringe와 couples(unit dose)로 공급되는 광중합형 콤포짓트 레진

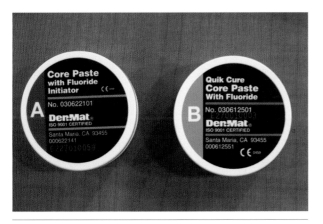

그림 3-4. 연고 형태로 공급되는 화학중합형 코어 레진

광원 종류는 할로겐 광(그림 3-6), 플라즈마 광(그림 3-7), 아르곤레이저, 청색광 발광 다이오드(LED)(그림 3-8)가 있 다. 할로겐 광중합기(curing lamp)는 할로겐 가스가 채워진 석영구 내의 텅스텐 필라멘트로 구성되어 있으며, 보라-청 색 범위(약 400~500 mn)를 제외한 모든 파장을 제거하기 위해 필터를 사용하고 있다. 할로겐 광중합기는 필터에서 발생되는 열을 감소시키기 위해 냉각 송풍기를 사용하기 때 문에 소음이 있다. LED 타입 광중합기는 가시광선

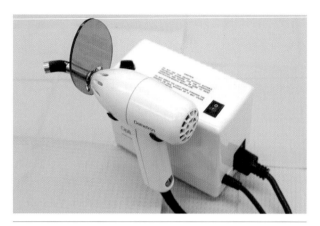

그림 3-6. 할로겐 광선 중합기

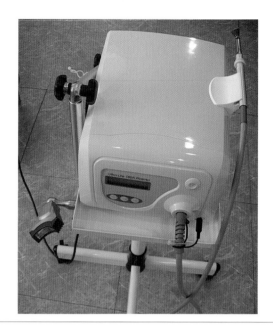

그림 3-7. 플라즈마 광중합기

440~480 nm 사이의 청색 부위의 파장만 방출하므로 필터가 필요 없고, 냉각 송풍기를 사용하지 않아 소음이 없다. 또한, 수명이 길고 가벼워서 현재 가장 사용이 증가하는 광중합기이다. 플라즈마 광이나 아르곤레이저는 짧은 시간에 고출력으로 중합을 시키지만 가격이 비싸다.

① 광중합 복합레진의 장점
- 혼합이 필요하지 않아 기포 적게 발생되어 강도가 높다.
- 색상 안정성이 향상된다.
- 작업시간 조절이 가능하다.
- 경화시간이 빠르다.

② 광중합 복합레진의 단점
- 중합깊이의 한계로 1회 2 mm 이하로 충전해야 한다.
- 구치부와 치아 인접면부위는 광중합용 청색광의 도달이 어려운 부위가 있다.
- 레진의 색조에 따라 광조사 시간을 조절해야 한다.
- 실내조명에도 복합레진이 굳을 수 있으므로, 사용 시 실내조명에 장시간 노출되지 않도록 주의해야 한다.

그림 3-8. LED 광선 중합기

(4) 이중중합(dual-cure) 재료

화학중합과 광중합 두 가지 중합반응을 나타내는 치과재료를 이중 중합재료라 한다. 중합은 광중합으로 시작되나 강한 빛이 도달하지 않는 부분은 화학중합 기전을 거쳐 중합된다. 이중 중합은 광선의 침투가 완전히 도달하기 어려운 부위에 중합을 하기 위해 사용된다. 보철물의 접착을 위한 용도로 사용될 때 변연(margin) 부위가 타액에 일차적으로 노출되어서 용해되지 않도록 노출된 접착재를 광중합을 통해 경화시키고 빛이 투과되기 어려운 보철물 내면은 화학 중합을 통해 중합이 되도록 유도하기도 하고, 코어 축조용 수복재로 이중 중합에 의해 경화되는 것을 사용한다.

(5) 중합금지제(inhibitor, 반응억제재)

① 중합금지제의 역할

• 작업시간(working time) 확보

광중합 복합레진에 청색광을 조사하면 바로 중합이 되므로, 광중합을 하는 치과재료는 청색광이 조사되기 전까지는 필요한 작업시간을 충분히 부여할 수 있다. 화학중합 복합레진은 재료의 혼합과 동시에 중합반응이 시작되어 천천히 중합이 일어나며, 중합금지제를 이용해 초기에 몇 분 정도의 중합을 지연시켜 작업시간을 확보할 수 있다.

화학중합에서 중합금지제로 사용되는 하이드로퀴논(hydroquinone)은 개시과정에서 생성되는 첫 번째 자유라디칼과 반응한다. 광중합에서는 부틸레이티드 하이드록시톨루엔(butylated hydroxytoluene)이 중합금지제로 사용된다.

이러한 자유라디칼과 중합금지제의 반응은 중합을 지연시키고 재료의 도포와 모양을 형성할 수 있는 작업시간을 제공한다. 중합금지제가 첨가되지 않으면 임상에서 사용할 때 너무 빨리 경화된다.

• 저장기간 제공

재료의 중합을 막고 제품의 적당한 저장기간을 제공하기 위해, 제조사는 단량체가 함유된 재료에 소량(0.006% 이하)의 중합금지제를 첨가한다. 중합금지제는 단량체가 함유된 혼합물 재료의 저장기간을 제공한다. 중합금지제가 없으면 액상 또는 연고형 재료는 저장기간이 경과되면서 고형의 중합체 덩어리가 된다.

4) 치과용 복합레진의 유형과 성질

(1) 필러 크기에 따른 분류

필러가 첨가되지 않은 중합체는 중합수축을 유발하고, 열팽창을 증가시키며, 낮은 강도와 마모로 인하여 수복재로 사용하기에는 적당하지 않다. 필러 첨가로 인해 중합체의 물성이 강화되었지만, 필러크기에 따른 표면거칠기의 문제로 필러크기를 감소시키거나 입자크기가 서로 다른 필러를 혼합하여 레진의 필러함량을 증가시켰다(표 3-2).

① 거대입자형(macrofilled) 복합레진

초기 개발된 첫 유형의 치과용 복합레진은 거대입자형 복합레진이다(그림 3-9A). 필러는 석영(quartz), 붕규산글라스(borosilicate glass), 글라스세라믹 등이 사용되며, 입자크기가 10~25 μm이고 양은 70~75%(무게비)를 차지한다.

거대입자형 복합레진은 필러 입자크기가 커서 치과용 탐침과 육안으로 보면 거칠게 보인다. 표면이 거칠기 때문에 치면세균막 축적과 착색 가능성은 다른 유형의 복합레진 보다 크다. 표면이 거칠어 연마도 쉽지 않다. 거대입자형 복합레진을 기구로 긁으면 회색선이 관찰된다. 거대입자형 복합레진

국제표준규격(ISO 4049)에 의한 치과용 충전, 수복 및 접착 재료 분류

• 제1형: 화학중합형 재료(self-cured materials)

• 제2형: 외부 에너지(광 또는 열)로 중합되는 재료

-제1군: 구강 내에서 에너지를 공급받는 재료

-제2군: 구강 외에서 에너지를 공급받는 재료로 중합된 후 시멘트로 구강 내에서 접착*

• 제3형: 외부에 공급되는 에너지에 의해 중합될 뿐만 아니라 화학중합도 함께 병행되는 재료(dual-cured materials)

* 치과기공소에서 간접법으로 제작된 레진 인레이

표 3-2. 콤포짓트 레진에 사용되는 필러에 따른 성질

성질	미세입자	거대입자	혼합형
필러 크기(μm)	0.03~0.5	10~25	0.5~1
중량비(wt%)	40~50	70~75	75~80
강도	낮음	보통	양호
마모저항	양호	불량	매우 양호
열팽창	불량	보통	양호
적용부위	3급, 4급, 5급 와동	소수	1급, 2급, 3급, 4급 와동
연마성	매우 양호	불량	양호

은 일부 교정치료 용도 외에는 임상에서 거의 사용하지 않는다. 상아질 접착제 개발 전에 거대입자형 복합레진을 사용하였는데, 구치부에 도포하면 술 후 과민증, 미세누출, 재발성 우식이 나타난다. 금속 스파튤라 기구는 복합 재료의 혼합에 사용하면 금속 입자가 깎여 나오므로 사용하지 않는다.

② 미세입자형(microfilled) 복합레진

1970년대에 미세입자형 복합레진이 시판되기 시작했다. 미세입자형 복합레진의 필러크기는 거대입자 복합레진보다 작다(0.03~0.5 μm). 미세입자형 복합레진은 법랑질과 유사하게 표면을 매끈하고 광택 있게 마무리할 수 있어 심미성과 연마성이 우수하다(그림 3-9B). 그러나 미세입자형은 입자가

작은 실리카(silica)를 필러로 사용하여 필러(40~50%, 무게비)의 함량이 낮다. 작은 필러 입자는 총 표면적이 커서 필러 입자의 표면을 적시는데 많은 양의 레진기질이 필요하고, 레진기질의 양이 많아지면 열팽창계수가 증가하고 강도는 저하된다. 따라서 미세입자형 복합레진은 강도보다는 심미성이 고려될 때 주로 사용된다. 그러나 장시간 사용 시 치면 착색이 증가될 수 있다. 복합레진은 다른 색조와 반투명층으로 축성할 때 사용하기도 하는데 내부 수복부위는 강도를 위해 선택된 혼합형(hybrid) 복합레진이고, 비니어 종류의 최외층은 표면 광택을 위해 미세입자형 복합레진을 사용한다(그림 3-9B).

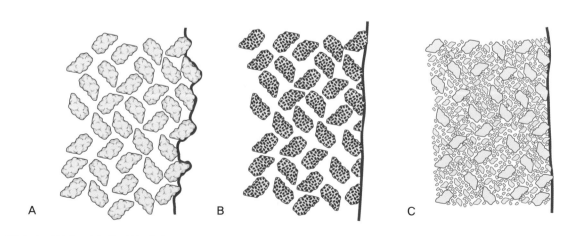

그림 3-9. 콤포짓트 필러 입자(A: 거대입자형(macrofilled), B: 미세입자형(microfilled), C: 혼합형(hybrid))

③ 초미세입자형 복합레진

개선된 혼합형 복합레진은 입자 크기와 분포를 달리 배합하여 필러의 함량을 최대로 유지한 재료이다. 초미세입자형 복합레진의 필러의 양은 77~84%(무게비)이다. 평균 입자 크기는 나노사이즈(nano-size)로 인해 감소되었지만, 강도와 중합 수축과 같은 물성은 약간 향상되었으며, 연마가 잘 되는 복합레진으로 인해 매끄러운 면을 갖게 되었다.

④ 혼합형(hybrid) 복합레진

혼합형 복합레진은 1980년대 말에 개발되었으며, 입자 크기가 서로 다른 필러를 혼합하여 큰 입자 사이의 공간에 작은 입자가 채워져서 필러 함량을 높일 수 있다. 필러의 양은 75~80%(무게비)이다. 필러 평균 입자크기는 0.5~1 μm이고 입자 크기 범위(0.1~3 μm)는 더 넓다(그림 3-9C). 혼합형 복합레진은 강하고 잘 연마된다. 표면 마무리는 미세입자만큼 좋아서 3급, 4급 수복물에 사용된다.

⑤ 2가지 유형의 복합레진 재료

유동성 복합레진(flowable composite resin)과 압축충전이 가능한(condensable) 복합레진과 같은 2가지 유형의 복합레진이 개발되어 시판되고 있다. 2가지 유형의 복합레진은 복잡한 와동형성 부위에 아말감 보다 적용이 용이하다.

유동성 복합레진은 점성이 낮아 와동형성부로 쉽게 흘러들어간다. 제조사가 필러 양을 줄여 점성을 감소시키고 재료의 흐름은 증가시켰지만 강도는 약하고 마모저항이 낮다.

압축충전이 가능한 복합레진은 점도가 높아 와동형성부에 충전을 더 쉽게 할 수 있다.

5) 복합레진의 성질

(1) 작업시간 및 경화시간

작업시간(working time)은 분말과 용액을 혼합하여 구강 내에 충전하기까지 적당한 상태를 유지하고 있어야 하며 국제표준규격(ISO) 제4049호에서는 최소한 90초 이상의 작업시간을 요구하고 있다. 화학중합형은 분말과 용액의 혼합으로 개시제와 활성제의 반응이 시작되면 중합반응이 일어나 제한된 시간 내에 작업을 진행해야 한다. 그러나 광중합형

복합레진은 광조사기에 의한 빛이 조사되어야 중합반응이 시작되기 때문에 광조사를 하기 전까지 화학중합형보다는 작업시간을 좀 더 가질 수 있어 여유로운 치료가 가능하다.

중합이 완료되는 경화시간(setting time)은 화학중합형인 경우 혼합개시부터 4~5분에 초기경화가 완료되고, 광중합형은 광조사 후 1분 이내에 경화가 완료되어 경화시간이 빠르다.

(2) 중합수축(polymerization shrinkage)

중합반응을 통해 다량의 작은 단량체 분자에서 소수의 매우 큰 중합체 분자가 만들어진다. 중합 시 공유결합을 하면서 분자들의 간격이 가까워지게 되면서 중합수축이 일어난다. 필러가 포함되어 있지 않은 레진의 중합수축은 5~8%까지 발생하게 되고 수복물과 치아 사이에 틈을 만들어 미세누출(microleakage)을 발생시킨다. 중합수축은 중합체를 치과수복재료로 사용할 때 중요한 문제가 된다. 그래서 치질에 재료를 결합시킬 때는 접착제의 사용과 중합깊이를 고려한 적층법 충전을 이용하여 미세한 틈의 발생으로 인한 미세누출의 가능성을 줄이도록 노력해야 한다. 또한 레진 수복재의 수축을 최소로 하기 위하여 치과기공소에서 레진 인레이를 작업하여 흐름성이 좋은 레진시멘트로 접착해주는 방법도 사용할 수 있다.

(3) 열전도성

법랑질과 상아질의 열전도성과 유사하여 수복재로서 치수에 열이 전달되는 것을 차단시켜 줄 수 있다.

(4) 열팽창계수(coefficient of thermal expansion)

중합재료는 치질에 비해 높은 열팽창계수를 가지며 실제 열팽창계수는 치질보다 2~10배 크다. 고분자 수복재료의 반복적인 팽창과 수축은 수복물 변연에 틈을 개방시키거나 폐쇄시킨다. 결과적으로 미세 누출과 우식 재발이 증가한다.

(5) 물 흡수도

레진기질의 양이 많은 복합레진이 물을 가장 많이 흡수한다. 초미세입자형 복합레진이 레진기질의 양이 많기 때문에

물 흡수도가 가장 높고, 착색이 쉽게 일어날 수 있다.

(6) 색 안정성

치과용 복합레진과 세라믹은 치아의 색과 반투명도에 맞게 여러 가지 색조로 제조된다. 여러 색조와 반투명도의 재료를 층별로 도포하면 더 자연스런 수복물로 도포된다. 불투과성(opaque) 재료는 하부색이 투과되어 보이는 것을 막기 위해 사용되며, 주로 불투과성 재료는 착색 또는 변색된 상아질을 잘 보이지 않게 한다. 불투과성 재료 위에 전형적인 복합레진 재료를 도포하는데, 최외층은 법랑질의 반투명도를 모사하기 위해 절단부 또는 반투명 색조를 사용한다. 이 색조는 실제 빛에 더 반투명하거나 절단면 법랑질을 모방하는 청색 색조를 갖는다.

(7) 방사선 불투과성

수복재로서 사용되는 복합레진은 이차 우식증과의 구별을 확실히 하기 위하여 방사선 불투과성을 가져야 하는데, 이를 위해 바륨(Ba), 스트론튬(Sr), 브롬(Br), 아연(Zn), 지르코늄(Zr), 이테르븀(Yb), 요오드(I)와 같은 원소를 포함시킨다.

(8) 기계적 특성

복합레진은 필러의 함량이 많거나, 필러의 양이 동일한 경우 필러의 크기가 작을수록 강도와 탄성계수, 마모저항성이 증가된다. 또한 화학중합형에 비해 광중합형의 강도가 약간 더 크다.

(9) 생물학적 성질

수복재로 복합레진을 사용할 경우 와동 형성이 치수에 근접하게 형성되면 와동이장재를 도포해주고 복합레진을 수복해준다. 이때 적용되는 와동이장재가 와동바니쉬나 산화아연유지놀 시멘트를 사용하는 경우 수복재로 사용되는 레진의 중합을 방해하므로 와동이장재를 선택해서 사용해야 한다.

6) 복합레진 수복물에 영향을 주는 요소

(1) 중합 깊이

치과용 복합레진은 치질의 산부식, 프라이머, 접착제와 복합레진 수복재료의 도포 순서로 사용된다. 광중합에서 중합 광(light)은 레진을 중합하기 위해 약 2~3 mm 정도를 투과할 수 있다. 광으로 중합되는 복합레진의 두께를 중합 깊이라 한다. 중합깊이는 광선의 노출시간, 복합레진 제품의 종류, 제품의 색조, 중합광선에 따라 다양하다.

미세입자형 복합레진의 중합깊이는 거대 필러입자가 함유된 복합레진보다 낮다. 중합깊이가 낮은 것은 거대 입자보다 부피비가 낮아도 입자 수가 많기 때문에 빛의 산란이 증가하기 때문이다. 치수에 근접한 복합레진 재료가 완전 중합되지 못하면 치수자극과 술 후 과민증이 나타난다. 중합 깊이를 고려하여 치아 형성부위 바닥의 미중합을 막기 위해 층별로 복합레진을 2 mm 정도씩 나누어 도포하는 적층법으로 충전 후 중합한다.

(2) 적층법(incremental addition)

적층법은 1회 충전되는 레진의 양을 최소로 해서 여러 번 나눠 충전하고 중합하는 것을 말한다(그림 3-10). 적층법을 적용해야 하는 이유는 중합 깊이를 초과하여 충전함으로써 발생될 수 있는 미 중합층이 생기지 않도록 하는 것과 복합

광조사기 팁

그림 3-10. 적층법을 이용한 레진수복

레진의 특성상 경화 시 약 2% 수축이 발생되는 중합수축을 최소한으로 줄이기 위해서이다.

7) 복합레진의 제품 유형

(1) 분말-액형(powder-liquid system)

분말은 레진 중합체와 필러로 구성되고 액은 중합개시제와 경화촉진제를 포함하여 구성된다. 화학중합형에서 사용된다.

(2) 2개 연고형(two paste system)

2개의 연고에 모두 레진기질과 필러가 포함되어 있으면서 각각의 연고에 중합개시제와 경화촉진제를 첨가하고 있으며 화학중합형에서 사용된다.

(3) 단일 연고형(single paste light-cured system)

광중합형에서 사용되며, 혼합 과정이 없어서 혼합 시 발생될 수 있는 기포 혼입이 적으므로 레진의 물성이 증가된다. 또한 광중합이기 때문에 작업시간을 조정할 수 있는 장점을 가지고 있다.

8) 복합레진의 충전 방법

(1) 가압 충전법(pressure technique)

복합레진을 와동에 채운 후, 레진의 중합수축을 예방하기 위하여 플라스틱이나 콤포짓트용 금속성기구로 기포가 함입되지 않도록 주의하여 다져놓고 매트릭스 스트립(matrix strip)으로 레진을 덮고 압력을 가하면서 경화가 끝날 때까지 고정하는 방법이다.

(2) 비가압 충전법(non-pressure technique)

화학중합형 복합레진을 사용하는 경우 용액으로 되어 있는 단량체를 붓을 이용하여 와동에 먼저 적셔 주고, 그 붓으로 중합체 분말을 접촉하여 붓 끝에 중합체 분말이 매달리도록 하여 와동내의 단량체에 혼입시켜주는 방법이다. 이 과정을 반복하여 압력이 가해지지 않는 상태로 와동 내에 레진이 충전되도록 한다.

(3) 유입 충전법(flow technique)

흐름성이 좋은 복합레진을 이용하여 주입기(syringe)를 사용하여 와동에 채우는 방법이다. 흐름성이 좋아 미세한 부분까지 흘러 들어갈 수 있다.

9) 복합레진 사용법

(1) 치아 방습

와동이 형성된 치아를 러버댐(rubber dam)을 이용하여 수분이 접촉되지 않도록 방습한다.

(2) 산부식과 세척

와동이 형성된 치아에 산부식제를 이용하여 일정시간 산부식하고, 깨끗한 물로 충분히 세척한다.

(3) 접착재 도포

상아질 또는 법랑질 접착재를 도포하고 광조사한다.

(4) 혼합

화학중합형 복합레진을 사용하는 경우 플라스틱 스파튤라를 이용하여 혼합한다. 광중합형 복합레진은 혼합 없이 단일 연고형을 바로 사용하면 된다.

(5) 충전 및 중합

와동에 가압충전법을 이용하여 기포가 함입되지 않도록 주의하여 충전한다. 화학중합형은 중합이 완료될 때까지 매트릭스 스트립을 이용하여 고정한다. 광중합은 빛의 투과를 고려하여 2 mm 두께로 적층법을 이용하여 충전하도록 한다.

(6) 교합 검사 및 연마

레진의 충전이 끝나면 교합 검사와 연마를 실시한다. 교합 검사는 교합지를 이용하여 저작 시 불편한 부분을 확인하고, 카바이드 피니싱 버(carbide finishing bur)나 그린스톤(green stone)을 이용하여 삭제한다. 연마는 매트릭스 스트립을 이용하여 충전한 경우에는 표면이 매끄럽게 충전될 수 있으며, 충전된 부위의 교합 조정이 되는 경우에는 고무연마포인트(white rubber polishing point)나 산화알루미늄(aluminum oxide), 지르코늄 실리케이트(zirconium silicate)의 스트립(strip)과 디스크(disk)를 사용하여 충분히 연마한다.

4. 접착제(bonding agent)

1) 접착제의 사용 목적

(1) 수복재의 유지

접착제는 수복물 유지에 사용된다. 접착제를 사용하면 치아의 함몰부위(undercut) 형성과 기계적 유지가 필요 없다. 잔존치질에 세라믹 비니어(veneer)와 같은 약한 심미 수복재료를 결합시키는 경우와 교정용 브라켓(bracket)이나 다른 장치를 치아에 부착할 때도 접착제를 사용한다.

(2) 미세누출(microleakage)의 감소

접착은 수복물의 미세누출을 줄이거나 제거하여 술 후 민감성을 감소시킨다. 미세누출은 치아와 수복물 사이 계면에 체액과 박테리아가 스며드는 것을 의미하며, 미세누출은 재발성 치아우식증과 술 후 민감성을 증가시킨다.

치아는 냉온 음식물을 섭취하면 수축과 팽창이 발생된다. 수복재와 치아는 열팽창계수에 차이가 있어 서로 다른 비율로 팽창과 수축이 일어난다. 치아와 수복물의 열팽창계수가 서로 다른 상태에서 반복적인 팽창 및 수축이 일어나면 수복물 변연에서 체액의 흡입 및 배출이 일어난다. 이 현상을 삼출(percolation)이라 한다(그림 3-11).

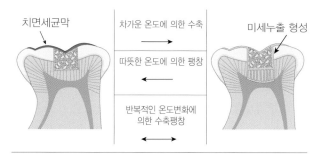

그림 3-11. 온도변화와 미세누출 효과

접착을 통하여 심미재료의 변연착색을 감소시킬 수 있다. 변연은 임상적으로 관찰 가능한 치아와 수복재의 경계부로서, 잦은 누출이 있는 변연은 검게 착색되어 비심미적으로 보인다. 접착제를 통하여 수복물의 변연이 밀폐되면 미세누출이 감소 또는 제거되고 술 후 민감성 및 착색이 감소된다.

(3) 재발성 치아우식증의 감소

미세누출의 감소가 필요한 가장 중요한 이유는 재발성 치아우식의 가능성을 최소화 하는 것이다.

재발성 우식증은 수복물 변연에서 일어나는 우식으로 치아와 수복물 사이의 공간에서 잘 나타난다.

2) 접착제의 결합

(1) 법랑질과 결합

산부식된 법랑질에 결합된 레진은 내구성이 강하다. 30~40% 인산으로 법랑질을 부식하면 법랑소주(enamel rod)

접착(adhesion) 검사

접착 검사는 법랑질과 상아질에 결합된 여러 재료의 결합강도를 측정함으로써 검사할 수 있다. 치아에 재료를 당기거나 미는 힘의 단위는 MPa(1 MPa=145 psi)이며 구강 내에서 가장 크게 힘이 가해지는 부위에서 견딜 수 있는 필요한 결합강도는 20~25 MPa(2,900~3,400 psi)이다.
접착실패는 접착제가 깨끗이 떨어질 때 계면에서 파괴가 일어나는 파괴유형이며 이러한 검사를 결합강도 검사라 한다.
응집실패는 결합재료 내부에서 일어난 파손으로 정의한다. 결합자체가 아닌 결합재료의 강도를 측정한다. 검사과정에서 접착제가 치아를 파손시키면 응집실패로 결합강도가 치아강도보다 큰 것을 의미한다. 결합이 치질보다 클 경우 치아가 파손될 때 수복물보다 치아가 부러지게 되므로 치아를 손상시킬 수 있다.

의 칼슘성분이 선택적으로 용해되어 저점도 레진이 효과적으로 흘러 들어갈 수 있는 높은 표면에너지를 갖는다. 미세 다공이 법랑소주의 내부와 주위에 형성되고 레진이 침윤되어 그 자리에서 중합된다. 레진 태그(resin tag)는 결합에 있어 미세기계적 유지력을 제공한다. 상아질 접착에 사용되는 자가 부식 접착제는 법랑질 표층은 부식할 수 있지만, 표층 아래는 효율적으로 부식되지 않는다. 따라서 자가부식 접착제를 사용할 때는 법랑질 변연에 경사면(bevel)을 형성해야 잘 유지된다. 또한, 부식된 법랑질에 혈액, 타액, 습기에 의해 재오염이 되지 않도록 하여야 한다.

(2) 법랑질과 상아질의 화학적 결합

치과재료와 법랑질과의 결합은 산부식법을 이용하여 결합이 잘 이루어지지만 상아질과의 결합은 쉽지 않다. 1970년대 Dennis Smith가 처음으로 치질과 화학적으로 결합되는 폴리카복실레이트 시멘트를 개발하였다. 조성은 폴리아크릴산과 산화아연이다. 글라스아이오노머 시멘트는 폴리아크릴산과 산화아연 대신에 유리 분말(glass powder)을 사용한다. 이 두 재료들은 폴리아크릴산을 기본으로 하여 상아질과 법랑질에 화학적으로 결합한다. 글라스아이오노머 재료들이 접착용과 수복용 재료와 같은 다양한 용도로 개발되었지만, 글라스아이오노머는 복합레진의 심미적인 면과 기계적 인성(toughness)이 결여되어 있다.

3) 치아 접착에 영향을 주는 요소

(1) 치아표면의 청결도

접착제를 도포하려는 치아표면은 청결해야 한다. 청결하지 않은 경우 접착제는 치아표면보다는 치아표면의 음식물 잔사와 접착하게 되고 그러면 치아표면과 접착제가 화학적으로 결합되지 않으며, 접착제가 접착표면의 깊숙한 곳까지 잘 흘러들어 가지 않게 되어 결합력이 떨어지게 된다.

(2) 바이오필름(biofilm)

구강에서 치아표면의 청결을 유지하기는 어렵지만 타액이나 혈액, 치은열구액과 같은 구강액으로 오염되지 않은 깨끗한 치아표면이 유지되어야 한다. 일단 표면이 오염되면 크고 작은 유기물로 이루어져있는 바이오필름으로 덮이게 되며, 구강 내 바이오필름은 치면세균막으로 성장한다.

바이오필름은 많은 치과용 접착제의 결합을 감소시키며 치면의 바이오필름은 법랑질과 상아질을 부식하는 산에 의해 쉽게 제거될 수 있다.

4) 산부식(acid etching)

1955년 Dr. Michael Buonocore가 소와(pit) 및 열구(fissure)를 밀봉하는 용도로 산부식법을 처음 소개하였으며, 산부식은 미세누출을 최소화하고 재료를 유지하기 위하여 미세기계적 결합 술식에 이용되었다. 산을 법랑질에 도포하여 표면을 부식한 후, 부식된 표면의 거친 부위로 저점도 중합체가 흘러 들어가게 하여 중합한다.

1960년대에 치과용 복합레진이 개발되었으며 미세누출과 착색을 감소시키기 위하여 산부식 술식이 복합레진 수복물에 사용되었다. 그 후 다양한 방법들이 1970년대와 1980년대에 개발되었으며, 교정용 브라켓을 금속성 밴드(band)에 용접(welding)을 하지 않고 치아의 순면에 접착하거나, 치아의 법랑질과 가공의치의 금속을 부식하여 서로 결합시키거나, 플라스틱, 혹은 복합레진이나 세라믹 비니어(porcelain veneer)를 전치 순면에 부착하거나, 치아 사이의 공간을 폐쇄 또는 기형 치아의 치아형태를 개선시키기 위해 사용되고 있다.

산 부식은 치질에 치과재료를 결합시키기 위한 술식이며, 산 부식을 하게 되면 현미경에서 보는 것처럼 거칠어진 법랑질 표면이 만들어진다(그림 3-12).

거친 표면을 '법랑질 태그(enamel tag)' 또는 '미세기공'이라 한다. 저점도의 액상 레진을 태그가 형성된 거칠어진 치질 표면에 도포하면, 레진은 법랑질 태그로 흘러 들어가고 경화 후에 10~20 μm 길이의 레진 태그가 형성된다(그림 3-13). 경화된 레진은 거친 법랑질 표면과 미세기계적으로 결합되어 유지력을 얻게 된다.

(1) 산 부식 과정(그림 3-14)

① 법랑질을 퍼미스를 이용하여 깨끗하게 닦는다.
② 압축 공기로 가볍게 건조한다.
③ 37% 인산을 이용하여 15~30초 동안 산부식한다.

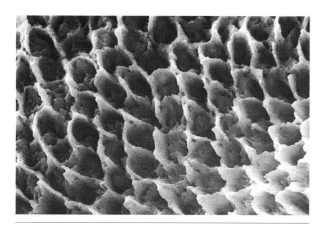

그림 3-12. 산 부식된 법랑질의 주사전자현미경(SEM) 사진

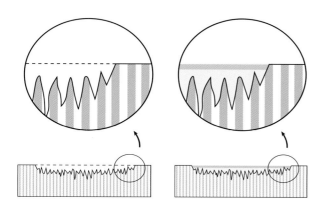

그림 3-13. 법랑질의 산부식

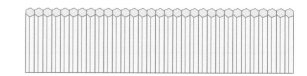

그림 3-14. 법랑질의 산 부식과 복합레진 도포 과정 A: 비부식된 정상 법랑질, B: 부식된 법랑질, C: 접착제 도포, D: 복합레진 도포

④ 산을 물로 충분히 세척하고, 표면을 다시 건조한다.

⑤ 액상 접착레진(bonding resin, polymer system)을 도포하고 중합한다.

⑥ 복합레진을 접착제 위에 수복한다.

⑦ 수복재료(복합레진) 층과 접착 레진 층이 화학적으로 결합한다.

(2) 법랑질 부식

일반적인 산부식 술식은 법랑질에 재료를 결합하는데 적용하며 상아질에는 상아질 산부식제를 이용한다. 상아질의 산부식제는 컨디셔너(conditioner)라고 한다.

부식된 법랑질은 표면이 하얗게 서리가 낀(frosty white) 모양으로 관찰된다.

산부식 술식의 장점은 복합레진 수복물의 변연 착색을 감소시키는 것이다.

(3) 산(acid)

법랑질 부식에 주로 사용하는 것은 37% 인산이다. 부식(etching)은 법랑소주를 용해하여 여러 부위의 법랑소주 변연과 법랑소주 코어(enamel rods core), 또는 변연과 코어부분을 용해한다. 과잉 부식되면 처음 용해된 칼슘과 인산염 이온이 결정을 형성해서 레진의 결합을 억제하므로 인산이 남아있지 않도록 충분히 세척해야 한다.

(4) 시간

법랑질 산부식 시간은 15~30초이다. 유치는 영구치보다 유기질 함량이 많고, 법랑소주의 규칙 배열이 덜 되어 있어 더 장시간 부식해야 거친 표면 결합을 얻을 수 있지만, 영구치에 비해 유치는 결합력이 부족하다.

(5) 치아표면

부식된 법랑질 표면이 오염되면 레진의 결합이 실패할 수 있으므로 깨끗하고 건조된 치아표면이 유지되도록 해야 한다.

5) 법랑질 접착제(enamel bonding resin, adhesive)

저점도 레진(low-viscosity) 시스템이라고도 하며 처음 사용된 것은 폴리메틸메타크릴레이트(polymethyl methacrylate)이다. 모든 저점도 레진은 표면이 습윤(wet)한 상태에서 사용되고, 미세한 곳까지 흘러들어가야 한다. 모든 레진 시스템은 부가중합되며, 빛이나 화학반응에 의해 활성화 된다. 결합재가 경화되면 그 위에 수복용 복합레진을 적용한다.

6) 상아질 접착제(dentianl bonding resin)

1970년대와 1980년대에 상아질에 접착되는 복합레진이 개발되었고 1990년대에는 복합레진의 상아질 접착 효과가 임상에서 입증되었다.

(1) 상아질 접착 시스템(dentinal bonding system)

① 치아 조직

상아질 접착제는 법랑질과 상아질에 적용된다. 법랑질은 치아의 최외방 조직층으로서 접착제가 법랑질과 강하게 결합되지 않으면 법랑질과 복합레진 사이 계면의 미세누출이 상아질 결합 부위로 진전되어 박테리아가 깊이 침입하여 재발성 우식증의 가능성을 증가시키므로 법랑질과 접착제의 결합은 매우 중요하다.

② 상아질의 구조

상아질은 관주상아질(intratubular dentin), 관간상아질(intertubular dentin), 상아모세포돌기(odontoblastic processe)로 채워진 상아세관(dentinal tubule)으로 구성된다. 관주상아질과 관간상아질은 고도로 광화된 조직이고, 상아모세포돌기는 거의 물로 구성된다. 법랑질보다 다양하고 복잡한 구조로 되어 있다.

③ 도말층(smear layer)

치과용 기구로 상아질을 삭제하게 되면 상아질 찌꺼기와 콜라겐에 의해 도말층이라는 잔사층이 표면에 생성된다(그림 3-15, 16A). 상아질의 도말층은 상아세관 내부에 2~6 μm 두께로 삭제된 상아질 표면에 약하게 접착되는 표층 상아질(ground dentin)을 만든다. 법랑질은 상아질보다 더 석회화된 조직이기 때문에 기구로 치아 삭제 시 상아질보다 더 깨끗이 삭제된다.

④ 레진 치료의 상아질 결합

상아질은 체적비로 약 50% 무기물, 30% 유기물, 20% 체액으로 구성되어 있어 법랑질 보다 레진과의 결합이 어렵다. 상아질 접착제는 도말층 제거와 상아질 표면 탈회에 30~40% 인산을 이용한다. Nakabayashi는 상아질에 레진을 결합시키기 위해 콜라겐 기질과 상아세관을 노출시킨 뒤 산을 도포하여 광화된 치질 표면에 친수성 레진 재료를 도포하고 그 자리에 레진을 중합시켜 콜라겐 기질과 상아세관이 레진의 기계적 유지를 제공하는 이론을 소개하였다.

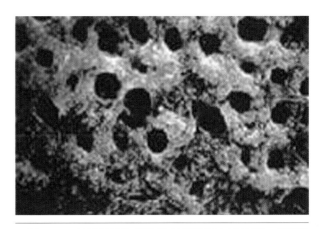

그림 3-15. 산부식처리 이전에 도말층으로 덮혀있는 상아질 표면

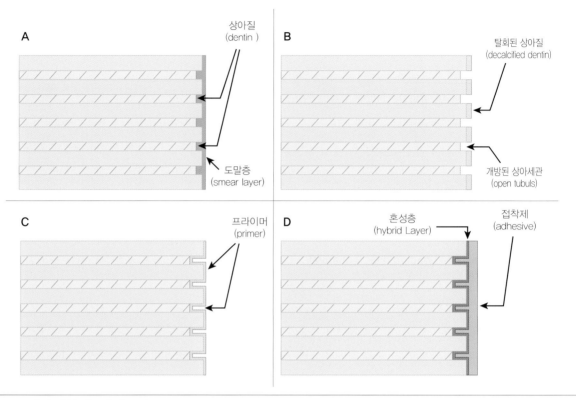

상아질
(dentin)

도말층
(smear layer)

탈회된 상아질
(decalcified dentin)

개방된 상아세관
(open tubuls)

프라이머
(primer)

혼성층
(hybrid Layer)

접착제
(adhesive)

그림 3-16. 3단계 접착 시스템의 도식도

⑤ 습윤결합

대부분 접착제는 습윤결합을 이용한다. 부식된 상아질 면이 과도하게 건조되면 콜라겐 기질이 붕괴되어 프라이머의 효율적인 침윤이 어려워져 결합강도는 낮아지고 과도한 미세누출이 나타나게 된다. 반면에 과도한 수분은 접착에 좋지 않은 효과를 나타낸다. 적절한 양의 수분을 위한 효율적인 방법은 와동을 완전히 건조시키는 것이 아니고 습기를 머금은 스폰지를 사용해 표면을 재 습윤 시키는 것이다.

(2)상아질 접착제의 요구사항

① 상아질 표면에 깊숙이까지 침투하여 접착면을 잘 적셔야 한다.
② 화학적 결합과 미세기계적 결합이 잘 이루어져야 한다.
③ 수복물의 유지에 적합한 강도를 가져야 한다.

(3) 상아질 접착제의 개발(1~3세대)

접착시스템은 개발시기와 단계에 따라 '세대(generation)'

을 적용하고 있으며, 제1세대는 1980년 이전에 개발된 것으로 도말층을 완전히 제거하여 상아세관을 노출시켰으며, 제2세대는 도말층을 부분적으로 제거하고, 칼슘 등을 형성하여, 상아질 프라이머가 칼슘과 결합하도록 하였다. 제3세대는 도말층을 완전 제거하거나 일부 변경시켜 화학적결합과 미세기계적 결합을 시도하는 단계였다.

(4) 4세대 3단계 상아질 접착 시스템(three-step dentinal bonding system) (그림 3-17~19)

4세대는 3단계 상아질 접착 시스템으로 상아질과 법랑질을 함께 산부식하는 것으로 레진 혼성층(hybrid layer) 법랑질을 먼저 부식, 세척, 건조로 진행되는데 반해 상아질은 산 또는 킬레이트(chelate) 화합물로 처리한다. 킬레이트 화합물은 칼슘과 다른 이온의 분자 복합체를 형성하고 도말층 제거와 상아질 표면의 탈회에 사용된다.

프라이머(primer)를 적용한 다음 레진 접착제를 도포한다. 프라이머는 공기로 건조시키고 중합해야 한다. 접착제

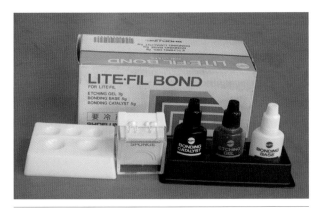

그림 3-17. 3단계 상아질 접착 시스템

그림 3-18. All-Bond 2

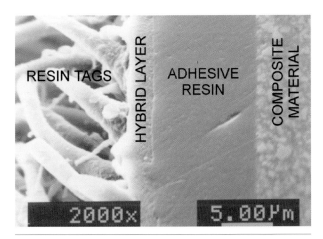

그림 3-19. 상아질 접착 시스템의 주사전자현미경(SEM) 사진

는 콤포짓트 레진을 사용하기 전에 중합을 시켜야 하는 번거로움이 있었지만 최근엔 단순화된 다양한 상아질 본딩 시

스템이 개발되어 공급되고 있다.

3단계 시스템은 오랜 기간 임상적인 성공을 보였지만 복잡한 단계를 거쳐야 한다. 이러한 복잡한 단계를 단순화시킨 것이 2단계 시스템이다. 최근에는 자가부식 프라이머 (self-etching primer)를 사용한 1단계 시스템이 소개되었다. 단계가 많이 감소된 시스템은 사용하기에는 편리하지만 기능면에서 우수한 것은 아니다.

① 법랑질의 상아질과 산부식

처음 단계는 산부식 술식으로 상아질과 법랑질을 부식한다. 상아질 부식은 와동형성 부위의 도말층을 산을 이용해 상아질 표면에서 제거한다(그림 3-16A).

몇 μm 두께의 상아질 층을 탈회하면, 상아질의 주요 유기성분인 교원섬유(collagen fiber)가 탈회 면에 남게 된다(그림 3-16B). 표면은 부드러운 바람이나 작은 면구를 이용해서 완전히 건조시키지는 않는다. 과도하게 건조된 상아질은 교원섬유가 붕괴(collapse)되어 프라이머가 침투되지 않아 상아질 결합이 약화되기 때문이다.

② 프라이머 도포

2번째 단계는 프라이머 도포이다(그림 3-16C). 프라이머는 레진과 유사한 법랑질 접착 시스템을 사용하지만 친수성이라는 것이 레진과의 차이점이다. 프라이머는 아세톤 같은 휘발성 용매로 희석하고 부식된 표면의 흐름성과 젖음성을 개선시킨다.

친수성 프라이머는 습한 치아 표면에 잘 적용되며 산부식으로 개방된 상아 세관과 상아질의 교원섬유(collagen fibers) 사이로 흘러 들어가기 때문에 교원섬유 주위로의 흐름성이 중요하다. 대부분의 프라이머는 접착제가 상아세관과 교원섬유 주위로 잘 흘러들어 가도록 보조하는 젖음제 역할을 한다.

프라이머 결합은 상아질의 무기성분과 화학적 결합을 하고 유기성분과는 공유결합을 하며 저점도 접착용 레진과는 개방된 상아세관 내 침투에 의한 상아질과의 기계적 결합으로 이루어진다. 그 밖에 프라이머가 일부 탈회된 상아질 면과 상아 세관에서 중합되어 혼성층(hybrid layer)을 형성하며 상아질과 화학적 결합 및 기계적 결합을 한다(그림 3-16D).

③ 접착제(adhesive) 도포

3번째 단계는 접착제의 도포이다(그림 3-16D). 접착제는 법랑질 접착용 레진 시스템과 같은 저점도 레진을 사용한다. 프라이머처럼 상아질과 결합하는 접착제가 일부 친수성 성분을 함유하고 있지만 친수성 성분의 비율은 프라이머보다 낮다. 상아질 접착용 접착제는 법랑질 접착용 레진처럼 중합된다.

④ 복합레진 적용

상아질 접착제 도포 후 복합레진을 적용한다. 복합레진은 법랑질 접착제처럼 상아질 접착제와 결합되며 수복물을 유지시키고 미세누출을 감소시킨다.

⑤ 상아질 접착제의 접착기전

상아질을 산으로 부식시키고 상아질 접착제와 복합레진을 상아질에 도포한다. 친수성 습윤 접착 시스템은 재료가 수분을 따라 상아세관으로 들어간다. 상아질 접착제는 2가지 접착 기전이 동시에 일어난다(그림 3-19).

- 산부식 술식처럼 상아세관에서 레진 재료는 미세 기계적 결합으로 레진 태그로 결합된다.
- 레진과 탈회 상아질로 구성되는 혼성층을 형성한다.

(5) 5세대 2단계 상아질 접착 시스템(two-step dentinal bonding system)

1997년에 소개되었으며, '단일 용액형(single bottle)' 시스템이다. 새로운 상아질 접착 시스템은 '부식 및 세척'을 한 후에 혼합된 프라이머와 접착제를 도포하는 2단계 시스템으로 간편화하였다(그림 3-20A).

① 산부식

상아질과 법랑질은 3단계 시스템 제품과 같은 방법으로 산부식한다.

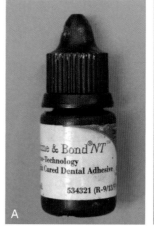

그림 3-20. 2단계 상아질 접착 시스템의 2가지 종류 A: 5세대, B: 6세대

② 접착제(adhesive) 적용

2단계 시스템에서의 접착은 3단계 시스템의 프라이머와 접착제를 하나로 합쳐놓은 것으로 3단계 시스템보다 더 친수성이다. 용매(solvent)는 부식된 표면의 건조를 도와준다. 용매는 공기를 서서히 불어서 증발시킨다. 접착제는 광중합하고 수복용 레진을 수복한다(그림 3-21).

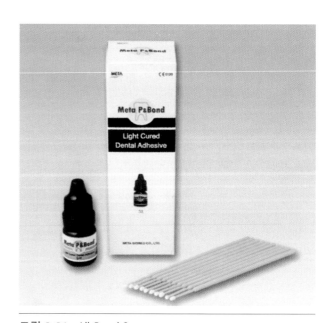

그림 3-21. All-Bond 2

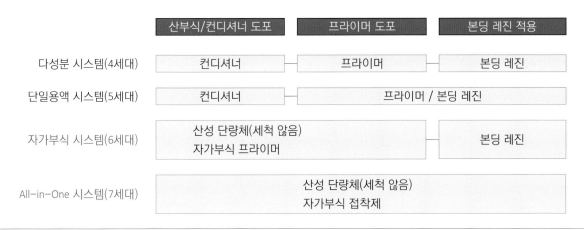

산부식/컨디셔너 도포	프라이머 도포	본딩 레진 적용
다성분 시스템(4세대)	컨디셔너	프라이머	본딩 레진
단일용액 시스템(5세대)	컨디셔너	프라이머 / 본딩 레진	
자가부식 시스템(6세대)	산성 단량체(세척 않음) 자가부식 프라이머		본딩 레진
All-in-One 시스템(7세대)	산성 단량체(세척 않음) 자가부식 접착제		

그림 3-22. 상아질 접착제 시스템의 종류에 따른 구성물의 차이

(6) 6세대 자가부식 프라이머

'6세대' 접착시스템은 상아질의 부식과 프라이머의 적용을 동시에 진행한다. 법랑질은 인산에 의해 상아질이 부식되는 것이 아니고, 자가부식 프라이머에 의한 산부식으로 상아질이 1~2 μm 정도 탈회된다. 치질이 산부식되는 양이 인산보다 적어 치질의 손상이 적으며, 부식 후 물로 세척을 하지 않아 세척을 하는 동안 자극이 없고, 인산에 의한 불쾌한 맛이 없어 민감도가 낮다(그림 3-20B).

(7) 7세대 자가부식 접착제

7세대인 1단계 시스템은 산, 프라이머, 접착제가 하나로 결합되어 있다. 이것을 치아에 도포하고 복합레진 수복재를 그 다음에 도포한다. 제조사의 지시에 의해 접착제를 적용한 후에 광중합하고 광중합 레진을 수복한다(그림 3-23).

5. 글라스아이오노머 재료(glass ionomer material)

1) 산-염기 화학중합 글라스아이오노머

글라스아이오노머는 산-염기 화학반응으로 경화하는 재료이다. 글라스아이오노머는 접착성 수복재료로 법랑질과 상아질에 화학적 결합을 한다. 장시간 불소를 유리하여 재발성 우식 억제 효과가 있다. 그러나 글라스아이오노머 수

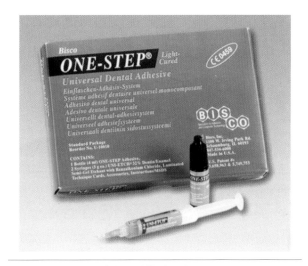

그림 3-23. 1단계 상아질 접착시스템

복물은 치아색상으로 불투명한 모습을 나타내며, 심미성은 치과용 복합레진보다 떨어진다. 글라스아이오노머 수복재는 분말/용액으로 공급되며 다양한 색상의 제품이 이용된다. 적절한 혼합과 도포가 중요한데 적절한 혼수비로 혼합하면 점성이 있는 재료가 된다. 일부 제품은 아말감 혼합기로 혼합하는 정량화된 캡슐을 이용하고 있다.

혼합한 재료를 지체 없이 와동형성부에 도포하고 적절한 형태로 치관 외양을 형성한다. 경화되는 동안 플라스틱 스트립(strip)을 사용해 적절한 형태로 재료를 고정한다.

화학중합(산-염기 반응) 글라스아이오노머 수복물의 적용은 조작에 주의해야한다. 천천히 혼합하거나 늦게 와동에

표 3-3. 글라스아이오노머와 콤포머 제품

글라스아이오노머 제품	접착제(luting cement)	용도 이장재(liners)	수복재료
산염기 단독반응	Ketac-Cem Fuji I	HI	Fuji II , Fuji IX Ketac-Silver Ketac-Fil Fuji Miracle Mix
산염기반응과 화학활성 중합	GC Fuji Cem RelyX(Vitremer cement)	—	N/A
산염기반응과 광활성 중합[a]	—	Vitrebond GC Fuji Liner LC Vivaglass Liner	Fuji II LC Photac-fil Vitremer
콤포머(광활성중합)	—	—	Compoglass F Dyract F2000

a. 일부제품은 화학활성중합을 포함

적용하면 재료의 접착성질이 상실된다.

글라스아이오노머 재료는 재료의 초기 경화와 수복물의 마무리 과정에서 탈수된다. 탈수에 의해 표면에 얇은 균열이 발생되므로 초기 마무리 후 법랑질 결합용 레진이나 특수 바니쉬를 이용하여 글라스아이오노머에 적용한다. 글라스아이오노머 재료의 최종 마무리는 전형적으로 재료가 완전히 경화되는 24시간 후에 시행한다.

치질과의 화학적 결합과 불소유리의 장점을 가진 글라스아이오노머는 유용한 재료이지만, 접착용 시멘트와 교합력이 낮게 가해지는 치아 부위에만 한정적으로 사용된다. 화학중합 글라스아이오노머 수복재료는 취성이 있고 불량한 마모저항과 파괴 인성으로 유치의 1급, 2급 수복물에 한정되어 사용된다. 글라스아이오노머 수복재는 불소유리로 인해 우식 위험이 높은 환자의 5급 와동에 적용하기에 최선의 재료이다.

광중합 글라스아이오노머는 기계적 성질이 우수하여 유사한 접착용 재료로 시판되고 있지만, 금속 금관(metal crown) 하방으로 광선이 투과하지 못하여 중합이 되지 않으므로 산-염기 반응하는 화학중합 글라스아이오노머 재료가 사용된다.

주로 금속 및 금속-도재합금의 접착에 사용된다.

2) 레진 강화형 글라스아이오노머

광중합 글라스아이오노머 제품은 1980년대 후반에 개발되었다. 자유라디칼 중합에 산-염기 경화반응이 포함된다. 레진 강화형 글라스아이오노머는 화학중합형, 광중합형, 이원중합형으로 분류된다.

중합 제품은 복합레진에서 사용되는 같은 중합광선에 노출될 때 경화가 시작된다. 접착성이 있고 불소가 유리된다. 광중합 글라스아이오노머 수복물은 도포와 마무리가 더 쉽고 화학중합 만큼 탈수에 예민하지 않다. 광중합 글라스아이오노머는 도포한 후 마무리와 연마를 시행해야 하며, 화학중합 글라스아이오노머보다 조금 더 강하고 단단하다.

최근 광중합 글라스아이오노머는 일반적으로 3급과 5급 수복물과 베이스로 사용된다.

3) 글라스아이오노머 제품의 불소 유리

글라스아이오노머를 사용하는 경우는 불소의 방출로 인해 치아우식증이 예방될 수 있다. 불소 방출은 시간이 지날수록 감소하는데, 일부 연구에서 글라스아이오노머로 수복된 수복재에 국소 불소도포를 시행할 경우 불소가 재충전된다고 보고하였다.

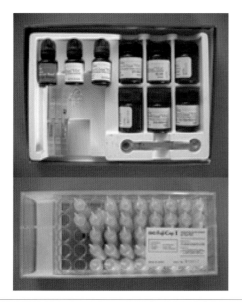

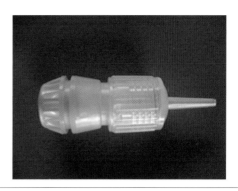

그림 3-26. 대롱이 부착된 제품

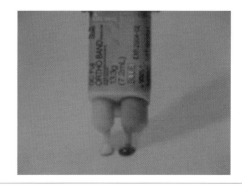

그림 3-27. 카트리지형

그림 3-24. 용액/분말형과 사전 계량된 캡슐형 제품

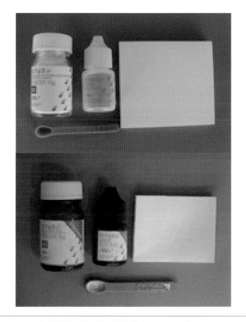

그림 3-25. 화학중합형 및 광중합형 GI 시멘트

6. 콤포머(compomer)

콤포머는 상아질 접착제/콤포짓트 레진 시스템처럼 결합 및 경화되고 글라스아이오노머처럼 초기에 일부 불소가 유리되는 재료를 의미한다. 글라스아이오노머 재료와 복합(콤포짓트) 레진/상아질 접착제의 대중화로 2개의 재료가 결합

하여 개발된 아주 대중적인 재료이다(그림 3-28). 콤포머는 복합레진의 상아질 접착제를 사용하고 있다. 불소유리와 취급특성이 양호하다는 점에서 많은 콤포머 제품이 사용된다.

7. 치면열구전색재(Pit and fissure sealant)

1) 중합반응에 의한 전색재의 종류

치면열구전색재는 Bis-GMA계와 글라스아이오노머계로 분류하며, 주로 Bis-GMA계 치면열구전색재를 사용한다(그림 3-29). 글라스아이오노머계는 자가중합을 통해 이루어지며, Bis-GMA계는 광중합을 통해 이루어진다. Bis-GMA계 레진은 좁은 소와와 열구로 흘러들어 갈 수 있는 흐름성 있는 레진을 사용하며 기계적 성질을 개선하기 위해 필러를 첨가하기도 한다. Bis-GMA계 레진은 산부식 과정을 거쳐 치질과 결합한다. 글라스아이오노머계는 치질과 화학적 결합을 하며 불소방출로 인한 항 우식효과가 있다. 그러나

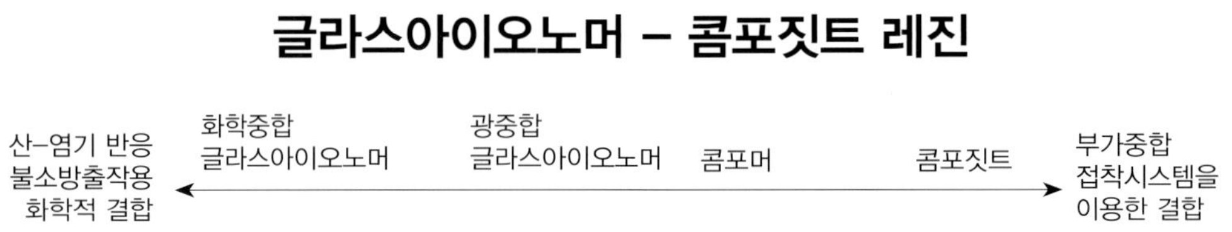

글라스아이오노머 – 콤포짓트 레진

산-염기 반응 불소방출작용 화학적 결합	화학중합 글라스아이오노머	광중합 글라스아이오노머	콤포머	콤포짓트	부가중합 접착시스템을 이용한 결합

$\longleftarrow\!\!\longrightarrow$

그림 3-28. 글라스 아이오노머와 콤포짓트 레진의 연속점

그림 3-29. Clinpro white varnish

Bis-GMA계 레진에 비해 결합력이 떨어지며 점도가 높아 열구 깊숙이 침투하기가 어려운 단점이 있다.

치면열구전색재는 중합반응에 따라 광중합형과 자가중합형으로 구분된다.

(1) 광중합형

광중합형 전색재는 재료의 성분이 하나로 혼합되어 공급된다. 술자가 적절한 시간에 중합을 개시할 수 있고, 중합시간이 자가중합형보다 짧으며, 혼합과정에서 공기가 침투되는 자가중합형에 비해 큰 압축강도와 활택한 면을 가질 수 있다. 광중합형은 효율적이서 치과 임상현장에서 많이 사용되고 있지만 광조사라는 술식을 필요로 하기 때문에 광원을 구입해야 하는 경제적 부담이 추가된다.

광조사기 사용방법으로는 전색재가 도포된 치면의 2~3 mm 위에 광조사기의 팁(tip)을 치면과 수직방향으로 위치시킨 다음 스위치를 켠다. 처음 10초간 팁(tip)의 끝을 고정하게 되면 부분적으로 중합이 된 전색재의 경화된 표면이 남게 된다. 광조사기가 가동되는 동안에는 팁(tip)이 움직이지

않도록 고정해야 한다. 한 개의 치아에서 두 개의 치면에 전색할 경우에는 치면마다 각각 따로따로 주어진 시간만큼 광조사를 실시한다.

(2) 자가중합형

자가중합형은 광중합기가 필요 없으며, 재료의 구성에 있어 단량체와 촉매제가 각각의 용기에 들어 있다. 두 재료를 같은 양으로 혼합하면 중합이 개시된다.

자가중합형은 재료가 액체상으로 보일지라도 조작시간을 초과해서는 안 되며, 일단 경화가 시작되면 빠르게 진행되기 때문에 경화가 진행되는 동안 재료에 대한 어떠한 조작이라도 가하게 되면 전색재의 유지가 상당히 어렵게 된다.

경화시간은 3~5분으로 광중합형 보다 훨씬 길고, 광조사기가 불필요하므로 많은 사람을 대상으로 하는 공중구강보건사업 현장에서 효율적으로 적용할 수 있다.

2) 치면열구전색가 갖추어야 할 요건

① 법랑질 표면에 접착이 잘 되어야 한다.
② 교합압에 대한 저항력이 커야 한다.
③ 균열이 되지 않아야 한다.
④ 파절·탈락이 안 되어야 한다.
⑤ 심미성이 양호해야 한다.
⑥ 구강조직에 손상이 없어야 한다.
⑦ 타액에 의해 용해되지 않아야 한다.
⑧ 빠른 중합이 이루어져야 한다.
⑨ 전색 시 흐름이 좋아야 한다.

3) 치면열구전색재 도포

치면열구전색재 도포는 러버댐 등을 사용하여 치면을 격리한 뒤 적용한다. 치면방습을 위한 준비가 끝나면 퍼미스를 사용하여 해당 치아 표면을 세척한 후 치면을 부식하고 물로 헹군다. 마지막 단계로 치면열구전색재를 도포한다(그림 3-30).

그림 3-30. 치면열구전색재

글라스아이오노머계 치면열구전색재는 화학중합으로 경화되나, 최근에는 Bis-GMA계 광중합용 치면열구전색재가 많이 사용되고 있다.

치면열구전색재 제품의 필러의 조성과 색은 매우 다양하다. 일부 치면열구전색재는 필러가 아예 없거나 적은 비율로 필러를 함유하고 있다. 또한 투명한 제품과 일부 불투명한 백색을 띠는 제품이 있다.

4) 치면열구전색재의 유지력을 높일 수 있는 방법

① 전색재와 치아 표면과의 접촉면적을 증가시킨다.
② 치면에 존재하는 소와나 열구는 깊고 불규칙하고 좁을수록 전색재의 유지에 유리하다.
③ 법랑질 표면이 청결해야 한다.
④ 전색재를 도포할 치면은 철저히 건조되어 있어야 한다.
⑤ 전색재의 교합은 약간 낮아야 한다.

5) 치면열구전색재 관리

치면열구전색재는 저작을 하는 동안 교합에 의해 재료의 마모가 발생한다. 또한 치면열구전색재의 탈락과 파절이 발생될 수 있으므로 치면열구전색재 내·외부 기포를 주기적으로 검진해야 하며 탈락된 일부 치면열구전색재는 재도포해 주어야 한다. 치면열구전색재는 제작하는 동안 마모, 탈락, 파절이 발생될 수 있으므로 치과위생사는 환자의 정기적인 치과 검진에 대한 필요성을 설명할 수 있어야 한다.

>>> Summary

- 복합레진 수복재료는 화학중합과 광중합의 두 가지 중합방법이 있다. 화학적으로 작용된 재료는 두 개의 연고 시스템이다. 광중합 재료는 일반적으로 많이 사용되고 하나의 연고 형태로 공급된다.

- 복합레진은 입자 크기에 따라 거대입자형, 미세입자형, 초미세입자형, 혼합형 4가지로 분류된다. 최근 진료에 사용되는 복합레진은 혼합형이 주를 이룬다. 혼합형 복합레진은 강도는 크지만 매끄러운 면을 만든다. 미세입자형은 표면 광택이 우수해 치경부 와동에 주로 사용된다.

- 치과에서 접착제의 사용은 수복물의 유지와 미세누출의 감소, 이차 우식증의 발생을 감소시킨다. 치면 청결과 바이오필름은 접착제를 사용하기 전에 고려해야 할 중요한 요소이다. 접착이 성공하려면 치아표면 접착면의 청결이 중요하다.

- 상아질과 결합하기 위해 산부식이 사용된다. 법랑질과는 다르게 상아질은 삭제하거나 와동을 형성하면 도말층으로 덮힌다. 3단계 상아질 접착 시스템은 상아질과 법랑질의 산부식, 프라이머 적용, 3단계로 이루어지며, 그 위에 수복용 재료를 적용한다. 최근에는 2단계, 1단계의 접착 시스템이 개발되고 있다.

- 글라스아이오노머는 법랑질과 상아질에 화학적 결합을 하는 또 다른 심미수복재이다. 글라스아이오노머는 빛이나 화학반응으로 활성화되는 레진 강화형으로 향상되었다. 모든 글라스아이오노머 재료들은 치아조직과 인접한 곳으로 불소가 방출된다.

- 치면열구전색재는 Bis-GMA계와 글라스아이오노머계로 나뉜다.

- Bis-GMA계 레진은 깊은 소와나 열구 내로 잘 흘러들어 갈 수 있으며 산부식으로 인하여 치질과의 결합력이 좋다. 글라스아이오노머는 불소방출로 인한 항우식 효과가 있으나 치질과의 결합력이 다소 떨어지는 편이다.

>>> Learning Activities

1. 복합레진의 중합과정을 중합 방법에 따라 비교해 보자.

2. 혼합형 복합레진과 글라스아이오노머 수복재로 1 mm 두께의 시편을 만든 후, 이 재료들의 양상을 비교해 보자(표면조직, 색깔, 불투명도).

Review Questions

01 미세입자형 복합레진을 거대입자형 복합레진과 비교하였을 때 장점은 무엇인가?

① 낮은 열팽창율
② 매끄럽고 광택이 나는 연마된 면
③ 전체적으로 높은 강도
④ 높은 필러 비율

02 화학중합형 복합레진 수복재료의 가장 큰 특징은 무엇인가?

① 작업시간의 제한이 없다.
② 하나의 연고로 공급된다.
③ 혼합하는 동안 기포가 혼합된다.
④ 적은 기질과 많은 필러 입자들을 함유한다.

03 광원에 의해 중합되는 복합레진의 양을 나타내는 용어는?

① 중합 깊이 　　② 점진적인 추가
③ 추가 깊이 　　④ 점진적인 중합

04 복합레진 수복 시 지각과민을 해결하는 방법으로 옳지 않은 것은?

① 적층법으로 충전한다.
② 타액으로부터 철저히 격리시킨다.
③ 수복 후 적절한 교합조정을 실시한다.
④ 치수를 보호하기 위해 산화아연유지놀 베이스를 사용한다.
⑤ 간접법이 직접법보다 우수한 인접면 접촉을 얻을 수 있으므로 와동의 형태나 깊이에 따라 적절히 선택한다.

05 글라스아이오노머와 같이 불소를 초기에 방출하는 수복재료이지만, 복합레진과 같은 중합을 하는 재료는?

① 흐름성 있는(flowable) 콤포짓트
② 축중합 콤포짓트
③ 콤포머
④ 예방적 레진

06 미세입자형 복합레진의 가장 중요한 특징은 무엇인가?

① 마모저항이 불량하다. 필러크기는 10~15 μm이다.
② 마모저항이 불량하다. 강도가 크다.
③ 연마도가 불량하다. 강도가 크다.
④ 연마도가 매우 양호하다. 강도는 낮다.

07 다음은 산부식과정이다. 올바른 순서대로 번호를 기록하시오.

① 치면을 물로 헹군다.
② 부식된 치면을 물로 헹군다.
③ 본딩 레진을 적용한다.
④ 법랑질을 퍼미스로 깨끗이 한다.
⑤ 세척된 치면을 공기로 건조시킨다.
⑥ 부식된 치면을 공기로 건조한다.
⑦ 수복재료를 적용한다.
⑧ 산부식제를 적용한다.

정답 | 1.② 2.③ 3.① 4.④ 5.③ 6.③ 7.②-⑤-⑦-①-③-⑥-⑧-④

Review Questions

08 "상아질 잔사(dentin debris)"는 상아질이 치과도구에 의해 삭제되거나 와동이 형성될 때 생기는데, 이것을 무엇이라고 부르는가?

① adhesive layer
② 도말층(smear layer)
③ 프라이머층(primer layer)
④ 킬레이션 제재(chelating agent)

09 다음 중 치면열구전색재에 대한 설명으로 틀린 것은?

① Bis-GMA계열의 레진이다.
② 수소이온을 함유하고 있어 기포가 잘 발생된다.
③ 불소를 방출시킬 수 있다.
④ 치질과의 결합력이 매우 중요하다.

10 법랑질 부식 후 건조하면?

① 엷게 빛난다.
② 분필같은 흰색처럼 된다.
③ 둔한 회색을 띤다.
④ 복숭아 빛이 난다.

참고문헌

1. 연세대학교 치과재료학 연구소. 치과재료 1997 제5권.

2. 한국치과재료학교수협의회. 치과재료학 5판. 군자출판사, 2008.

3. 한국치과재료학교수협의회. 치과재료학 7판. 군자출판사, 2015.

4. American Dental Association. Dental Sealants. J Am Dent Assoc 1997;128:485-488.

5. Craig RG: Chemistry, composition, and properties of composite resins. DCNA 1981;25(2):219-239.

6. Daniel SJ, Harfst SA. Mosby's Dental Hygiene-Concepts, Cases and Competencies. St Louis: Mosby, 2002, Chapter 26.

7. Darby ML, Walsh MM. Dental Hygiens Theory and Practice. Philadelphia: Saunders, 1995, Chapter 21.

8. Gladwin M, Bagby M: Clinical aspects of dental materials; theory, practice, and cases, 3nd ed. Philadelphia: Lippincott Williams & Wilkins, 2007.

9. ISO 4049:2000 Dentistry - Polymer-based filling, restorative and luting materials ISO 6874:1988 (E) Dental resin-based pit and fissure sealants.

10. Oy Sael H, Ruyter IE, Kleven IJS: Release of formaldehyde from dental composites. J Dent Res 1988;67(10): 1289-1294.

11. Kenneth J: Phillips' Science of Dental Materials, 11th ed. New York:Elsevier, 2003.13. American Dental Association. Dental Sealants, Protecting your teeth. J Am Dent Assoc 2003;134:1018.

12. Schwartz RS, Fransman R, Adhesive dentistry and endodontics: materials, clinical strategies and procedures for restoration of access cavities: A review, J Endodon 2005;31(3): 151-165.

13. Simonsen RJ: Preventive aspects of clinical resin technology. DCNA 1981;25(2); 298-305.

14. Taira M, Urabe H, Hirose T, Wakasa K, Yamaki M: Analysis of photo-initiators in visible-light-cured dental composite resins. J Dent Res 1988;67(1); 24-28.

15. Van Dijken JWV, Ruyter IE, Holland RI: Porosity in posterior composite resins, Scand J Dent Res 1986;94;471-478.

16. Waggoner WF, Siegal M. Pit and fissure sealant application: updating the techhique. J Am Dent Assoc 1996;127:351-361.

17. Wilkins EM. Clinical Practice of the Dental Hygienist. 10th ed. Baltimore: Williams & Wilkins, 2008, Chapter 30.

18. Woodall I. Comprehensive Dental Hygiene Care. 4th ed. St. Louis: Mosby, 1993, Chapter 22.

정답 | 8.② 9.② 10.②

02 아말감
Amalgam

✓ 치과용 아말감의 특징을 설명할 수 있다.
✓ 치과용 아말감의 조성을 설명할 수 있다.
✓ 아말감의 물리적 성질을 설명할 수 있다.
✓ 치과용 아말감의 조작법을 나열할 수 있다.
✓ 치과용 수은에 관하여 설명할 수 있다.

● ● ● ●

치과용 아말감은 매우 오래되었지만 여전히 가장 널리 사용되는 수복재이다. 현재의 아말감 형태는 1800년대에 개발된 은(Ag) 분말에서 발전하였다. 치과용 아말감이 가장 널리 사용된 이유는 비용이 저렴하고 사용 방법이 간편하기 때문이다. 수복부위는 심미성을 고려하여 구치부의 1급, 2급 와동과 전치의 설면 소와(pit)의 수복에 주로 사용되고 있다. 최근에는 복합레진과 같은 심미수복재료의 개발과 아말감에 포함된 수은의 위해성과 환경오염 문제로 점차 사용이 줄어들고 있는 추세이다.

1. 치과용 아말감의 특징

1) 용도

아말감은 많은 유형의 우식성 병소에 사용되는 수복재료이다. 또한 심하게 파손된 치관부위를 수복하는 아말감 축성(amalgam buildup) 또는 아말감 코어(amalgam core) 같은 치관의 기초재료로 사용된다(그림 3-31).

2) 장점

아말감은 저렴한 비용, 인성, 마모저항성 때문에 오랜 기간 동안 지속적으로 사용되고 있는 수복재이다. 아말감은 치아와 수복물의 계면에 부식산물이 형성되어 변연의 미세누출이 감소된다. 이러한 현상을 자가 폐쇄성(self-sealing)이라고 하며, 치과용 아말감 변연이 파괴되어 보여도 표면 직하방은 실제로 밀폐되어 있다. 다른 직접 수복재처럼 아말감의 수명은 수복물의 크기와 간접 관련이 있다. 수복물 크기가 증가되면 수복물 내 응력이 증가하고 수복물의 수명이 감소된다. 임상연구에서 1급 와동 아말감의 수명은 15~18년이고, 2급 와동은 12~15년이다.

3) 단점

아말감의 단점으로는 충전 후 어느 정도 압축강도를 발휘할 때까지는 일정시간이 필요하며, 변연의 강도가 약해서 아말감 변연부위가 떨어져 나가기 쉽다.

색상이 자연치질과 달라 심미적이지 못하며, 변색 및 부식 등이 생겨서 치질의 착색 원인이 될 수 있다. 이종금속의 수복물이 대합치나 인접치에 있을 때 갈바닉(galvanic) 전류가 발생하여 때로는 동통이나 수복물의 변색을 일으킬 수 있다. 진료 시 조작 방법에 따라 수복물의 예후가 좌우될 수 있으며, 수은을 사용하기 때문에 취급에 주의해야 된다.

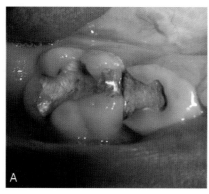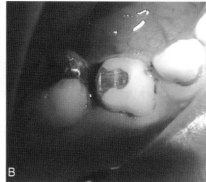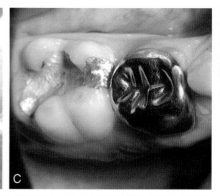

그림 3-31. 아말감 코어 충전

2. 아말감 합금의 조성

아말감 합금(alloy)은 은(Ag)-주석(Sn)이 주성분인 분말금속이다. 치과용 아말감은 분말금속(alloy)에 수은(mercury)을 혼합하여 치아 수복에 사용되는 재료로서 수은을 함유한 금속 합금을 말한다.

1) 조성

아말감 합금은 은(Ag)과 주석(Sn)을 주성분으로 하며, 구리(Cu), 아연(Zn), 팔라듐(Pd)과 같은 원소들이 소량 첨가되고 있다.

2) 구성 성분의 기능(표 3-4)

(1) 은(Ag)은 63~70%가 함유되어 있으며, 경화를 빠르게 하고 경화팽창과 강도 및 부식 저항성을 증가시킨다. 또한 수은과의 반응성을 좋게 하여 크리프(creep)를 감소시킨다.

(2) 주석(Sn)은 26~28%가 함유되어 있고, 은과는 반대되는 작용을 한다. 주석은 수은에 대한 용해도가 크므로 아말감화를 촉진하고 경화수축의 원인이 되며, 크리프와 부식을 증가시킨다. 또한 강도와 경도를 감소시키는데, 주석과 수은이 반응하여 형성되는 화합물은 약하고 부식이 되기 쉽기 때문이다.

(3) 구리(Cu)는 은과 유사한 작용을 하여 강도, 경도, 경화팽창, 변색을 증가시키고, 크리프를 감소시킨다. 초기 아말감 합금에는 6% 이하의 구리가 함유되었지만, 현재는 6% 이상의 구리를 함유하고 있다.

(4) 아연(Zn)은 아말감 합금 내 산소제거제(deoxidizer)로서의 역할을 한다. 산소와 쉽게 반응해서 산소가 다른 합금과 반응하는 것을 막는 역할을 하여 합금 내 다른 금속의 산화를 감소시킨다.

아연이 0.01%~1% 이상 함유된 아말감을 아연함유 아말감이라고 부르고 아연이 0.01% 이하인 경우를 무아연아말감이라고 부른다.

아연 함유 아말감은 무아연 아말감보다 초기 부식을 억제하고 변연 적합도를 높여 임상 수명이 더 연장되고 있지만 아연함유 합금이 수분에 오염되면 아말감의 비정상적인 팽창을 초래할 수 있다. 수분 오염에 의한 영향은 아연 함유 아말감이 무아연 아말감보다 더 많은 영향을 받는다. 아연 함유 아말감이 혼합이나 조작 시 수분에 오염되면 아연이 물과 반응하여 수소기체를 만들기 때문이다. 수소기체는 압력을 발생시켜 충전 후 3~5일부터 지연팽창(delayed expansion)이 일어나 수개월동안 지속된다. 무아연 아말감은 수분에 오염되면 부식 저항성이 저하되게 된다.

3. 아말감 합금의 형태

(1) 절삭형(lathe-cut) 합금: 금속 주괴(ingots)를 연마해서 작은 입자로 제조하는 합금으로(그림 3-32A), 절삭된

표 3-4. 아말감 구성성분의 기능

금속성분	증 가	감소
은(Ag)	강도 경화팽창 수은과 반응성	크리프
주석(Sn)	크리프(creep) 수축 아말감화(amalgamation) 속도 부식(corrosion)	강도 경도 경화속도
구리(Cu)	경도 강도 경화팽창 변색(tarnish)	크리프
아연(Zn)	충전하는 동안 수분의 오염으로 지연팽창 및 부식 혼합된 아말감의 유연성	

분말은 대개 바늘모양을 띄고 있다.

(2) 구상형(spherical) 합금: 불활성 대기로 용융된 합금을 분사(atomizing)하여 제조하는 합금이다. 분사된 작은 방울이 떨어지면서 다른 물체와 만나기 전에 냉각되면 구상 형태를 유지하게 된다(그림 3-32B). 구상형 합금은 절삭형 합금보다 적은 양의 수은을 사용해도 반응성이 좋다.

(3) 혼합형(admixed, blended 또는 dispersion) 합금: 일부

절삭형과 구상형 입자가 혼합된 합금이다(그림 3-32C).

4. 아말감 합금의 분류

1) 구리 양에 따른 분류

6% 이하로 구리가 함유된 합금을 저동 합금(low-copper, conventional alloy)이라 하고, 고동 합금(high-copper)은 6~30% 이하의 구리를 함유한 것을 말하며, 임상적으로 우수한 결과를 얻기 위해서는 최소 11% 이상의 구리가 필요하다.

2) 아연 유무에 의한 분류

0.01% 이상을 함유한 합금을 아연함유(zinc-containing) 아말감이라고 하며, 0.01% 이하 함유한 합금은 무아연(non-zinc) 아말감이라고 한다.

3) 입자형태에 따른 분류

절삭형, 구상형, 혼합형으로 구분된다.

4) 입자크기에 의한 분류

아말감 입자의 크기는 입자들의 분포범위에서의 평균 입자 사이즈로 분류할 수 있으며, regular cut은 입자들의 분포범위에서 입자의 평균사이즈가 35 μm 이상이며, fine cut과

그림 3-32. 아말감 합금 입자(A: 절삭형 합금, B: 구상형 합금, C: 혼합형 합금)

micro cut은 regular cut 보다는 입자들의 분포범위가 좁아 각각 35μm, 26μm를 나타낸다.

5) 공급형태에 의한 분류

분말형과 알약형태의 정제형, 캡슐형이 있다(그림 3-33).

5. 치과용 아말감의 경화반응과 각 상의 성질

치과용 아말감의 경화반응은 아말감 합금과 수은의 혼합과 동시에 시작되고 충전과 조각을 하는 동안 지속된다. 경화반응은 보통 관련된 금속의 상으로 표시하며, 이 상들은 각 합금 조성상태에서 발견되는 기호에 해당하는 그리스 문자로 표시한다.

1) 각 상의 성질

(1) 감마상(γ)은 은-주석(Ag-Sn상)을 나타내며, 수은과 반응하지 않은 고유의 아말감 합금 상으로 강하고 부식저항성이 크다.

(2) 감마1상(γ_1)은 은-수은(Ag-Hg상)을 나타내며, 경도가 크고 강도나 부식저항성이 γ상과 γ_2상의 중간 정도이다. 취성(brittle)이 크다.

그림 3-33. 아말감의 공급형태

(3) 감마2상(γ_2)은 주석-수은(Sn-Hg상)을 나타내며, 강도와 경도가 모두 낮고 부식저항성도 약한 상이다. 흐름성이 크다.

(4) 에타상(η)은 구리-주석(Cu-Sn상)을 나타내며, 부식저항성이 γ상이나 γ_1상보다는 낮지만 γ_2상 보다는 높다.

2) 저동 아말감의 경화반응(그림 3-34A)

> 미반응 아말감합금[Ag₃Sn(γ)] + 수은[Hg]
> → Ag₂Hg₃(γ_1) + Sn₈Hg(γ_2) +미반응 아말감합금[Ag₃Sn(γ)]

(1) 수은을 아말감 합금과 혼합하면 수은은 아말감 입자에 의해 흡수되고 입자 표면을 용해시킨다.

(2) 은과 주석이 수은에서 용해되기 시작한다. 감마1상(γ_1)과 감마2상(γ_2)상의 석출이 시작된다. 석출은 용해된 재료에서 고형상이 형성되는 과정이다.

(3) 수은이 소모되고 고형 덩어리가 나타날 때까지 감마1상(γ_1)과 감마2상(γ_2)상의 침전이 지속된다. 경화반응은 강도가 최대에 도달하는 24시간에 완료된다.

3) 고동 아말감의 경화반응(그림 3-34B)

1960년대부터 다양한 고동 치과용 아말감이 개발되었다. 대부분의 고동 아말감은 임상에서 저동 아말감보다 우월하다. 개선된 성질은 약한 감마2상(γ_2)상을 제거하여 강도를 증가시키고 부식과 변연파절을 감소시켰다. 최근에는 고동 아말감을 주로 사용하고 있다.

고동 아말감의 경화반응은 저동 아말감에서 생성되는 감마2상(γ_2)상(Sn-Hg) 상이 결핍되어 있는 것이 특징이다.

> 미반응 아말감합금[Ag₃Sn(γ)] + Ag·Cu + 수은[Hg]
> → Ag₂Hg₃(γ1)+Cu₆-Sn₅(η)+미반응 아말감합금[AgSnCu(γ)]

(1) 고동 아말감 합금에는 10~30% 구리를 함유한다.

(2) 은은 저동 아말감과 같은 방법으로 반응하며 감마1상(γ_1, Ag-Hg) 반응산물을 형성한다.

(3) 주석은 은보다 친화성이 큰 구리와 반응하여 에타상

(η, Cu_6-Sn_5)을 형성한다. 이로 인해 감마2상(γ_2)상의 반응이 억제되어 저동 아말감 반응에서 일어나는 감마2상(γ_2, Sn-Hg) 반응산물은 형성되지 않는 것이 특징이다(그림 3-34C).

4) 고동 혼합형 아말감

혼합형 분말은 절삭형 저동 합금입자와 구상형 입자를 띠고 있다(그림 3-35). 혼합형은 보통 중량비로 33~55%의 구상형 고동 합금입자를 포함하고 있으며 변연파절에 대한 저항이 저동 아말감보다 높다.

5) 아말감 제품의 차이

많은 종류의 아말감이 존재하는 이유는 각각의 취급 특성이 다르기 때문이다. 합금입자의 형태는 재료의 취급특성에 영향을 준다. 절삭형 입자는 거칠어서 서로 쉽게 미끄러지지 않는다. 혼합된 절삭형 아말감은 구상형 아말감보다 더 많은 치아 와동 내 충전력이 요구된다. 구상형 아말감은 작은 응축 기구를 사용해 약한 응축압으로 재료를 충전한다.

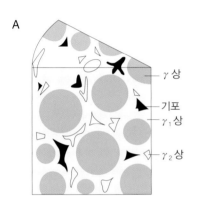

저동 아말감

합금의 표층이 Hg에 용해되어 새로운 γ_1상과 γ_2상이 생긴다. 미반응 부분은 core(γ상)가 되고, 그 사이를 메우는 새로운 상을 매트릭스(γ_1, γ_2상)라고 한다.

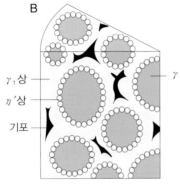

고동 단일조성형 아말감

단일조성형에서는 미반응 합금 입자의 주위에 과립상의 η'상이 띠를 이루면서 둘러싸고 있다. 매트릭스 내에서 γ_2상은 관찰되지 않는다.

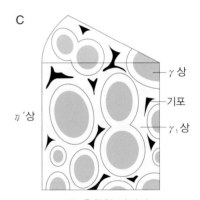

고동 혼합형 아말감

Sn이 Hg와 결합하여 γ_2상을 만드는 대신에 Cu와 결합하여 대단히 강한 η'상을 만든다. core의 주위에 환상의 η'상이 둘러 싼다. 매트릭스 내에서 γ_2상은 관찰되지 않는다.

그림 3-34. 아말감 경화물의 미세구조의 모식도

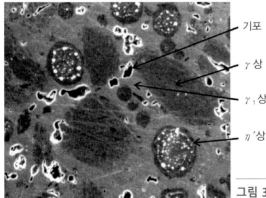

그림 3-35. 고동 혼합형 치과용 아말감의 미세구조

구상형 아말감보다 절삭형 또는 혼합형 아말감으로 인접면 접촉부(2급 수복물)를 수복하는 게 더 쉬우며, 고동 아말감으로 인접면 접촉부를 수복하는 경우 매트릭스 밴드(matrix band)를 사용해 적절한 해부학적 형태를 얻는다. 매트릭스 밴드는 잔존 치질을 따라 수복재료 삽입 시 임시벽 기능을 한다.

입자 형태는 입자 표면을 적시는데 필요한 수은의 양에 크게 영향을 준다. 모든 고형상에서 구상형은 표면적/부피 비율이 가장 낮다. 구상형 입자는 표면적이 적기 때문에 입자를 적시는 수은이 덜 필요하고, 아말감합금 입자가 수은과의 반응에 필요한 시간이 적게 들어 경화가 빨리 이루어지기 때문에 급경화형 아말감을 나타낸다. 수은이 함유되는 상은 약한 상으로, 수은/합금 비가 낮은 경우, 수은이 함유된 반응산물의 상대적 비율이 감소되면, 치과용 아말감의 강도와 기타 성질을 증가시킨다.

적절한 혼합과 취급은 최종 치과용 아말감의 조성에 영향을 준다. 입자가 충전압력으로 서로 힘을 받게 되면 과잉 수은이 와동 표면으로 밀려나오게 된다.

6. 아말감의 물리적 성질

재료의 적절한 취급은 물리적 성질을 개선시켜 임상적으로 좋은 결과를 얻을 수 있다.

1) 크기변화(dimensional change)

아말감은 충전 후 크기변화를 최소화하는 것이 중요하다. 과도한 수축은 미세누출, 치면세균막 축적, 이차 우식, 술후 과민증을 초래한다. 또한 과잉팽창은 치수에 압력을 유발하고, 충전 후 과민증, 와동으로부터 수복물의 정출을 일으킬 수 있다.

크기변화에 영향을 주는 요소에는 수은/합금 비와 혼합 및 응축 술식이 있다. 혼합물 내에 충분한 수은이 있으면 팽창하게 되지만, 낮은 수은/합금 비에 높은 응축압을 적용하면 혼합물 내에 수은을 감소시키게 되어 수축이 일어나게 된다. 또한 긴 혼합시간, 작은 분말 입자의 사용은 경화 시

수은의 소비를 촉진하여 수축을 일으키게 된다. 아연 함유 아말감의 조작 시 수분 오염에 의한 지연팽창도 발생될 수 있다. 지연팽창이 일어나고 6개월이 지났을 때 0.5 mm 크기 변화를 가져올 수 있다. 크기변화를 최소화하기 위해 제조사의 추천사항을 따른다.

2) 강도(strength)

아말감 수복물은 교합되는 저작력에 견딜 수 있는 강도를 가져야 한다. 아말감의 압축강도(compressive strength)는 24시간이 지나야 가장 큰 값을 나타내지만, 아말감이 최종 강도에 도달하기 전에 환자가 아말감 수복부위로 저작을 하게 되기 때문에 1시간 후의 압축강도가 중요하다.

아말감의 압축강도는 24시간 후에 가장 크며 구상형 합금의 압축강도는 절삭형 또는 혼합형 아말감보다 더 크다. 아말감 혼합 후 20분 후의 압축강도는 7일 후 압축강도의 6% 정도이고, 1시간 후의 압축강도는 7일 후 압축강도의 15~20%이며, 8시간 후의 압축강도는 7일 후 압축강도의 85~90%이다. 그러므로 아말감 충전 후 최소 8시간 동안은 부드러운 음식을 섭취하도록 해야 한다.

치과용 아말감은 압축강도가 높으나 인장 및 전단강도가 비교적 낮다. 따라서 치질에 의한 지지를 받아야 아말감의 강도가 우수해질 수 있다. 충분한 크기의 아말감이 필요하며 교합력을 견디려면 1.5 mm 이상의 두께가 필요하다. 정확한 혼합시간, 적절한 수은의 양, 응축압 및 정확한 응축시간으로 아말감의 강도를 조절 할 수 있다.

3) 크리프(creep)

크리프는 재료에 영구변형이 일어나지 않을 정도의 작은 하중을 가했을 때 나타나는 길이 변화를 말하며, 압축을 받았을 때 형태가 완만히 변화한다. 크리프는 아말감이 인접치와 대합치를 밀어 변연이 파절되거나 돌출(overhanging)되는 것의 원인으로 재발성 우식을 발생시키며, 크리프가 낮을수록 변연파절이 적어진다. 고동 아말감 개발로 감마2상(γ_2 상)이 제거되고, 감마1상(γ_1 상)의 변형을 방지하는 에타상(η 상)이 형성되어 크리프 현상이 감소되었다. 수은, 합금의 비가 증가하거나 혼합시간이 짧을 때, 혹은 혼합

후 응축을 지연시킬 때 크리프가 증가한다.

4) 변색(tarnish)과 부식(corrosion)

아말감 수복물은 타액으로 덮여 있는 구강 내에서 변색과 부식을 일으킬 수 있다. 갈바닉 부식은 갈바니즘(galvanism)에 의해 진행되며, 젖은 환경에서 이종금속이 존재하면 전위차가 나타나 이들 사이에서 전자이동이 일어나는 것을 말한다. 전류가 이종 금속 사이를 흐르면 금속 중 하나가 부식된다. 갈바닉 부식 가능성은 서로 다른 이종 금속 상이 금속 내에 있을 때 증가한다.

부식은 수복물의 표면과 내부에서 일어난다. 표면 부식은 아말감 수복물을 변색하고 표면의 미세한 기포를 초래한다. 표면 부식은 부식 산물들이 치아와 아말감의 계면을 채워 아말감을 자가봉쇄형 수복물(self-sealing restoration)로 만들어 미세 누출을 감소시킨다. 자가봉쇄형 수복물은 수복물이 비심미적이고 변연이 불규칙해도 아말감 계면은 여전히 밀폐되므로 환자는 잘 사용할 수 있다.

구강 내 산성 환경은 갈바닉 부식을 촉진하며, 불량한 구강관리와 우식유발 식단은 치아와 수복재를 파괴시킨다. 우식을 촉진시키는 요소 역시 부식을 가속시킬 수 있다.

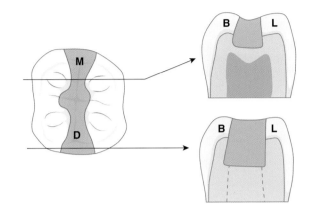

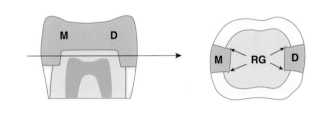

그림 3-36. 아말감 수복물의 유지 형태. 협면(B), 원심면(D), 설면(L), 근심면(M)

7. 아말감의 조작 및 수복 과정

1) 와동형성

아말감은 치아 와동 형성부위에 충전하는 직접 수복재료로서 와동에 형성된 기계적 유지 형태를 통해서 치아에 유지하게 된다. 기계적 유지형태는 와동형성 시 핸드피스와 버(bur)로 함몰부위(undercut)와 구(grooves)를 형성한다(그림 3-36).

2) 아말감 합금의 선택

(1) 아말감의 포장 및 용기를 확인한다.
(2) 사용설명서와 제조자의 지시를 확인한다.
합금의 조성(아연함유), 합금의 열처리, 합금 분말의 크기, 형태와 생산방법, 분말의 표면처리 및 합금의 공급형태, 사용방법 등을 사용설명서를 확인한다.

3) 수은의 선택

(1) 치과용 아말감에 사용되는 수은은 'pure', 'redistilled', 'triple distilled', '99.99%'와 같은 순도 표시가 되어 있는 화학적으로 순수한 것을 선택한다.
(2) 분배용기에서 깨끗이 따를 수 있어야 한다.

4) 혼합(합금/수은 비)

아말감 합금과 수은의 혼합과정을 아말감화(amalgamation) 또는 혼합(trituration)이라 하며, 아말감 합금과 수은을 고속으로 혼합하는 장비를 아말감 혼합기(amalgamator 또는 triturator)(그림 3-37)라 한다. 2개 성분을 혼합하여 성형하기 좋은 금속 덩어리를 만든다(그림 3-38).

수은/합금 비는 아말감 합금과 혼합되는 수은의 양에 따

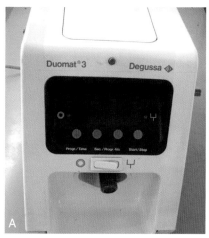 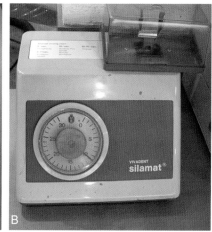 

그림 3-37. 분말/정제형 아말감 혼합기(A: 자동형, B: 수동형)　　그림 3-38. 적절히 혼합된 치과용 아말감

라 달라진다. 수은을 많이 사용하면 수은을 함유하는 반응산물이 증가하고, 적게 사용하면 수은을 함유하는 반응산물이 감소된다. 적절한 수은/합금 비로 혼합되었을 경우에 기포 없는 덩어리를 만들 수 있다. 부적절한 수은/합금 비는 기포와 불량한 수복물을 만들게 된다.

 (1) 합금의 종류에 따라 제조사의 지시에 따라 합금/수은 비를 조절한다.
 (2) 미리 정량화된 캡슐을 사용하면 제조사에서 정해진 비율대로 사용할 수 있다.

5) 연화

 연화(trituration)는 아말감 합금과 수은을 혼합하여 아말감화 시키는 과정으로, 아말감 혼합기를 사용하여 합금과 수은을 정확히 배합하여 연화해야 한다.

6) 멀링(골고루 뭉치기)

 멀링(mulling)은 연화된 아말감이 균질한 혼합물이 되도록 사용하기 좋은 덩어리로 뭉쳐주는 과정이며, 연화 후 진동자(pestle)를 제거하고 혼합기에 1~2초간 혼합해주거나, 연화된 아말감을 러버댐 쉬트와 압착천(squeezing cloth)에 이중으로 싸서 손으로 문질러 준다(그림 3-39).

7) 응축

 응축(condensation)은 혼합된 아말감을 치아에 형성된 와동에 힘을 가해 충전하는 과정이다. 적절한 혼합과 응축은 경화된 아말감의 수은 양을 감소시킨다. 수은을 함유하는 반응산물은 아말감 합금보다 약하므로, 수은을 최소화한 경우 아말감 강도가 증가하고 변연 파절이 감소된다.

 연화된 아말감을 소량씩 여러 번에 나눠서 와동에 적용하고 응축기를 이용해서 아말감을 와동에 완전하게 적합시킨다. 응축은 연화된 아말감을 와동에 잘 적합시키고, 기포를 없애고, 과잉의 잔여 수은을 제거하는 역할을 한다.

그림 3-39. 압착천

아말감 응축 과정 시 수분에 오염되지 않도록 방습법을 이용하도록 한다. 아말감이 수분에 오염이 되면 수복물의 성질은 감소된다.

8) 버니싱

버니싱(burnishing)은 와동의 높이보다 높게 아말감을 응축하여 충전하고 조각한 다음 아말감의 표면과 변연을 아말감 버니셔(amalgam burnisher)를 이용해서 매끄럽게 문질러 주는 과정이다. 버니싱을 통하여 잔여 수은을 표면으로 올라오게 하여 수복물의 강도를 증가시키고 변연의 적합도를 높여줄 수 있다.

9) 조각

조각(carving)은 치아의 고유 형태를 수복하기 위해 과잉부를 아말감 조각도(amalgam carver)를 이용하여 치아의 해부학적 및 기능적 치아 형태가 재현되도록 하는 과정이다. 아말감의 경화반응은 충전과 조각하는 동안 지속된다. 아말감 충전 및 조각 과정을 도식대로 시행한다(그림 3-40).

10) 아말감 연마

아말감의 연마(amalgam polishing)는 아말감 수복물의 수명을 연장시킨다. 아말감 수복물의 마무리 목적은 인접한 치질과 연속되는 변연을 만들고 적절한 외양을 만드는 것이다. 연마는 부식 가능성과 표면에 부착되는 치면세균막을 감소시키기 위해 평탄하고 광택 있는 표면을 만든다.

(1) 절삭형 및 혼합형 아말감의 연마를 아말감 수복 후 24 시간 후에 실시한다. 24시간 후 아말감의 경도가 연마 과정에 견딜 만큼 충분히 단단해지기 때문이다. 일부 구상형 아말감은 더 빨리 경화되므로, 충전 후 20분 후에 연마가 가능하다.
(2) 아말감 표면 온도가 60℃ 이상 되면 수은이 유리되므로 저속으로 부드럽게 물을 뿌리면서 충전물의 중심에서 변연 쪽으로 연마한다.

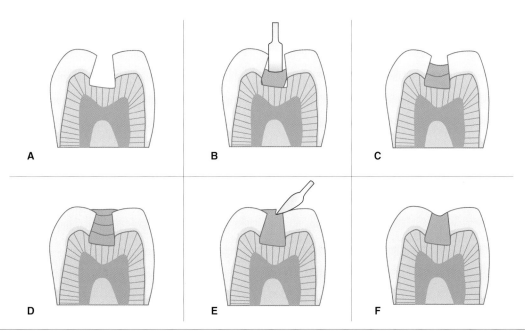

그림 3-40. A: 충전 및 조각과정, B: 와동 형성, C: 아말감 일정량을 와동에 충전하고 기포를 제거하기 위해 응축, D: 와동 형성된 부위까지 계속해서 아말감을 과잉충전, E F: 재료의 조작이 가능할 때까지 정확한 교합면 형태를 부여하기 위해 조각

8. 취급과 허용에 영향을 주는 요소

1) 제조회사

제조사는 입자의 열처리와 표면 산화물을 제거하기 위해서 산으로 입자 표면을 세척하여 경화반응률을 조절한다. 제조사가 공급하는 아말감 합금에는 분말형과 정제형, 캡슐형이 있으며, 구매 가능한 여러 가지 아말감 합금의 형태에는 일회용 캡슐형은 합금 분말과 수은을 용기에 계량해 놓은 것이다. 최근 수은의 오염과 감염 관리에 대한 관심으로 정량화된 일회용 캡슐이 임상에서 많이 사용되고 있다.

2) 조작방법에 따른 영향

(1) 정량화된 캡슐(proportional)로 판매되는 제품

제조사에 의해 수은함량이 조절된다. 과잉 수은은 약한 아말감상을 형성하고 수은을 함유한 반응산물을 증가시킨다.

(2) 정제형 아말감 혼합기를 사용한 적절한 혼합

혼합 속도와 시간은 경화에 영향을 주는 혼합물의 적절한 점주도를 얻게 한다. 과 혼합(over trituration)과 저 혼합(under trituration)은 재료의 작업시간과 강도에 영향을 미친다.

과 혼합된 아말감은 부스러져 충전이 어려우며, 작업시간이 짧아지고 수복물 내에 기포가 형성된다. 적절히 혼합된 아말감은 만지면 약간 따뜻한 응집체가 된다. 표면은 평탄하고 덩어리는 플라스틱 느낌을 준다. 이러한 혼합물은 충전이 쉽고 적절한 작업시간을 나타낸다.

저 혼합된 아말감은 모든 입자가 깨지지 않아 연약한 과립상(grainy) 느낌의 덩어리로 충전이 어렵다.

(3) 분말형 아말감 혼합기를 사용한 적절한 혼합

분말형 아말감 합금은 정제형 아말감 합금과 달리 합금이 분말형태로 판매되고 있다. 정제형 아말감 합금처럼 아말감 합금의 혼합동안 분쇄정도가 혼합체 성질에 영향을 미치지 않는다. 아말감 혼합 동안에 수은 첨가량의 조절과 혼합시간에 따라 아말감 혼합물의 점주도를 변화시킨다. 수은 양이 과잉으로 증가되면 혼합체의 점주도가 증가하고 일부 미혼합된 수은방울이 혼합체 주변에서 소량 관찰된다(그림 3-41). 반대로 수은 양이 적게 첨가되면 일부 혼합물이 부스러져 부족한 혼합 덩어리를 만든다(그림 3-42). 적절한 아말감 합금 분말/수은 양의 비를 선택하여 혼합물의 적절한 점주도를 얻도록 한다(그림 3-43).

(4) 적절한 응축은 아말감의 기포를 줄이거나 감소시킴

아말감은 젖은 환경에서 적용할 수 있는 유일한 재료이긴 하지만 청결하고 건조된 와동 형성부에 충전해야 한다. 타액 오염은 아연합금 아말감을 오염시켜 수소기체를 발생시켜 아말감이 과도하게 팽창된다.

(5) 버니싱(burnishing)

버니싱을 통해서 다공성과 수은의 양을 줄일 수 있다. 합금입자가 서로 긴밀해지고 버니싱을 한 아말감의 변연 내구

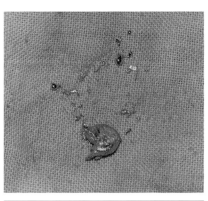
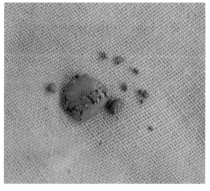
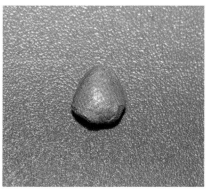

그림 3-41. 수은이 과잉 첨가된 혼합물의 형태 | **그림 3-42.** 수은함량이 부족한 혼합물의 형태 | **그림 3-43.** 수은함량이 적당한 혼합물의 형태

성은 버니싱을 하지 않은 것에 비해 물성이 양호하며 물성실험에서 버니싱을 한 아말감과 연마한 아말감의 표면경도는 유사하다. 버니싱을 한 뒤 연마한 아말감은 버니싱을 하지 않을 때에 비해 훨씬 더 우수하다. 또한 아말감 조각 후 버니싱을 하면 형태를 조각만 하는 것에 비해 표면이 매끄러우며 부식률을 지연시킨다. 작은 볼 버니셔로 표면을 작은 힘으로 가볍게 문지른다. 아말감 조각 후 즉시 시작해 매끈한 모습의 표면이 될 때까지 지속한다.

(6) 해부학적인 형태와 마무리 술식 조절

치아 인접면 접촉부의 개방, 부적절한 외양은 치주질환을 증가시킨다. 변연에서 결손부를 갖는 불량한 충전은 재발성 우식 가능성을 증가시킨다.

9. 수은과 독성

아말감 수복물은 아말감 합금과 수은이 혼합되어 만들어진다. 수은은 아말감 합금과 혼합되어 가소성 화합물을 만들어 치아에 충전이 가능하도록 하고, 경화되면 구강환경에서 오랫동안 유지될 수 있도록 한다.

1) 치과용 수은
(1) 요구사항

수은은 공급자로부터 제공된 용기를 처음 개봉하였을 때 기름, 물, 먼지 또는 다른 이물질에 의해 오염되지 않은 상태이어야 한다.

2) 수은 독성

수은과 그 화학적 혼합물은 신장과 중추 신경계에 독성을 나타내므로 수은 독성은 치과외래에서 고려되어야 한다. 수은의 조심스런 조작은 치과종사자의 수은 독성의 위험성을 예방할 수 있다. 수은의 가장 큰 위험은 수은 증기이다. 수은 증기압이 높아지면 실온에서 증발된다. 공기를 흡입할 때 대부분 수은증기는 폐기 또는 흡수된다. 수은 취급 시 주의사항을 정확하게 따르는 게 중요하다.

수은의 이러한 위험 예방을 위해서 진료실을 잘 환기하고, 폐기물, 버린 일회용 캡슐, 응축하는 동안 제거된 아말감 등에서 나오는 과잉 수은을 수집하여 밀봉 용기에 보관하고, 환경 오염을 방지하기 위하여 치과용 아말감 처리 허가를 받은 기관을 통해 적절히 처리해야 한다.

또한, 아말감 혼합기의 캡슐은 수은 누출을 방지하기 위해서 딱 맞는 뚜껑이 있어야 하고, 아말감을 삭제할 때에는 물을 뿌리면서 흡입기를 사용하여야 한다. 눈 보호안경, 일회용 마스크, 장갑은 치과 진료에서 필수적이다.

압착(squeezing)한 잉여 수은 또는 엎질러지거나 오염되어 폐기할 수은은 방사선사진용 정착 용액이 담긴 밀폐된 용기에 저장한다.

수은 독성은 실제 수은 알레르기가 있는 환자에게만 문제가 된다. 환자의 0.1% 이하가 수은 알레르기를 갖고 있다. 아말감 사용 시 아말감 폐기물이 환경에 미치는 영향이 가장 문제가 되고 있으므로, 아말감 폐기물의 처리 및 관리에 대한 규정을 잘 지키도록 해야 한다.

3) 치과에서 수은 취급 시 주의사항

① 수은이나 아말감을 다루는 모든 사람들에게 수은 증기에 의한 중독 가능성을 교육해야 한다.

② 치과 진료실 내에서 수은 증기가 발생할 수 있는 원인 요소(수은 유출, 아말감 조각이나 사용한 캡슐의 방치, 아말감 혼합, 아말감 충전, 연마, 제거, 아말감에 오염된 기구의 가열, 누출이 있는 캡슐이나 수은 용기 등)에 대해 교육해야 한다.

③ 아말감 폐기물은 환경 문제를 고려하여, 적절한 처리법에 따라 처리해야 한다.

④ 진료실은 자주 환기를 시키고, 환기가 잘되는 환경에서 아말감 작업을 한다. 또한 바닥은 반드시 비 흡수성이고 이음새가 없으며 청소하기 쉬워야 한다.

⑤ 주기적으로 진료실 내 공기의 수은 증기를 수은 증기 분석기를 이용하여 측정한다. 수은 유출이 일어났거나 의심되는 경우, 진료실 내 수은 증기 농도를 반드시 측정 한다.

⑥ 정량화된 캡슐을 사용하여 손에 닿지 않도록 하고, 폐

기물 처리 법률에 따라 적절히 처리한다.

⑦ 덮개가 있는 아말감 혼합기를 사용한다.

⑧ 아말감을 조작할 때 수은이나 혼합된 아말감이 피부에 닿지 않도록 주의를 기울인다.

⑨ 아말감 연마나 제거 시에는 고성능 흡입기를 사용한다. 흡입 시스템은 배출 장치나 필터를 부착해야 한다. 아말감 찌꺼기를 제거하기 위해 주기적으로 확인하고 필터를 청소하거나 교환한다. 수은을 엎지른 경우, 많은 양은 주사기로 흡입해서 수거하고 작은 양은 테이프나 상품화된 청소 도구를 이용해서 수거한다. 진공청소기는 강력한 흡입력에 의해 수은이 수은 증기가 되어 실내를 오염시키므로 사용해서는 안된다.

⑩ 모든 아말감 조각을 모아서 정착액이 담긴 밀폐된 용기에 저장한다. 아말감 조각은 물에 보관해서는 안 된다. 건조된 곳에 보관한다면 열었을 때 수은 증기가 날아갈 수 있다. 방사선 정착액에 보관한다면 정착액의 별도 폐기가 필요하다.

⑪ 아말감 조각과 찌꺼기는 법률에 따라 정부의 허가 기준을 따르는 재생 업체를 통해 적절하게 처리한다.

⑫ 수은에 오염된 물품 처리는 밀폐된 자루에 담아 규정에 따라 처분한다.

⑬ 진료실에서는 정해진 복장을 착용한다.

>>> Summary

- 치과 아말감은 구치부의 1급, 2급 와동과 전치의 설면 소와(pit) 부위에 주로 사용되는 직접 수복용 재료이다. 치과 아말감은 가루로 된 금속 합금분말과 수은이 동량으로 혼합되어 만들어지며, 기계적인 유지에 의해 와동에 고정된다. 합금의 입자 모양은 구상형(sperical)과 절삭형(lathe-cut) 두 가지 형태가 있으며, 이 두 형태를 모두 포함하는 것을 혼합형(admixed)이라 한다.

- 치과 아말감은 장기간 사용 가능하고, 비용 효과적이며, 변연의 봉쇄가 가능한 장점이 있으며, 충전 후 어느 정도 압축강도를 발휘할 때까지는 일정시간이 필요하다. 색상이 자연치질과 달라 심미적이지 못하며, 갈바닉 전류가 발생하여 때로는 동통이나 금합금 수복물의 변색을 일으킬 수 있다. 또한 수은을 사용하기 때문에 취급에 주의해야 된다.

- 아말감 수복물은 저작력에 견딜 수 있는 충분한 압축강도를 가져야 하며, 정확한 혼합시간, 적절한 수은의 양, 응축압 및 정확한 응축시간으로 아말감의 강도를 조절할 수 있다.

- 치과 아말감은 24시간 후에 최대 강도에 도달한다. 압축 강도는 높지만, 인장력(tensil)과 전단강도(shear strength)는 비교적 낮다. 치아우식 병소의 수복에 사용되며 치아가 심하게 우식증에 이환되었을 때는 아말감 축성(buildup)이나 아말감 코어(core)를 제작한다.

- 치과 아말감의 마무리와 연마는 수복재의 수명을 연장시킨다. 마무리의 목적은 치아 조직과 붙은 부분에 연속적인 변연을 만드는 것이다. 연마 술식은 부식과 치면세균막의 부착을 감소시키기 위해 부드럽고 광택이 나는 표면으로 만드는 것이다.

- 수은 독성(mercury toxicity)은 수십 년간 치과에서 관심사였다. 정확하게 조작하지 않으면 수은은 환자와 치과종사자 모두에게 위해하기 때문에 정확히 조작하고 보관하여 청결하게 해야 한다.

>>> Learning Activities

1. 간단하게 와동 형성을 한 곳에 구상형 아말감과 혼합형 아말감을 응축해본다. 두 재료 사이의 조작이나 느낌의 차이를 비교해보자.

2. 아말감의 혼합시간을 증가시켜 혼합하여 1번 실험에서 혼합된 것과 비교하여 조작 특성의 차이점을 설명해보자.

3. 구강 내에 수복되어 있는 아말감을 관찰해보고, 아말감의 장점과 복합레진과 같은 대체 수복재와 비교해보자.

Review Questions

01 아말감 합금에서 가장 많이 함유되는 성분은?

① 주석 ② 구리
③ 은 ④ 수은
⑤ 알루미늄

02 아말감 반응에서 감마2상(γ₂ 상)의 구성 성분은?

① 은과 주석 ② 은과 수은
③ 주석과 수은 ④ 주석과 주석

03 아말감 반응에서 은의 기능은?

① 강도와 부식 저항성의 감소
② 강도와 부식저항성의 증가
③ 산화작용의 최소화
④ 산화작용의 최대화

04 아말감 수복의 임상적 성공을 위해 계산되어야 할 가장 중요한 특징 하나는?

① 마무리와 연마 ② 변연 봉쇄
③ 비용 ④ 조작의 편리성

05 치과 아말감의 조절에서 제조사가 할 수 <u>없는</u> 것은?

① 합금 조성 ② 경화 반응의 비율
③ 적당한 혼합 기술 ④ 입자 크기

06 아말감 수복에서 마무리와 연마를 해야 하는 이유는?

① 치면세균막의 부착 능력 감소
② 변색과 부식에 저항
③ 기포를 없애기 위해서

④ 치아조직에 더욱 연속적인 변연의 형성
⑤ 위의 것 모두 해당됨

07 고동아말감(High-copper amalgam)의 설명으로 옳은 것은?

① 강도 감소
② 경도 감소
③ 부식 저항성 우수
④ 감마-2상 형성
⑤ 크립(creep) 증가

08 아말감 합금의 조성 성분에 대한 설명으로 옳은 것은?

① 은은 경화팽창과 강도를 감소시킨다.
② 주석은 아말감화를 감소시킨다.
③ 구리는 강도, 경도, 경화팽창을 증가시킨다.
④ 0.01% 이하의 아연을 함유한 경우를 아연 합금 이라고 한다.
⑤ 구리 함량이 6% 이하인 아말감 합금을 고동아말 감 합금이라고 한다.

09 치과용 아말감에 대한 설명으로 옳지 않은 것은?

① 아말감은 와동벽에 대한 적합성이 우수하다.
② 아말감은 성형축조가 용이하다.
③ 전색조작이 용이하다.
④ 변연부위의 강도가 뛰어나다.
⑤ 변색, 부식이 잘 생긴다.

정답 | 1.④ 2.③ 3.② 4.② 5.③ 6.⑥ 7.③ 8.③ 9.④

참고문헌

1. 연세대학교 치과재료학 연구소. 치과재료. 제5권. 1997.

2. 정원균, 조명숙, 윤미숙, 문항진, 양정승, 이미옥, 이성숙, 조영식. 치과
   보존학의 원리와 임상. 대한나래출판사. 2004.

3. 한국치과재료학교수협의회. 치과재료학 5판. 군자출판사. 2008.

4. 한국치과재료학교수협의회. 치과재료학 7판. 군자출판사. 2015.

5. Gladwin M, Bagby M. Clinical aspects of dental materials; theory, practice,
   and cases. 3nd ed. Philadelphia: Lippincott Williams & Wilkins. 2007.

6. http://www.hyangno.net/

7. ISO 1559:1995 Dental materials - alloys for dental amalgam ISO 1560:1985
   Dental mercury.

8. Kaga M, Seale NS, Hanawa T, Ferracane JL, Okabe T. Cytotoxicity of
   amalgams. J Dent Res 1988:67(9): 1221-1224.

9. Kenneth J. Phillips' Science of Dental Materials. 11th ed. New York: Else-
   vier. 2003.

10. Leinfelder KF: The amalgam restoration. DCNA 1983:27(4): 685-696.

PART 04

인상재

01 치과용 인상재
Impression Materials

✓ 치과용 인상재를 분류할 수 있다.
✓ 치과용 인상재 특성을 설명할 수 있다.
✓ 치과용 인상재의 조성과 성질을 설명할 수 있다.
✓ 치과용 인상재의 사용방법을 설명할 수 있다.
✓ 치과용 인상재의 문제점과 원인을 설명할 수 있다.

● ● ● ● ● ─────────────────────────────────

인상(impression)이란 구강 내 상태를 음형으로 옮기는 과정을 말하며, 여기에 석고 등을 주입하여 양형의 복제물을 얻어 이 모델(model) 상에서 수복물과 기타 장치를 제작한다. 인상재(impression materials)는 치아 및 구강 내 조직을 복제하어 다이(die)나 모형(cast)을 제작하기 위해 사용되는 재료이다.

치과용 인상재는 치아나 구강조직을 정밀하게 복제할 수 있어야 하며 인상채득 시 구강 내에 잘 안착될 수 있도록 적당한 흐름성과 탄성이 있어야 하며 적절한 기계적 강도를 가지고 있어야 구강 내에서 제거 시 변형이 생기지 않는다. 치과용 인상재는 여러 가지 다양한 종류가 있으며 각 재료마다 적용사항이 다르므로 치료과정에 알맞은 재료를 사용하여야 한다.

1. 서론

구강은 온도와 산도 및 압력변화가 심할 뿐만 아니라 타액으로 젖어 있기 때문에 이러한 조건하에서 와동이나 지대치에 수복물을 만들거나 의치를 제작하는 일은 매우 어렵다. 정확한 진단 및 보철물 제작을 하기 위해서는 치아나 조직을 면밀히 복제한 모형이 필요한데, 인상(impression)이란 모형을 제작하기 위해 구강 조직을 복제하는 것을 말하며 여기에 사용되는 재료를 인상재(impression materials)라고 한다.

치과용 인상재는 다음의 특성을 가진다.
① 구강 내 상태를 정확히 복제할 수 있어야 한다.

② 맛과 냄새가 양호해야 한다.
③ 인상채득 후 알레르기, 독성, 자극성 반응이 없어야 한다.
④ 조작 방법이 쉽고 사용 장비가 간단해야 한다.
⑤ 적당한 점도와 탄성을 가져야 한다.
⑥ 구강 내 치아 및 조직에 젖음성이 좋아야 한다.
⑦ 혼합 시작부터 구강 내에 안착할 때까지의 작업시간이 충분해야 한다.
⑧ 구강 내에서 제거 시 찢김이나 파절이 되지 않아야 한다.
⑨ 크기변화가 없어야 한다.
⑩ 모형재와의 친화성이 우수해야 한다.

2. 인상재의 분류

치과에서 사용되는 인상재는 알지네이트(alginate), 아가(agar), 고무 인상재(rubber impression material), 치과용 콤파운드(modeling compound), 왁스(wax), 산화아연유지놀 인상재(zinc oxide eugenol paste), 석고(plaster) 등이 있다.

치과용 인상재는 성분이나 경화반응에 따라 탄성과 비탄성, 가역성과 비가역성 인상재로 분류할 수 있다(표 4-1).

인상재가 처음 치과에서 사용되었을 때에는 석고와 같은 비탄성 인상재였으며, 이로 인해 구강에서 제거 시 파절이나 변형의 단점이 발생하였다. 이후 탄성 인상재가 보급되면서 치아 형태나 함몰부위 그대로를 재현할 수 있게 되었다. 오늘날 치과에서 탄성 인상재가 많이 쓰이고 있으나, 무치악 환자에서는 비탄성 인상재가 쓰이기도 한다.

또한, 온도 변화에 의해 재사용이 가능한 가역성 인상재와 재사용이 불가능한 비가역성 인상재로 분류할 수 있다.

1) 탄성에 의한 분류

(1) 탄성 인상재(elastic impression material)

탄성 인상재란 구강 내에서 인상재를 제거 할 때 치아함몰(undercut) 부분에서 최대 풍융부를 거치게 되는데 이 때 다시 원상태로 돌아갈 수 있는 탄력성을 가진 인상재를 말한다.

탄성 인상재는 유치악과 무치악 모두 사용가능하다.

(2) 비탄성 인상재(rigid impression material)

비탄성 인상재는 탄성이 없어 치아함몰(undercut)부분이 없는 무치악에만 사용가능한 인상재이다. 석고, 인상용 왁스, 치과용 콤파운드, 산화아연유지놀 인상재 등이 있다.

2) 경화반응에 따른 분류

(1) 가역성 인상재(reversible impression)

온도에 의해 물리적 변화를 보이는 인상재를 말하며, 인상용 왁스에 열을 가하여 연화시킨 후 인상을 채득하거나 아가 인상재에 열을 가해 의한 졸(sol)에서 겔(gel)상태로 변화되는 인상재이다.

(2) 비가역성 인상재(irreversible impression)

알지네이트나 고무 인상재, 석고와 산화아연유지놀 등은 화학반응에 의해 경화된다. 이들 인상재는 화학반응에 의한 경화반응이 진행되어 다시 처음과 같은 상태로 되돌아가지 못하는 비가역성 인상재이다. 표 4-2는 인상재의 경화반응과 용도에 따른 분류이다.

3. 알지네이트(alginate)

알지네이트는 분말(powder)과 물을 혼합하여 사용하는 하이드로콜로이드 인상재이다. 콜로이드란 분자가 모여 덩어리를 이루는 현탁액이며, 하이드로콜로이드란 물이 기본이 되는 인상재를 말한다. 알지네이트를 물과 혼합하면 점액성

표 4-1. 치과용 인상재의 분류

	탄성 인상재		비탄성 인상재
가역성 인상재	하이드로콜로이드 아가		인상용 콤파운드
			인상용 왁스
비가역성 인상재	하이드로콜로이드 알지네이트		인상용 석고
	고무 인상재	폴리설파이드	산화아연유지놀 인상재
		축중합형 실리콘	
		부가중합형 실리콘	
		폴리이써	

표 4-2. 인상재의 분류와 용도

인상재 유형	제작용도				
	경화반응	총의치	국소의치	in/onlay, Cr 또는 Br	연구모형
석고	화학	예비	아니오	아니오	아니오
왁스, 치과용 콤파운드	물리	예비	아니오	아니오	아니오
산화아연유지놀 인상재	화학	최종	아니오	아니오	아니오
아가 인상재	물리	사용안함	예	예	예
알지네이트 인상재	화학	예비	예	예	예
폴리설파이드 고무 인상재	화학	최종	예	예	아니오
축중합형 실리콘 고무 인상재	화학	최종	예	예	아니오
부가중합형 실리콘 고무 인상재	화학	최종	예	예	아니오
폴리이써 고무 인상재	화학	최종	예	예	아니오

졸 상태가 되고, 이것을 구강 내에 위치시키고 어느 정도 시간이 지나면 겔 상태로 변한다. 그리하여 알지네이트는 비가역성 인상재이면서 탄성 인상재로 분류된다.

1) 조성

알지네이트는 분말의 형태로 공급되며 물과 혼합하여 사용한다(그림 4-1, 2).

분말은 해조류에서 추출한 알긴산 칼륨을 함유한다. 물에 용해되는 탄수화물 중합체로 졸(sol)을 형성한다. 다른 주요 분말은 규조토(silica) 같은 불활성 필러를 사용한다. 필러가 없으면 혼합재료를 사용할 때 너무 흐름성이 좋아지게 되어 사용하기가 불편하다. 그 밖에 황산칼슘과 작업시간 지연제인 인산소다 및 색소와 향료가 함유되어 있다(표 4-3).

대개 알지네이트 재료의 필러는 실리케이트(silicate) 재료이다. 그러나 실리케이트 분진은 폐질환의 원인이 된다. 일부 알지네이트 제품은 실리케이트 또는 20% 이상의 납이 첨가되어 있으므로 사용하는 동안 먼지를 줄여야 한다. 분진 호흡은 건강에 해로우므로 알지네이트 분진에 노출되는 것을 감소시키기 위해 마스크 착용과 무분진형 알지네이트를 사용하는 것이 좋다.

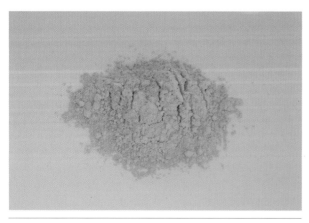

그림 4-1. 알지네이트 분말

그림 4-2. 알지네이트 인상재

표 4-3. 알지네이트 성분 함량 및 역할

성분	함량	역할
potassium alginate	18%	물에 용해되어 칼슘이온과 반응
calcium sulfate dihydrate	14%	potassium alginate와 반응하여 비용해성의 calcium alginate 겔을 형성
potassium sulfate, potassium zinc fluoride, silicate, borate	10%	알지네이트의 석고경화 억제효과를 막아 석고 표면강도를 우수하게 함
sodium phosphate	2%	칼슘이온과 반응하여 작업시간을 지연시킴
diatomaceous earth 또는 silicate분말	56%	혼합된 알지네이트의 점주도 조절
경화된 인상의 탄성조절 glycol	미량	무분진형으로 만듦
wintergreen, peppermint	미량	향기를 부여
색소	미량	색을 부여
소독제	1~2%	감염방지 역할

알지네이트 분말에 항균제가 첨가되어 있는 제품도 있다. 인상채득 후 인상체를 소독하기보다 제조사가 제공하는 만큼의 분말로 세균의 양을 감소시킬 수 있다.

2) 특성

아가와 마찬가지로 친수성 인상재이나, 알지네이트는 화학반응에 의해 졸에서 겔로 변화되지만 일단 겔이 형성되면 물리적 방법에 의해 졸 상태로 변화되지 않는 비가역성 탄성 인상재이다.

(1) 경화반응

알지네이트 인상재의 경화반응은 그림 4-3과 같다.

용해성 칼륨 알지네이트(potassium alginate)와 황산칼슘 이수화물(calcium sulfate dihydrate)은 모두 알지네이트 인상재의 분말에 포함되어 있어 물과 혼합하면 황산칼슘 이수화물(calcium sulfate dihydrate)이 용해되고 칼륨 알지네이트(potassium alginate)와 반응하여 칼슘 알지네이트(calcium alginate)를 형성한다.

칼슘 알지네이트(calcium alginate)는 물에 녹지 않는 비용해성 겔이 된다. 이 반응은 비가역성이므로 칼슘 알지네이트(calcium alginate)는 졸로 환원되지 않는다.

(2) 경화시간

알지네이트 인상재의 경화시간 조절을 분말의 양이나 혼합시간으로 조절하게 되면 물리적, 기계적 성질의 변화를 가져오므로 물의 온도로 조절하는 것이 바람직하다. 물의 온도가 1℃ 낮아질수록 경화시간은 6초씩 감소된다.

혼수비가 크면 점조도가 커져 알지네이트 인상재가 트레이 밖으로 흘러내려 환자에게 구역질을 일으킬 수 있고 혼수비가 낮으면 미세부위까지 흘러들어가지 못해 정밀인상을 얻을 수 없다.

정상경화 재료는 3분대에, 급경화 재료는 1~2분대에 겔 상태가 된다.

---

potassium alginate + calcium sulfate dihydrate → calcium alginate gel + potassium sulfate

그림 4-3. 알지네이트 인상재

(3) 탄성과 영구변형

탄성은 인상체를 구강 내에서 빼낼 때 함몰부위에서 경화된 인상체가 얼마나 쉽게 빠져나올 수 있는가를 말한다.

혼수비가 낮으면 알지네이트의 탄성이 감소된다. 치아의 함몰부위(undercut)에 들어가 경화된 인상재는 이 부위를 빠져나오며 10%정도 압축력을 받게 되고 이로 인해 영구변형이 일어나게 된다. 영구변형을 최소로 하기 위해서는 트레이와 치아사이에 알지네이트 인상재의 충분한 두께를 확보하고 최소의 압축 받는 시간과 최대의 회복할 수 있는 시간이 필요하다.

따라서 구강 내에서 인상재는 재빠르게 빼내고 회복할 때까지(보통 8분) 기다린 후 석고를 주입한다.

인상체의 변형을 일으키는 요인으로 혼합시간을 들 수 있는데, 알지네이트의 혼합시간이 너무 짧거나 길면 형태 변화가 잘 일어난다.

또한 구강 내에서 빨리 제거하지 않아서 오랫동안 압축력을 받게 하였거나 제거 시 비틀면서 빼게 되면 변형량이 증가한다.

혼수비(물/분말)가 높은 경우에도 형태변화가 나타나게 되므로 반드시 제조사가 지시한 대로 혼합하도록 해야 한다.

(4) 강도

인상 채득시 알지네이트가 찢어지지 않고 충분한 탄성 회복을 위해서는 충분한 강도가 필요하다. 강도는 주로 압축강도와 찢김강도로 나타낸다.

알지네이트의 강도는 겔화 후에도 증가하므로 경화시간이 지난 후에도 2~3분 정도 입안에서 빼지 말아야 강도가 증가한다. 그러나 강도 증가의 목적으로 너무 오랜 시간동안 구강 내에서 압축력을 받게 되면 형태 변화의 원인이 될 수 있다.

인상재가 치간과 치간사이, 트레이와 인상재 사이에서 잘 찢어질 수 있으므로 트레이에 인상재를 담을 때 주의한다.

(5) 크기 안정성

인상 채득한 음형인기에는 가능한 10분 이내에 석고를 주입해야 정밀한 모형을 얻을 수 있다. 알지네이트 인상재는 다량의 물을 함유하고 있어, 공기나 물속에 보관하면 수축 또는 팽창이 일어난다. 만약 석고를 빠른 시간 내에 주입하기 어렵다면 100% 상대습도 내에서 인상체가 아래로 향하

도록(downward inversion) 보관하도록 한다. 인상체 안의 물이 중력에 의해 흘러내리므로 증발되는 물을 보충해서 표면 수축을 줄일 수 있다.

(6) 석과와의 친화성

석고와의 친화성 및 미세부 재현성은 제조자가 추천하는 석고로 제작한 석고모형과 깨끗하게 분리되고 모형 표면이 매끄러워야 한다. 인상체에 주입한 석고모형은 50 μm의 선을 재현하여야 한다.

(7) 압축 시 변형률

압축 시 변형률은 5~20% 사이이어야 하고, 변형 후 회복률은 95% 이상이어야 한다.

3) 장점과 단점
(1) 장점
① 가격이 저렴하고 조작이 쉽다.
② 비교적 정확한 인상을 채득할 수 있다.
③ 물이 주성분이기 때문에 석고와의 친화성이 비교적 좋다.
④ 물의 온도에 따라 경화시간을 조절할 수 있다.
⑤ 고가의 장비가 필요 없다.
⑥ 옷이나 피부에 착색되지 않고 청결이 용이하다.

(2) 단점
① 공기 중에 방치하면 인상체가 수축이 일어나 변형의 원인이 된다.
② 미세부 재현성이 낮아 표면결함이 일어나기 쉽다.
③ 트레이에서 유지력이 약해 심한 변형이 올 수 있다.
④ 이액현상과 팽윤현상이 일어나 크기안정성이 낮다.

5) 조작법
(1) 수동혼합
① 먼저 러버볼(rubber bowl)에 물을 담고, 분말을 넣어 천천히 젓고 어느 정도 혼합되었으면 빠르게 동작한다.
② 이때 스파튤라(spatula)는 러버볼의 굴곡진 내면을 따라 부드러운 크림상이 되도록 8자 모양으로 힘차게 혼

합하며 혼합시간은 제조사의 지시에 따른다.

③ 혼합된 알지네이트 재료를 스파튤라를 이용해 트레이에 담아 환자 구강에 장착한다.

④ 혼합 중 인상체 내로 공기가 유입되는 것을 유의하여야 하며 부족한 흐름성을 보상하기 위해 술자 임의로 물이나 분말을 첨가해서는 안된다.

(2) 자동혼합

① 자동혼합기를 사용할 경우 먼저 알지네이트와 물을 계량한 뒤 자동혼합기의 무게 추를 조절한다.

② 혼합시간을 설정하고 작동을 시작한다.

③ 기포가 적은 균질한 혼합체를 얻을 수 있으나 빠른 혼합속도로 경화시간이 단축되므로 혼합시간은 7~8초이다(그림 4-4).

(3) 인상채득

환자의 위치는 교합면이 바닥과 평행하도록 하거나 약간 고개가 앞으로 향하게 하여 알지네이트가 후방으로 흘러 들어가는 것을 방지한다. 인상채득 전 구강내 타액을 타액흡입기로 빨아내고 혼합한 인상재의 소량을 손으로 교합면과 치간사이에 바른다.

혼합한 알지네이트는 트레이의 후방부위에 먼저 넣고 전방부는 나중에 위치시킨다. 트레이 손잡이를 부드럽게 잡고 다른 한손으로 뺨을 제끼고 밀어 넣는다. 구치부위를 지긋이 누른 뒤 전치부위를 눌러 입술이 트레이에 끼지 않도록

한다. 알지네이트가 경화될 때까지 움직이지 않는다. 손가락에 묻어나지 않으면 초기경화가 된 것으로 본다. 이후 2분 정도 더 기다리면 찢김강도가 증가하고 영구변형이 감소하여 물성이 향상되므로 압흔이 생기지 않는 최종경화 시간이 될 때까지 기다린 후에 구강 내에서 한번에 제거한다.

(4) 보관 및 취급

채득한 알지네이트 인상체는 석고를 10분 이내에 주입하는 것이 바람직하나, 즉시 석고 주입을 하지 못할 경우, 소독제로 분무하고 100% 상대습도를 유지할 수 있는 밀폐된 통에 넣어 10~27℃의 건조하고 서늘한 곳에 밀봉 보관한다. 그러나 30분 이상 알지네이트를 보관하는 것은 좋은 방법이 아니다.

6) 문제점

알지네이트 인상재에서 나타날 수 있는 문제점들은 표 4-4 와 같이 요약해볼 수 있다.

4. 아가(agar)

1) 조성

아가는 최초의 탄성 인상재로서 주성분인 물에 아가를 첨가하여 제조한 것으로 하이드로콜로이드(hydrocolloid) 인상재이다(그림 4-5). 가열하면 액화되어 졸 상태가 되고 굳으면 겔화되는 가역성 탄성 인상재이다.

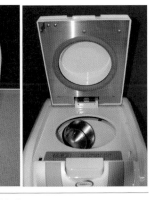

그림 4-4. 알지네이트 자동혼합기

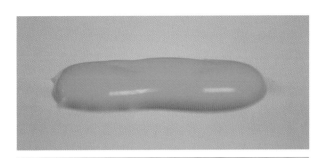

그림 4-5. 아가 인상재

표 4-4. **알지네이트 인상재의 문제점**

문제점	원인
과립형성	불충분한 혼합
	잘못된 물-분말 비율
	혼합 시 적당하지 않은 물의 온도
찢김	불충분한 재료의 두께
	구강 내에서 너무 빨리 제거한 경우
	잘못된 제거 방법
	잘못된 혼합, 물-분말 비율
인상표면의 불규칙한 모양의 기포	조직에 물기 또는 음식물 잔사가 있는 경우
거치거나 분필 모양의 경석고 표면	인상재의 불충분한 세척과 건조
	석고의 잘못된 취급
	조기분리 또는 1시간 후 분리 실패
	알지네이트 인상재와 석고모형재의 비 친화성
변형과 부정확한 모형	인상 채득 후 석고 주입 지연
	트레이 내에서 인상재를 부적절하게 유지시킨 경우
	구강 내에서 인상재를 제거하는 방법이 잘못된 경우
	구강에서 너무 빨리 제거한 경우
	겔화되는 동안 트레이를 움직인 경우
	겔화가 시작되기 전에 구강 내 트레이 위치시키는데 실패한 경우

기본성분은 해초인 우뭇가사리에서 추출한 천연고분자 화합물인 한천(agar)이며, 그 밖의 구성 성분은 색소, 향료, 붕사(borax) 및 황산칼륨이다.

(1) 아가(agar, 12.5%): 한천이라고도 하며, 졸 상에서 물에 분산상을 이루고 겔 상에서 연속섬유구조를 이룬다.

(2) 황산칼륨(potassium sulfate, 1.7%): 석고모형재의 경화 시 붕사와 아가의 경화 억제 작용을 한다.

(3) 붕사(borax, 0.2%): 분자 간 인력을 증가시켜 겔의 강도를 높인다.

(4) 알킬 벤조에이트(alkyl benzoate, 0.1%): 보관하는 동안 인상재에서 몰드의 성장을 방지한다.

(5) 물(85.5%): 졸에서 연속상을 이루고 겔에서 2차 연속상을 이루어 졸의 흐름성을 조절하고 겔의 물리적 성질을 조절한다.

(6) 색소 및 방향제(소량): 색과 향기를 부여한다.

2) 특성

아가 인상재는 가역성 인상재로 아가의 온도를 높이면 졸, 내리면 겔화 되므로 이 성질을 이용하여 인상채득을 한다. 아가 인상재는 탄성변형이 크므로 함몰부위가 있는 부분의 인상채득은 용이하지만 인장강도는 약하다. 탄성변형이 큼에도 불구하고 영구변형이 적은 인상재이며 이 점이 정밀 인상재로 높이 평가 받는 이유이다. 최근에는 알지네이트와의 연합 인상채득 형태로 사용되고 있다.

아가의 길이 안정성은 경화 후 수분 방출 현상이나 건조에 의해 수축한다. 하이드로콜로이드 재료가 경화 후 방치되면 수분이 증발하여 약간의 수축이 일어나게 되는데 이것을 이액현상(syneresis)이라 한다. 이액현상은 매우 천천히 일어나지만 친수성 하이드로콜로이드 인상체에 석고를 가능한 빨리 부어야 하는 이유이다. 반대로 물을 흡수하면 부피가 부풀어 변형되는데 이것을 팽윤현상(imbibition)이라 한다.

가역성 하이드로콜로이드 아가의 겔 상태의 온도는 30~50℃, 졸 상태의 온도는 71~100℃인데, 이처럼 서로 다른 온도에서 액화되거나 겔화되는 특성을 이력현상(hysteresis)이라고 한다.

3) 장점과 단점

(1) 장점

① 아가는 친수성이므로 건조가 쉽지 않은 구강 내 환경에서의 인상채득에 사용할 수 있다.
② 탄성이 풍부하며 인상채득 직후의 인상 정밀도가 우수하다.
③ 사용하고 남은 아가는 재사용이 가능하다.

(2) 단점

① 아가를 취급하기 위한 특수 장비가 요구된다.
② 가열, 보관, 사용을 위한 준비단계가 필요하다.
③ 물을 많이 함유하고 있어 이액현상과 팽윤현상이 일어나 크기안정성이 낮다.

4) 공급형태

카트리지(cartridge), 시린지(syringe), 스틱(stick)의 형태로 공급된다(그림 4-6).

아가는 가역성 인상재이므로 아가 콘디셔너(agar conditioner)라는 특수한 장비가 필요하다(그림 4-7). 아가 콘디셔너는 물을 끓여 액화시키는 boiling conditioner와 전기를 이용해 액화시키는 dry conditioner가 있다. 또한 아가 인상채득 시 냉각수를 순환시키는 특수 인상용 트레이를 사용하기도 한다. 지대치 주입용 아가는 주사기를 이용하여 치아에 적용한다.

(1) boiling conditioner

액화칸, 보관칸, 조절칸으로 구성되어 있다(그림 4-7).

(2) dry conditioner

액화칸과 보관칸으로만 구성되어 있다.

5) 조작법

(1) boiling conditioner

액화칸(liquefying compartment)에서는 10분 이상 물을 끓여 겔(gel)을 졸(sol)의 상태로 변화시킨다. 보관칸(storage compartment)에서는 졸 상태인 아가를 필요할 때까지 150℉(65℃) 수조에 보관한다. 인상채득을 하게 되면, 최소 2분 전에 아가 인상재를 110℉(45℃) 수조에 보관하는데, 이 단계는 조절칸(tempering compartment)에서 이루어진다. 조절칸

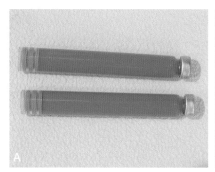
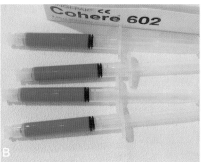
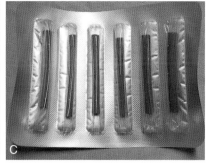

그림 4-6. 아가 인상재(A: 카트리지형 B: 시린지형 C: 스틱형)

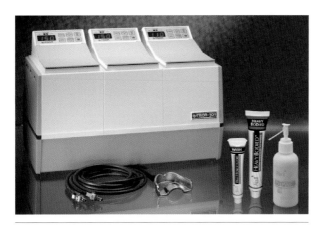

그림 4-7. Boiling conditioner

에서는 아가 인상재가 구강조직에 견딜 수 있는 온도까지 하강시킨다. 구강온도에서 재료는 다시 겔 상태로 돌아간다. boiling conditioner를 이용한 아가 인상재 조작법은 다음과 같다.

① 먼저 액상의 졸을 만든다. 아가 인상재를 쉽게 액화시키기 위하여 카트리지와 튜브를 아가 항온수조의 액화수조에 넣어 끓인다. 불충분하게 끓이면 과립상이 되고 뻣뻣해져서 정확성을 재현할 수 없다.
② 항온수조(조절칸)에서 꺼낸 트레이용 아가 인상재의 표면층을 제거하고 트레이에 냉각수관을 연결해서 시린지형 아가 인상재를 주입 즉시 겔화되기 전에 삽입한다.

③ 트레이를 움직이지 않고 잡고 있으면서 냉각수를 순환시킨다. 겔화 후 치아 장축을 평행하게 빠른 동작으로 힘을 가해 트레이를 제거한다.
④ 냉각수의 순환을 멈추고 연결된 관을 제거한다.

(2) dry conditioner

액화칸에서는 약 10~20분이 지나면 액화되며 이후 보관칸에서 보관한다(그림 4-8).

5) 아가-알지네이트 연합인상법

아가 인상재는 미세부 재현성이 우수하며 친수성이어서 습기가 많은 지대치의 인상이 가능하다. 또한 석고주입 시 기포 유입을 감소시킬 수 있는 장점이 있으나 여러 장비가 필요하고 사용하기가 복잡하여 이용 빈도가 낮았다. 그러나 알지네이트와 연합으로 사용할 수 있는 인상방법이 개발되어 적은 비용으로 간편하게 사용할 수 있게 되었으며 비교적 우수한 석고보형을 얻을 수 있게 되었다. 이것을 이가-알지네이트 연합인상법(agar-alginate combination impression technique)이라 한다(그림 4-9). 아가-알지네이트 연합인상은 아가와 알지네이트의 결합력이 중요하므로 경화되기 전에 서로 접착이 될 수 있도록 알지네이트를 정상 혼수비에 비해 10% 가량의 물을 더 넣어 혼합하고 혼합이 끝난 뒤 트레에 담으려고 할 때에, 아가 인상재를 주사기에 넣어 지대치에 주입하고 알지네이트 인상재가 담긴 트레이를 구강 내에

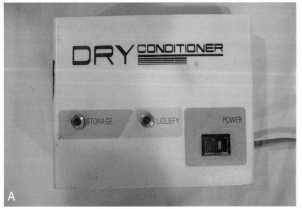

그림 4-8. Dry conditioner

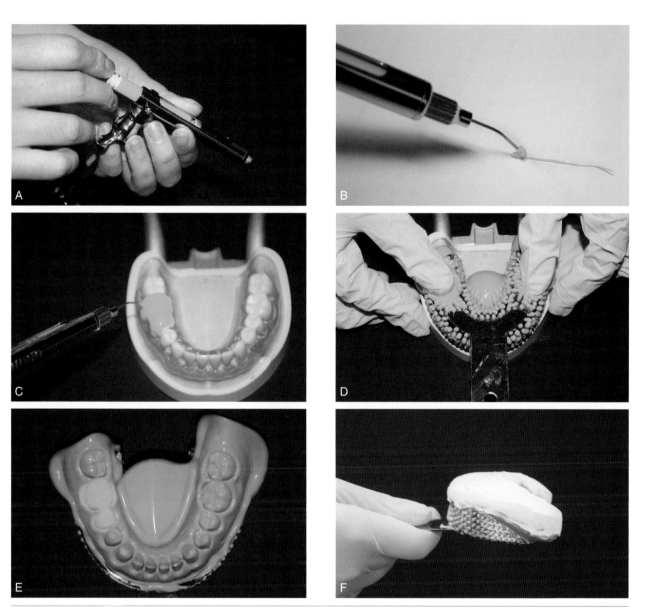

그림 4-9. 아가-알지네이트 연합인상채득

장착한다. 차가운 물을 사용한 알지네이트는 열을 이용해 액화시킨 아가의 겔화를 빠르게 하고 아가는 알지네이트의 경화를 빠르게 한다.

5. 고무 인상재

탄성인상재에는 알지네이트, 아가 이외에 여러 가지의 고무 인상재가 있는데, 점주도와 화학성분에 따라 다음과 같

이 분류할 수 있다.

1) 고무 인상재의 분류

(1) 점주도에 따른 분류

고무 인상재의 점주도에 따른 분류는 다음과 같다.

- 제0형(putty): 트레이용으로 밀도가 가장 크다.
- 제1형(high viscosity, heavy body): 트레이용으로 밀도와 점성이 크다.

- 제2형(medium viscosity, regular body): 총의치 인상용으로 중간정도의 유동성을 가지고 있다.
- 제3형(low viscosity, light body): 금관과 가공의치 형성부, 총의치 인상용으로 유동성이 가장 좋다.

(2) 화학성분에 따른 분류

고무 인상재의 화학성분에 따른 분류는 다음과 같다.

- 폴리설파이드(polysulfide)
- 축중합형 실리콘(condensation silicone)
- 부가중합형 실리콘(addition silicone)
- 폴리이써(polyether)

2) 폴리설파이드(polysulfide)

(1) 조성

폴리설파이드는 치과에서 개발된 첫 번째 비수성 탄성 고무 인상재이다(그림 4-10).

폴리설파이드는 2개 연고로 공급된다(표 4-5). 촉진제(accelerator paste)는 암갈색으로 산화납과 반응하지 않는 유성 유기물질을 함유한다. 소량의 황이 갈색 연고에 함유되어 중합반응을 촉진한다. 기저제(base paste)는 흰색으로 산화티타늄과 같은 무기 필러와 혼합되는 저분자량의 폴리설파이드 중합체를 함유한다.

표 4-5. 폴리설파이드의 조성

성분	함량(%)
기저제	
polysulfide polymer	80~85
titanium dioxide, zinc sulfate	16~18
copper carbonate 또는 silicate	
촉진제	
lead dioxide	60~68
dibutyl 또는 dioctyl phthalate	30~35
sulfur	3
기타	2

(2) 특성

폴리설파이드 인상재는 알지네이트보다 미세부 재현성이 뛰어나다. 그러나 황으로 인한 특유한 냄새와 맛이 나는 것이 단점이다. 이산화납이 포함되어 있으나 혼합된 상태에서는 독성이 없다. 하지만 인상재를 혼합하는 동안 손이나 의복에 착색되지 않도록 조직 시 유의해야 한다. 폴리설파이드 인상재의 장점은 일부 탄성재료보다 긴 작업시간(4~6분)을 갖는다는 것이다. 작업시간이 길면 경화시간도 길어져 최종경화 되기까지는 15분정도 걸린다. 경화반응으로 물 부산물이 생성되어 중합수축이 발생한다. 전체 수축량의 절반이 인상체 제거 후 1시간 이내에 일어난다. 폴리설파이드 인상재의 작업시간과 경화시간은 열과 습기로 더 단축된다. 따라서 덥고 습한 여름날의 경화시간과 서늘하고 건조

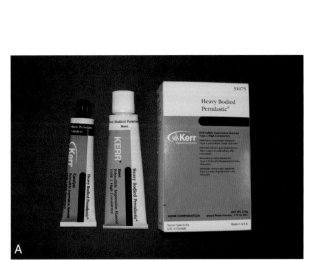
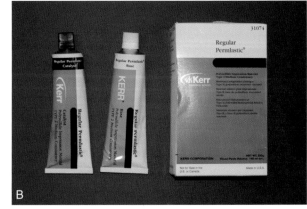

그림 4-10. 폴리설파이드 인상재(A: heavy type, B: regular type)

한 날과는 다르다. 폴리설파이드 인상재료를 사용한 총의치 인상 술식에서 경화반응을 가속시키기 위해 재료에 물 한 두 방울을 첨가하는데, 이렇게 하면 작업시간이 짧아진다.

(3) 중합반응

폴리설파이드는 축중합으로 경화된다. 폴리설파이드 인상재료의 작용기는 황과 수소 이온(mercaptan군)과 산화납(PbO_2)의 산소이다(그림 4-11). 저분자량의 폴리설파이드는 짧은 사슬중합체 끝에 mercaptan군(-SH)을 갖는 군으로서 중합반응 시 사슬 중간이 깨진다. 2개의 다른 짧은 사슬중합체에서 2개의 수소이온이 산화납의 산소와 반응하여 물을 형성한다. 황은 촉매역할로 2개의 황이온의 연결을 서로 도와 사슬중합체를 서로 연결시킨다. 즉 축중합에서 수소이온과 수산화이온(OH)을 단량체에서 가져와 물을 형성한다. 축중합의 반응부산물로 물이 만들어 진다. 이러한 반응부산물의 생성으로 경화수축이 발생된다.

$$Mercaptan + PbO_2 \rightarrow Polysulfiderubber + PbO + H_2O+H$$

그림 4-11. 폴리설파이드 인상재

(4) 조작법

2개의 연고를 혼합지에 동일한 길이로 분배한다. 스파튤라를 사용하여 균일한 색을 얻을 때까지 혼합한다. 재료의 양과 점도에 따라 30~45초간 혼합을 시행한다. 미혼합 재료가 혼합지에 남아 있지 않도록 스파튤라 날 측면으로 잔여 재료를 모으면서 혼합한다(그림 4-12). 혼합된 재료를 트레이에 담고 구강 내에 장착한다.

3) 축중합형 실리콘(condensation silicone)
(1) 조성

기저재에는 실리콘이 함유되어 있으며 촉매제에는 알킬실

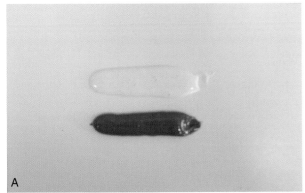

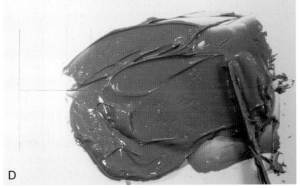

그림 4-12. 폴리설파이드의 혼합과정

리케이트(alkylsilicate)와 틴옥토에이트(tin octoate)가 함유되어 있다.

(2) 특성

축중합형 실리콘 인상재료는 치과에서 개발된 두 번째 탄성 인상재료이다. 다른 산업에서 흔히 사용되는 실리콘 고무계열 재료이다.

폴리설파이드와 같은 냄새가 나지 않고 취급과 혼합이 용이하다. 온도를 증가시키면 중합이 촉진되어 작업시간과 경화시간을 단축시킬 수 있다. 그러나 촉진제의 양을 변화시켜 조절하는 방법이 더 좋다. 작업시간은 다소 짧은 편이며, 영구변형율은 폴리설파이드보다 더 적다. 그러나 크기 안정성이 떨어지므로 구강 내에서 제거 후 즉시 석고를 주입해야 한다. 접촉각이 크므로 석고를 주입할 때 기포가 유입되지 않도록 주의해야 한다.

(3) 중합반응

소수성으로 경화과정은 축중합형 반응으로 나타난다. 반응부산물로 에틸알코올이 생기며 많은 양의 중합수축을 야기하여 크기 안정성이 좋지 못하다(그림 4-13).

축중합형 실리콘 역시 폴리설파이드 재료처럼 증발을 통한 반응 부산물로 중합수축이 발생된다.

(4) 조작법

두 연고를 동일한 길이로 혼합지 위에 짠 뒤 스파튤라를 사용하여 촉진재 연고를 기저재 연고에 혼합하여 넓게 혼합한다. 혼합된 연고의 줄무늬가 없이 균일한 색이 될 때까지 힘차게 혼합한다. 보통 축중합형 실리콘 인상재는 연고 또는 반죽과 액으로 되어 있는 고무 인상재로 액이 촉진재이므로 기저재 연고의 단위 길이 당 정해진 수만큼의 방울을 기저재 연고 위나 옆에 떨어뜨리고 균일한 색이 될 때까지 혼합한다.

4) 부가중합형 실리콘(addition silicone)
(1) 조성

비닐기(vinyl-group)를 갖는 저분자량의 실리콘과 강화제, 백금 염산 촉매제가 함유되어 있다.

(2) 특성

부가중합형 실리콘은 폴리비닐실록산(polyvinylsiloxane) 또는 폴리실록산(polysiloxanes)이라고도 하며, 축중합의 수축 문제를 해결하기 위해 개발된 재료로서 크기안정성과 정확성을 갖고 있어 가장 대중적으로 사용되는 탄성 인상재료이다.

주로 금관과 가공의치 인상에 사용된다. 두 개의 연고형 또는 퍼티형으로 공급되기도 한다(그림 4-14).

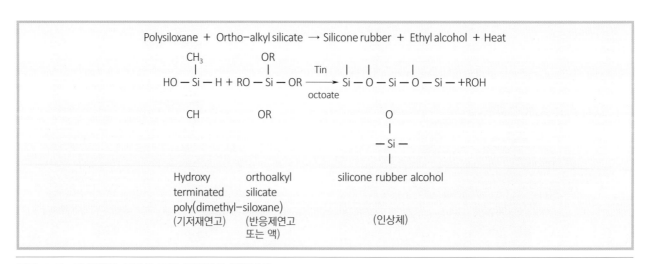

그림 4-13. 축중합형 실리콘 고무 인상재의 중합반응

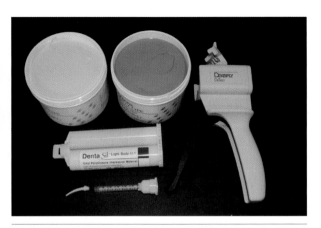

그림 4-14. 부가중합형 실리콘

불쾌한 맛이나 냄새가 없으며, 가장 정확하고 체적안정성이 뛰어난 인상재료이다. 지혈제를 사용한 경우 인상채득 전에 지혈제를 깨끗이 씻어내어 부가중합형 실리콘의 경화지연을 방지한다.

크기안정성이 우수하나 경화된 재료는 뻣뻣하여 전악 인상채득 시 제거가 어렵다.

찢김저항성은 낮으며 최근에는 친수성(hydrophilic) 부가중합형 실리콘이 개발되었다.

(3) 중합반응

중합은 자유라디칼과 부가중합으로 이루어지며 안정된 고무재료의 사슬 길이 연장과 교차결합을 한다.

부가중합형 실리콘 인상재는 반응부산물이 생성되지 않아 중합수축은 작으며 따라서 크기안정성이 매우 우수하다(그림 4-15).

(4) 조작법

재료와 혼합판의 온도를 낮추어 중합반응을 지연시킬 수 있다. 또한 냉장 보관하면 구강 내에서 경화시간에 영향을 주지 않고 작업시간을 1분 정도 증가시킬 수 있다.

그러나 제조사의 지시에 따라 기저재와 촉매제의 비율을 잘 지켜야 한다. 부가중합형 실리콘 고무 인상재는 다른 화학물의 오염에 대단히 민감하다. 따라서 폴리설파이드나 고무장갑, 러버댐에 오염되면 중합반응이 지연될 수 있다.

5) 폴리이써(polyether)

폴리이써는 1960년대 후반에 치과용 인상재료로 개발되었다(그림 4-16).

(1) 조성

기저재 말단부에 에틸렌 아민기를 포함한 저분자량의 폴리이써가 있다. 촉매재에 있는 방향성 설폰산 에스테르(sulfonic acid ester)에 의해 활성화된다. 점성을 감소시키기 위해 희석제(thinner)를 사용한다.

(2) 특성

폴리이써의 영구변형은 부가중합형 실리콘과 비슷하여 반응부산물이 생성되지 않기 때문에 중합수축과 크기 안정성 면에서 우수하다. 따라서 제품 성질과 사용이 쉬운 폴리이써를 매우 대중적인 재료로 만들었다.

폴리설파이드보다 물성이 우수하고 축중합형 실리콘보다 크기 변화가 더 적으며 작업시간이 가장 짧으나 뻣뻣하다. 이러한 뻣뻣함을 감소시키기 위하여 희석제를 사용하기도

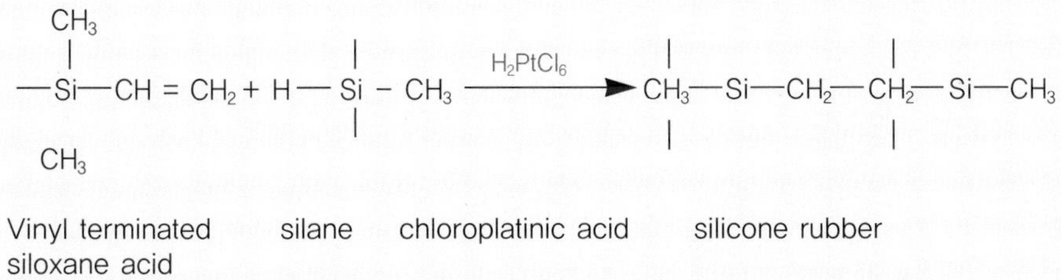

$$-\underset{\underset{CH_3}{|}}{\overset{\overset{CH_3}{|}}{Si}}-CH=CH_2 + H-\underset{|}{\overset{|}{Si}}-CH_3 \xrightarrow{H_2PtCl_6} CH_3-\underset{|}{\overset{|}{Si}}-CH_2-CH_2-\underset{|}{\overset{|}{Si}}-CH_3$$

Vinyl terminated   silane   chloroplatinic acid   silicone rubber
siloxane acid

그림 4-15. 부가중합형 실리콘 고무 인상재의 중합반응

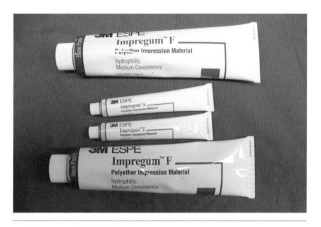

그림 4-16. 폴리이써

으나 폴리이써는 친수성으로 물을 흡수하여 팽윤하므로 물에 보관하면 안되고, 모형재를 붓기 전까지 건조한 상태를 유지시키거나 인상체를 건냉소에 보관한다.

폴리이써는 석고와의 접촉각이 작아 비교적 주입이 용이하고 취급 시 냄새가 없으며 혼합이 쉽다.

그러나 방향성 설폰산 에스테르 촉매제가 피부자극을 유발하므로 직접 접촉되지 않도록 주의한다. 완전히 혼합된 폴리이써는 구강조직에 무해하다.

혼합하는 동안 점성이 현저하게 증가한다. 영구변형율은 폴리설파이드 보다 작으나 실리콘 보다는 높다. 흐름성은 폴리설파이드나 축중합형 실리콘 보다 낮다.

폴리이써 재료는 매우 딱딱하여 1회용 트레이와 같이 사용하기에 적당하다.

기저재, 촉진재 모두 연고형태의 튜브로 공급되고 있다.

하나 경화된 폴리이써는 매우 뻣뻣하여 임상에서 사용 시 불편함이 있다.

부가중합형 실리콘을 제외한 인상재보다 크기변화가 적

고무 인상재의 성질 비교

(1) 점주도(viscosity)
- 점성(consistency)이 낮을수록 낮고, 시간이 경과할수록 온도가 높을수록 증가함.
- 점주도가 낮으면 흐름성이 좋아 미세부 재현성이 좋음.
- 점주도는 전단속도가 증가할수록 감소함(주사기에 주입된 인상재는 주사기 바늘을 빠져나오면서 많은 전단하중을 받아 점주도가 감소함).

(2) 영구변형(permanent deformation)
- 구강 내에서 경화된 인상재는 치아의 함몰부위를 나오면서 10%정도의 압축력을 받게 되어 영구변형이 생긴다.
- 폴리설파이드 〉 폴리이써 〉 축중합형실리콘 〉 부가중합형 실리콘 순으로 큼.

(3) 찢김강도(tear strength)
- 인상채득한 얇은 부위가 찢겨지지 않을 저항성을 의미함.
- 하이드로콜로이드 인상재: 350~700 g/cm, 고무 인상재: 2,000~4,000 g/cm
- 폴리설파이드 고무 인상재는 찢김강도가 높으나 영구변형률도 높아 정확한 인상을 채득할 수 없음.

(4) 미세부 재현성
- 알지네이트 인상재: 0.075 mm 선 재현이 가능
- 고무 인상재: 0.02 mm 선 재현이 가능(우수함)

(3) 중합반응

이 재료는 분자구조에서 ether군을 보유하고 있다. ether 군은 2개 탄소 원자를 결합하는 산소 원자이다. 폴리이써는 일부 중합수축을 상쇄하는 유일한 개환중합반응을 통해 경화된다. 이런 중합반응을 양이온 중합이라 한다. 양이온 중합은 자유라디칼 대신에 양이온(+이온)이 반응성 분자인 것을 제외하고 부가중합과 매우 유사하다. 반응 부산물은 생성되지 않는다.

(4) 조작법(그림 4-17)

① 두 개의 튜브에 연고형으로 공급되므로 혼합지에 동일 길이로 짜서 줄무늬가 없어질 때까지 30~45초 혼합한다.
② 온도가 증가하면 작업시간과 경화시간은 짧아진다.
③ 희석제를 사용하면 작업시간과 탄력성을 증가시킬 수 있다.
④ light-body는 자동혼합형도 있다.
⑤ 아크릴 레진트레이는 접착제를 도포하여야 한다.
⑥ 한 번 혼합으로 일부는 주사기에 넣어 지대치에 주입하고, 나머지는 트레이에 넣고 인상을 채득한다.
⑦ 단 한 번의 동작으로 인상체를 구강 내에서 제거하고, 찬물에 세척, 소독, 건조 후 즉시 석고를 주입하여 모형을 제작한다.

6) 고무 인상재의 특성

고무 인상재의 특성은 표 4-6와 같다.

6. 치과용 콤파운드(impression compound)

1) 조성

레진, 왁스, 유기산, 충진재(filler), 색소재가 소량 함유되어 있다. 스테아린산은 가소제(plasticizer) 역할과 인성을 증가시키며 취성을 감소시켜 주는 역할을 한다. 충진재는 흐름성을 감소시켜 주며 연화된 콤파운드가 구강조직에 부착되는 것을 방지한다. 색소재는 석회석, 산화철 등이 함유되어 갈색이나 회색, 녹색, 검정, 흰색 등을 부여한다.

2) 특성

치과용 콤파운드는 왁스에 필러(filler)를 첨가하여 조작과 안정성을 개선한 재료이다.

치과용 콤파운드는 딱딱한 열가소성 재료로 총의치의 예비인상 채득에 많이 사용하고 있다.

또한 한 개의 지대치를 채득할 때, 혹은 인레이 와동을 형성한 후 와동 내의 함몰부위 여부를 확인하거나 인상용 트레이의 변연부 봉쇄재, 또는 개인용 트레이 재료로 사용한다.

치과용 콤파운드는 강하고 부스러지기 쉬우나 연화 시 왁스에 비해 흐름성이 낮다. 온수조에서 연화하여 사용하며 치과용 콤파운드의 열전도도는 낮아서 재료를 적절히 연화하기 위한 시간과 인내가 요구된다. 가열하여 연화된 몰드를 제작할 수 있는 재료를 인상용 트레이에 적재하고 재 연화하여 구강 내 장착한다. 재료가 구강온도로 냉각되면 견고한 상태가 되므로 구강 내에서 제거한다.

공급형태는 막대형(stick)이나 판(cake)형으로 공급된다(그림 4-18).

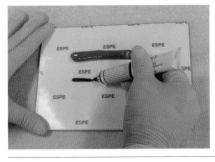 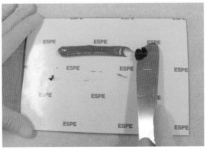 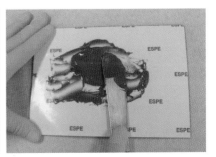

그림 4-17. 폴라이써 조작법

표 4-6. 고무 인상재의 특성 비교

	폴리설파이드	폴리이써	축중합형 실리콘	부가중합형 실리콘
혼합의 용이성	우수	쉬움	우수-쉬움	쉬움
혼합시간(초)	60	30~45	30~60	30~45
작업시간(분)	3~6	2~3	2~4	2~4
구강내 경화시간(분)	10~20	6~7	6~10	6~8
청결	어려움	쉬움	쉬움	쉬움
냄새와 맛	불쾌	양호	양호	양호
강성	낮음	매우 높음	중간 높음	높음
구강 내 제거 후 크기안정성	중간	우수*	나쁨	우수
구강 내 제거 후 영구변형	높음	매우 낮음	낮음	매우 낮음
석고와의 젖음성	나쁨	좋음	매우 나쁨	매우 나쁨**
찢김저항성	우수+	나쁨	우수	나쁨

*건조한 곳에 보관
+재료가 쉽게 파절되지 않지만 매우 심한 변형이 일어남
**친수성 실리콘은 우수

출처: 군자출판사. 치과재료학.

(1) 용해온도

인상용 콤파운드를 가열한 후 서서히 냉각시키면서 시간 경과에 따라 온도를 측정하면 어느 일정 온도에서 온도가 변하지 않고 수평을 이루는 독특한 시간-온도 냉각곡선을 그릴 수 있다. 이를 인상용 콤파운드의 용해온도(fusion temperature)라고 한다(그림 4-19). 용해온도는 냉각곡선에서 온도가 변하지 않고 수평을 이루는 시간을 말하는데 가소성이 떨어지면 흐름성이 저하되어 미세부재현성이 떨어져 정밀인상을 채득할 수 없으므로 용해온도 이전에 재료를 구강 내에 위치시켜야 한다.

(2) 열전도성

콤파운드는 열전도율이 낮아 가열 시 외부는 연화되지만

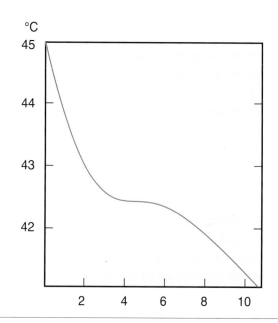

그림 4-19. 인상용 콤파운드의 용해온도

![치과용 콤파운드]

그림 4-18. 치과용 콤파운드

내부는 단단한 상태로 남아 있고, 냉각 시에도 외부는 단단하고 내부는 연화된 상태가 될 수 있다. 따라서 콤파운드 전체가 균일한 온도가 되도록 충분한 시간에 걸쳐 가열하거나 냉각시켜야 한다.

연화된 콤파운드가 구강 내에 위치되면 냉각되기 시작하는데 인상체를 제거하기 전에 냉각수를 콤파운드 표면에 분사하여 내측까지 충분히 냉각되게 한 뒤 제거해야 한다. 그래야 최종적으로 내측까지 냉각되어 전체가 변형되지 않는다.

(3) 잔류응력

인상채득 시 가해지는 압력으로 냉각된 인상체에 잔류응력이 남게 된다. 잔류응력을 최소화할 수 있도록 작업은 실온에서 실시하도록 한다.

콤파운드는 비정질구조를 갖고 있기 때문에 응력에 의한 변형이 일어나기 쉽다. 따라서 변형을 최소화하기 위해서는 16~18℃의 물을 분사해서 충분히 냉각시킨 후 제거해야 한다.

또한 인상을 채득하고 나서 한 시간 이내 즉 응력이완이 일어나기 전에 모형이나 다이를 제작하는 것이 가장 안전하다.

(4) 흐름성

구강 내 온도(37℃)에서 딱딱하고 45℃에서 가소성이 있으며 인상채득이 가능해야 한다(그림 4-20). 콤파운드를 연화하여 조직에 힘을 가하고 있는 동안은 일정한 흐름이 있어서 연조직을 정확하게 재현할 수 있어야 하고, 콤파운드가 냉각되어 단단해지면 흐름성이 없어 변형되지 않아야 구강 내에서 변형 없이 인상을 제거할 수 있다.

(5) 연화

적은 양의 콤파운드를 연화시킬 때는 불꽃을 이용한다.

총의치 제작 등을 위하여 많은 양의 콤파운드를 연화시킬 때는 항온수조의 물을 이용한다(그림 4-21).

3) 조작법

(1) 트레이용 콤파운드는 수조에서 연화시킨다. 인상용 콤파운드는 인상을 확인하거나 최종 인상을 채득할 때

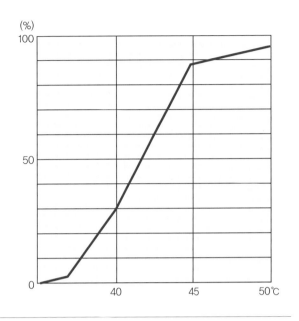

그림 4-20. 인상용 콤파운드의 온도에 따른 흐름성(%)

그림 4-21. 항 온수조

사용한다.

(2) 환자의 무치악궁에서 직접 제작하거나 또는 석고모형 위에서 제작하기도 한다. 인상채득 후에는 즉시 석고를 주입한다.

7. 산화아연유지놀 인상재(zinc oxide euge-nol paste, ZOP)

ZOP라고 간략하게 불리는 산화아연(zinc oxide)과 유지놀(eugenol) 혼합재는 이장용 시멘트나 임시충전재, 임시 접착재로 더 잘 알려져 있다.

여기서는 교합 인기용 및 무치악 인상재로 사용되는 예를 소개하도록 한다.

1) 조성

산화아연유지놀 인상재는 2개의 연고(paste)로 구성된다 (그림 4-22).

한 개의 연고는 유지놀과 불활성 필러를 함유하고 있고, 다른 연고는 산화아연 분말에 야채기름을 혼합하고 있다. 유지놀의 주성분은 cloves oil이다. 그래서 산화아연유지놀 인상재는 cloves 냄새와 맛이 난다. 일부 환자는 불쾌감을 느끼기도 한다. 치약처럼 2개의 연고형으로 구성되어 있으며, 재료는 같은 길이로 분배하여 사용한다. 산화아연유지놀 인상재 연고는 서로 다른 색이므로 연고가 동질의 색이 되도록 혼합한다.

2) 특성

완전 무치악 또는 부분 무치악 환자의 인상채득에 콤파운

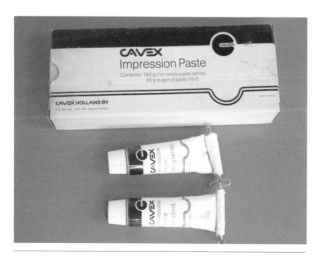

그림 4-22. 산화아연유지놀 인상재

드 또는 아크릴릭 레진 트레이로 2차 인상채득(wash impression)시 사용한다. 경화되면 취성이 있는 고체로 된다.

제1형과 제2형의 두 가지 타입이 있으며 제1형은 경성 경화형으로 혼합하면 흐름성이 좋아지지만 경화되면 상당히 단단해진다. 최종 경화시간은 약 10분 정도로 상당히 짧다.

제2형인 연성 경화형은 혼합하면 버터와 같은 점주도가 되며 경화시간은 최대로 5분 정도가 되어 긴 편이다.

ZOP 인상재는 단단하고 부스러지기 쉬운 덩어리로 경화되므로, 가철성 의치의 무치악 인상에 한정 사용된다. 최근에는 부가중합형 실리콘(silicone)과 같은 새 재료로 대체되고 있다.

콤파운드나 레진 등 거의 모든 재료의 건조한 표면에 접착력이 우수하다. 취성이 높아 변형이 되지 않고 약간 불충분한 변연부위도 축성할 수 있으며 경화된 인상 음형인기를 여러 번 구강 내에 다시 삽입할 수 있다. 또한 크기안정성이 매우 우수(혼합 시작 30분 후에도 0.1% 이하의 수축이 일어남)하며 정밀부위의 재현성도 뛰어나다.

인상재와 분리가 잘 되는 편이므로 모형재를 주입하기 전에 분리제를 바를 필요가 없다.

3) 조작법

(1) 두 개의 연고를 동일 길이로 짜서 혼합한다. 유리판보다는 혼합지를 사용하고 견고한 스파튤라(spatular) 이용하며 넓은 면적으로 30~45초 동안 혼합한다.

(2) 트레이에 얇게 펴서 넣고 인상을 채득한다.

(3) 경화된 후에는 인상재를 제거하고 흐르는 물에서 완전히 씻은 후, 물기를 제거하고 소독한다.

(4) 분리제를 바르지 않고 석고를 주입한다. 경화 후에는 49~60℃ 물에 5~10분 담그고 분리한다.

(5) 경화를 촉진하고자 할 때는 혼합온도를 높여주거나 물이나 에틸알콜을 1~2방울 첨가한다. 반대로 경화를 지연시키고자 할 때는 유지놀 연고에 글리세린을 1~2방울 첨가한다.

4) 트레이(tray)

트레이는 혼합한 인상재를 구강 내로 운반하고, 겔화 또

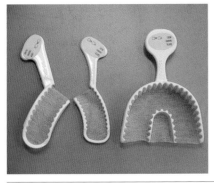
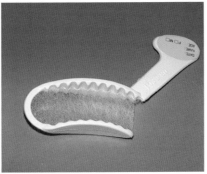
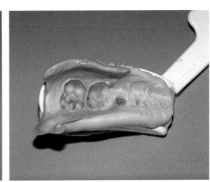

그림 4-23. 플라스틱 일회용 트레이

는 경화되는 동안 인상체를 지지하며 정확성을 유지시키는 역할을 한다.

(1) 플라스틱 일회용 트레이(plastic disposable tray)

무균 시술 시 사용되며 최근 많이 사용하는 추세이다. 실제 임상에서는 플라스틱 일회용 트레이와 교합인기용 트레이는 단일치아 치관 또는 인레이나 온레이 제작 등을 위한 인상과 상하악간 교합인기 목적을 위해 동시에 혼합사용하고 있다(그림 4-23). 플라스틱 트레이는 저렴하고 편리하나 금속 트레이만큼 인상체를 지지하지 못하고 경화 인상체가 트레이에서 쉽게 분리될 수 있다.

(2) 금속 트레이(metal tray)

가격은 비싼 편이나 재사용이 가능하다. 구조가 완고하여 구강 내 장착할 때 구강 주위 연조직을 눌러 환자에게 통증을 야기 시킬 수 있으나 구강 내에서 빼낼 때는 변형이 적다. 사용할 때마다 청소와 소독 비용이 추가된다(그림 4-24).

(3) 기성 트레이(custom tray)

기성 트레이는 소아환자를 위한 작은 트레이에서 성인 환자용 큰 트레이 크기까지 다양하다. 무치악 구강, 부분 무치악 구강, 전체 치아를 수복하는 용도로 쓰인다.

(4) 개인 트레이(individual tray)

가장 정확한 인상은 맞춤 트레이로 제작한다. 맞춤 트레이는 아크릴(acrylic) 또는 기타 레진(resin)으로 환자 악궁 모

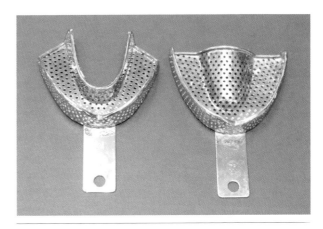

그림 4-24. 금속 트레이

형에서 제작 가능하다. 맞춤 트레이로 2개의 인상을 채득한다. 예비인상은 기성 트레이를 사용해 저렴한 재료로 채득한다. 그리고 인상체에 석고를 부어서 만든 모형은 맞춤 트레이 제작에 사용한다. 맞춤 트레이는 최종인상 채득에 사용한다. 총의치, 인레이, 금관, 가공의치, 일부 가철성 국소의치의 최종 인상채득에 사용한다. 기성 트레이보다 치아 주변 적합이 좋아 인상재가 덜 들어간다. 기성 트레이보다 인상채득이 더 쉽고 정확하여 비용이 경제적이다. 인상재의 정확한 혼합과 조작은 성공의 중요한 요소이다.

>>> Summary

- 구강은 매우 복잡한 형태를 갖고 있으며 바르게 진단하고 정확한 보철물을 제작하기 위해 구강 내 조직을 면밀히 복제한 모형이 필요하다. 인상(impression)이란 이러한 모형을 제작하기 위해 구강 조직을 복제하는 것을 말하며 여기에 사용되는 재료를 인상재(impression material)라고 한다.

- 인상재는 다양한 형태로 공급된다. 분말과 물을 혼합하거나 두 개의 연고를 같은 길이로 짜서 혼합하는 연고형 시스템이 있다. 또한 가열하여 연화시키거나 용융 형태로 공급되는 것도 있다. 그러나 형태에 관계없이 인상재를 혼합(또는 가열)하여 진한 paste나 적당한 흐름성을 가진 점도의 재료로 인상에 사용한다.

- 물이 기본이 되는 인상재를 하이드로콜로이드 인상재라 하며 온도변화에 따라 졸 상태에서 겔 상태로 변해 고무 같은 반고체성 물질이 되는데 이것을 가역성 하이드로콜로이드라 부른다.

- 공기에 노출된 하이드로콜로이드 겔 표면의 물이 증발하여 물이 급속도로 소실되는 현상을 이액현상(syneresis)이라 하며 물과 접촉한 채로 보관하면 물을 추가로 흡수하여 팽창하는 현상을 팽윤현상(imbibition)이라 한다.

- 알지네이트는 졸에서 겔로의 화학 반응이 일어나고 겔이 형성되면 물리적 방법에 의해 졸 상태로 변하지 않는 비가역적 탄성 인상재이다.

- 폴리설파이드 고무 인상재는 첫번째 고무 인상재로서 크기안전성, 찢김강도, 강도가 우수하다. 반응부산물로 물이 생성되며 습기와 온도에 민감해 경화반응이 빨라진다.

- 축중합형 실리콘 인상재는 폴리설파이드의 단점(냄새, 착색, 균일혼합 어려움, 긴 경화시간, 큰 경화수축량, 높은 영구변형량)을 보완한 제품으로 반응부산물로 에틸알콜이 생성되어 수축률이 높다.

- 부가중합형 실리콘 인상재는 축중합의 수축문제가 해결되어 반응부산물이 생성되지 않아 크기안정성과 정확성을 갖고 있다.

- 폴리이써 고무 인상재는 폴리설파이드보다 물성이 우수하고, 축중합형 실리콘보다 크기변화가 더 적으며 작업시간이 짧고 뻣뻣하다. 희석제(thinner)를 이용하여 점도를 낮출 수 있다. 방향성 설폰산 에스테르 촉매제가 피부자극을 유발하므로 직접 접촉을 금지한다.

- 인상용 컴파운드는 잔류응력으로 인해 따뜻한 환경에 보관하면 크기변화를 일으켜 변형이 생길 수 있으므로 실온에서 작업하는 것이 중요하다.

- 산화아연유지놀은 완전 무치악 또는 부분 무치악 환자의 인상채득에 콤파운드 또는 아크릴릭 레진 트레이로 2차 인상채득(wash impression) 시 사용하며 경화되면 취성이 있는 고체로 된다.

>>> Learning Activities

1. 다양한 형태의 인상재를 찾아서 성분과 기능에 맞게 구분해보자.

2. 각 인상재의 혼합시간을 달리하여 혼합한 후 경화시간을 비교해 보자.

3. 알지네이트 인상재의 경화시간에 미치는 요인을 혼합시간(30초 혼합, 1분 혼합)과 혼합온도(15℃, 20℃, 30℃) 및 혼수비를 각각 달리하여 혼합한 뒤 차이점을 말해보자.

4. 알지네이트 인상재를 이용하여 상호인상을 채득해보자.

5. 하이드로 콜로이드 인상재의 이액현상과 팽윤현상을 살펴보기 위한 방법에는 어떤 것이 있을지 토론해보자.

Review Questions

01 다음 중 고무 인상재가 아닌 것은?

① 폴리설파이드
② 산화아연유지놀 인상재
③ 부가 중합형 실리콘
④ 폴리이써

02 알지네이트 인상재의 문제점으로 과립형성이 발생되는 원인은?

① 불충분하게 혼합한 경우
② 구강에서 너무 빨리 제거한 경우
③ 인상채득 후 석고주입이 지연된 경우
④ 구강에서 인상재를 제거하는 방법이 부적절한 경우
⑤ 겔(gel)화 되는 동안 트레이가 움직인 경우

03 다음 〈보기〉 중 알지네이트로 인상채득 후 석고 주입에 관한 설명으로 옳은 것은?

> 가. 즉시 석고(모형재)를 주입한다.
> 나. 즉시 석고(모형재)를 주입할 수 없을 때는 물속에 보관한다.
> 다. 즉시 주입할 수 없을 때는 100% 습도하에 보관한다.
> 라. 석고(모형재) 주입 후 경화되는 동안 100% 습도에 보관한다.

① 가, 나, 다 　② 가, 다 　　③ 나, 라
④ 라 　　　⑤ 가, 나, 다, 라

04 아가 인상재의 특성은?

① 비탄성 인상재이다.
② 합성재료로서 인상의 정밀도가 높다.
③ 사용법이 간단하다.
④ 소수성이다.
⑤ 가역성 인상재이다.

05 중합반응에서 반응부산물로 에틸알콜이 발생하여 수축을 일으키는 것은?

① 폴리이써 고무 인상재
② 부가중합형 인상재
③ 한천 인상재
④ 축중합형 인상재
⑤ 폴리설파이드 고무 인상재

06 다음 중 친수성 탄성 인상재는?

① 인상용 콤파운드
② 산화아연유지놀 인상재
③ 폴리설파이드
④ 비가역성 하이드로콜로이드
⑤ 부가중합형 실리콘 고무 인상재

07 다음 중 부가중합형 실리콘 인상재의 특성이 아닌 것은?

① 냄새가 없고 혼합이 쉽고 의복에 착색되지 않는다.
② 다른 고무 인상재에 비해 작업시간과 경화시간이 짧은 편이다.
③ 찢김 저항성은 낮으나 영구변형은 매우 적다.
④ 매우 뻣뻣하여 탄성이 거의 없다.
⑤ 경화 중 수소가스 발생하기도 한다.

정답 | 1.② 2.④ 3.② 4.⑤ 5.④ 6.④ 7.⑤

Review Questions

08 다음 〈보기〉 중 치과용 컴파운드에 관한 설명으로 옳은 것은?

> 가. 열전도율이 높다.
> 나. 많은 양의 컴파운드를 연화할 때 수조의 물을 이용한다.
> 다. 냉각시킬 때는 냉각수 온도를 차게 할수록 좋다.
> 라. 잔류응력을 최소화하기 위하여 실온에서 작업한다.

① 가, 나, 다   ② 가, 다   ③ 나, 라
④ 라   ⑤ 가, 나, 다, 라

09 치과용 콤파운드의 설명으로 틀린 것은?

① 흐름성이 낮다.
② 열 전도성이 낮다.
③ 비탄성 재료이다.
④ 비가역성 재료이다.

10 산화아연유지놀 인상재에 관한 설명으로 옳은 것은?

① 취성이 낮다.
② 접착력이 우수하다.
③ 크기안정성이 낮다.
④ 흐름성이 높다.

참고문헌

1. 한국치과재료학교수협의회. 치과재료학 5판. 군자출판사. 2008.

2. 한국치과재료학교수협의회. 치과재료학 7판. 군자출판사. 2015.

3. Anusavice KJ Phillips' Science of Dental Materials. 11th ed. Philadelphia: Saunders, 2003, Chapter 9.

4. Christensen GJ What category of impression material is best for your practice • J Am Dent Assoc 1997;128: 1026-1028.

5. Chu CS, Smales RJ, Wei SHY. Requirements of an impression materials for fixed prostheses. Gen Dent 1997;45: 548-555.

6. Larson TD, Nielsen MA, Brackett WW. The accuracy of dual-arch impressions: a pilot study. J Prosther Dent 2002;87:625-627.

7. Powers JM & Sakaguchi RL. Craig's Restorative Dental Materials. 12th ed. St. Louis: Mosby, 2006, Chapter 12.

8. Thongthammachat S, Moore BK, Barco MT, Hovijitra S, Brown DT, Andres CJ. Dimensional accuracy of dental casts: influence of tray material, impression material, and time. J Prosthodont 2002;11:98-108.

 정답 | 8. ③ 9. ④ 10. ②

PART 05

모형재

✓ 석고의 경화반응을 설명할 수 있다.

✓ 치과용 석고의 종류별 용도와 혼수비를 설명할 수 있다.

✓ 치과용 석고의 경화과정과 경화시간 조절법을 설명할 수 있다.

✓ 치과용 석고의 종류에 따른 강도를 설명할 수 있다.

✓ 치과용 석고의 취급법 및 주의사항을 설명할 수 있다.

치과 수복물과 구강 내 장치를 정확하게 제작하기 위해서는 구강 형태와 똑같은 복제물을 만드는 것이 필요하다. 복제물을 제작하기 위해 인상채득으로 구강 내 상태의 음형인기을 얻고, 치과용 석고를 이용하여 양형의 복제물을 얻는다.

구강조직을 관찰하기 위해 제작된 복제물은 연구용 모델(study model), 캐스트(cast), 다이(die)로 분류한다.

연구용 모델은 구강조직에 대한 진단 및 치료계획과 치료경과 관찰에 사용한다(그림 5-1).

캐스트는 수복물 또는 장치를 제작하는 데 사용된다. 캐스트는 연구용 모형보다 정확하고 1/4악 또는 전악에서 1개 이상 치아 복제에 사용된다. 캐스트는 크기와 형태가 정확하게 복제(0.1% 이내)되어야 한다(그림 5-2A).

다이는 지대치에 해당하는 개개 치아의 복제물이며, 캐스트의 지대치 부분에 해당된다. 간접 치과용 수복물은 캐스트 또는 다이 복제물에서 제작하므로 정밀한 수복물 제작을 위해 석고의 정확한 조작이 필수적이다(그림 5-2B).

치과위생사는 모형제작을 위해 사용되는 석고산물 및 석고의 성질, 석고의 종류에 따른 용도와 취급법에 관하여 정확히 인지하고 있어야 한다.

1. 석고

석고는 세계 여러 지역에서 발견되는 광물인 석고 암석을 이용하여 제조한다. 석고 암석을 채굴하여 입자가 고운 분말로 연마하고 가열 처리하여 다양한 제품을 만든다(그림 5-3). 화학적으로 석고 암석은 황산칼슘 이수화물($CaSO_4 \cdot 2H_2O$)이며, 이것을 고온에서 수분을 제거하여 황산칼슘 반수화물($CaSO_4 \cdot 1/2H_2O$)의 상태로 만든다. 이 황산칼슘 반수화물에 물을 혼합하면 석고의 결정들은 물속에서 그물망 구조를 형성하여 단단한 이수화물 형태가 된다. 이때 반응의 결과로 열(heat)이 발생된다.

반응식은

제조(탈수과정)　　석고 제품 + 물

$CaSO_4 \cdot 2H_2O \rightarrow CaSO_4 \cdot 1/2\ 2H_2O + 3H_2O \rightarrow CaSO_4 \cdot 2H_2O + heat$

calcium sulfate　　calcium sulfate

dihydrate(이수석고)　hemihydrate(반수석고)　calcium sulfate dihydrate(이수석고)

2. 치과용 석고의 종류

석고 제품은 보통석고(플라스터), 경석고, 초경석고로 분류하며, 5가지 유형이 있다. 국제표준규격(ISO) 제6873에서는 표 5-1과 같이 구분한다. 앞에서 언급한 바와 같이 석고

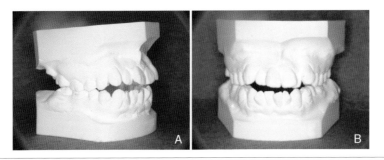

그림 5-1. 교정치료 전의 연구용 모델

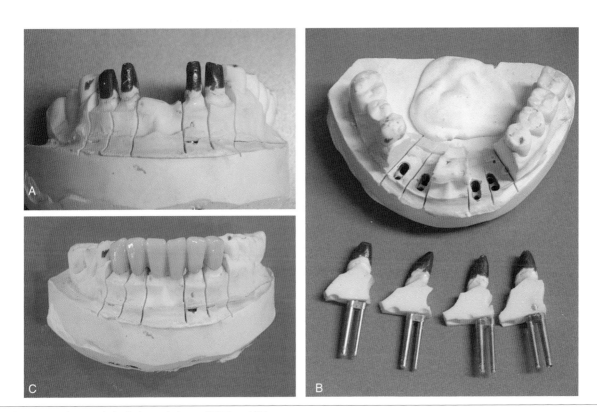

그림 5-2. A: 캐스트 내의 다이, B: 다이, C: 제작된 보철물

그림 5-3. 석고분말과 포장(A:보통석고, B:경석고, C: 초경석고)

표 5-1. 치과용 석고 모형재의 분류

| 유형 | 혼수비 | 2시간 후 경화팽창 | | 최소 1시간 압축강도(lb/in2[MPa])[a] | 용도 |
	(100g 분말에 대한 물의 양 ml)	최소	최대		
제1형(보통석고, 플라스터)	40~50	0.00	0.15		인상용 모델
제2형(보통석고, 플라스터)	45~50	0.00	0.30	1,300(9)	연구용 모델
제3형(경석고)	28~30	0.00	0.20	3,000(21)	작업용 모델
제4형(저팽창 초경석고)	19~24	0.00	0.10	5,000(34)	다이용
제5형(고팽창 초경석고)	18~22	0.10	0.30	5,000(34)	다이용

a. 개정된 ANSI-ADA 분류 no 25

는 황산칼슘 반수화물로서, 황산칼슘 이수화물 상태에서 가열하여 결정에서 물을 제거하는 탈수과정을 거쳐 생산한다. 물을 제거하는 과정의 차이로 인해 보통석고, 경석고, 초경석고로 분류되며 각 분말입자의 물리적 특성이 다르다.

1) 보통석고(플라스터, plaster)

보통석고는 치과에서 이용된 첫 번째 석고 제품이다. 보통석고는 석고원광석을 대기압 하에서 110~120℃로 가열하여 만들며 β-황산칼슘 반수화물(hemihydrate particle)이라고 한다. 분말은 불규칙한 형태로 다공성이며(그림 5-4A), 석고 중에서 강도가 가장 약하고, 가격이 저렴하여 연구모형 제작이나 총 의치용 예비 인상채득과 캐스트를 교합기에 부착하는 경우 등 캐스트의 강도가 중요하지 않을 때 주로 사용한다. 보통석고는 석고모형재의 분류 중 제2형에 해당한다. 과거에는 보통석고에 화학약품을 첨가하여 인상재로 사용하였는데 이를 인상채득용 보통석고(제1형)라 하고 현재는 사용하지 않는다.

2) 경석고(dental stone)

경석고는 수증기압으로 125℃에서 탈수하여 제작된 석고이며 α-황산칼슘 반수화물이라고 한다. 결정에서 수분을 서서히 유리시켰기 때문에 분말입자는 보통석고보다 더 균질하며 밀도가 치밀하고 기포가 적다(그림 5-4B). 보통석고에 비하여 강도가 크고 가격도 비싸다. 경석고는 높은 강도와 표면경도를 요구하는 진단목적의 캐스트 제작과 총의치와 국소의치용 캐스트 제작에 주로 사용한다. 석고모형재의

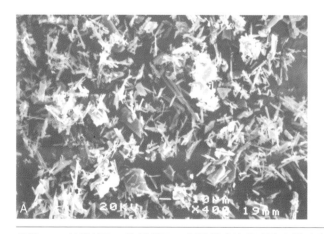 

그림 5-4. 보통석고(A)와 경석고(B) 분말입자의 주사전자 현미경 사진

분류 중 제3형에 해당한다.

3) 초경석고(improved stone)

초경석고는 30% 염화칼슘 용액을 석고 산물에 첨가하여 탈수시킨 뒤 뜨거운 물로 염소를 세척하고 얻어진 석고이다. 이 방법은 분말입자를 매우 치밀한 입방형 구조로 만들고 표면적을 감소시킨다. 초경석고는 3개 석고 제품 가운데에서 가장 강도가 크고 비싸다. 제작과정에서 높은 강도와 표면경도가 요구되는 금관, 가공의치, 인레이 제작용도의 캐스트 또는 다이를 만드는데 주로 사용되며 제4형에 해당된다. 최근에는 제4형 석고보다 경화팽창이 더 큰 제5형 초경석고를 많이 사용하고 있다.

3. 특성

모델, 캐스트, 다이를 만드는 데에는 정확성, 크기 안정성, 정밀한 복제능력, 충분한 강도와 마모저항성, 인상재료와의 친화성, 색, 생물학적 안정성, 조작 편리성, 저렴한 비용이 요구된다.

1) 경화반응

황산칼슘 반수화물에 물을 혼합하면 반수화물은 수화과정을 통해 이수화물이 된다. 이 과정 중 열이 발생되며, 황산칼슘 이수화물이 물과 반응하면, 연쇄결정으로 단단한 덩어리를 형성하여 경화가 일어난다.

$$CaSO_4 \cdot \frac{1}{2}H_2O + 1\frac{1}{2}H_2O \rightarrow CaSO_4 \cdot 2H_2O + heat$$

2) 혼수비

석고를 혼합하기 위해 사용되는 분말에 대한 물의 비율을 혼수비(water/powder ratio, w/p ratio)라고 한다. 치과용 석고 각 제품의 적절한 혼수비는 분말 입자의 물리적 특성에 따라 좌우되므로, 석고 산물의 종류에 따라 혼합에 필요한 물의 양이 다르다. 보통석고는 황산칼슘 반수화물로서 분말입자가 불규칙하고 다공성이므로 입자가 물에 잠기는데 필요한 물의 양이 다른 석고에 비해 더 많이 요구된다. 경석고는 입자가 치밀하고 규칙적이어서 요구되는 물의 양이 보통석고에 비해 적다. 또한 초경석고는 다른 석고보다 치밀한 입방형 입자로 혼수비가 가장 적다.

석고의 적절한 혼수비는 보통석고 45~50ml/100g (0.45~0.50), 경석고 28~30ml/100g(0.28~0.30), 초경석고 19~24ml/100g(0.19~0.24)이다. 석고 모형 제작 시 적절한 경화시간과 강도를 얻기 위해서는 제품에 따른 혼수비를 지켜서 혼합해야 한다.

3) 경화시간

석고와 물을 혼합하기 시작한 때부터 사용하기 적당한 정도로 굳을 때까지 걸리는 시간을 경화시간(setting time)이라 한다.

- 작업시간 또는 초기 경화시간: 작업시간 또는 초기 경화시간은 혼합부터 반고형 단계에 도달할 때까지 소요되는 시간으로, 제품을 조작하는데 이용 가능한 시간이다.
- 최종 경화시간: 최종 경화시간은 혼합부터 석고가 완전히 굳어 견고해지고 변형이나 파절 없이 인상재에서 분리할 수 있을 때까지 소요되는 시간이다.

경화시간은 길모어 침(gilmore needle)을 이용하여 표면 투과검사를 통해 측정한다(그림 5-5). 경화중인 제품의 표면에서 1/4 lb 침과 1 lb 침의 무게를 충분히 견딜 수 있는 강도를 각각 초기 경화시간과 최종 경화시간이라 한다. 각 침이 석고 시편에 자국을 남기지 않는 시점이 경화시간에 도달한 것으로 여긴다. 이 방법을 통한 결과 값은 임의 값으로 경화반응과는 직접 상관이 없지만 여러 제품을 비교하는데 주로 사용한다. 임상에서 표면 광택 소실은 초기경화 또는 작업시간 결정에 사용되며 소요시간은 5~7분이다. 최종경화 시간은 30~45분이 소요된다. 인상체에서 석고 모형 제거는 최종경화시간이 지난 후에 하도록 한다.

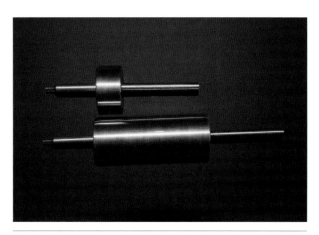

그림 5-5. 1/4lb(위)와 1lb(아래) 길모어 침

표 5-3. 혼수비가 경화시간에 미치는 효과

재료	혼수비(ml/g)	혼합회전수	경화시간(분)
보통석고	0.45		8
	0.50	100	11
	0.55		14
경석고	0.27		4
	0.30	100	7
	0.33		8
초경석고	0.22		5
	0.24	100	7
	0.26		9

(1) 경화시간에 영향을 미치는 요인

① 화학물질 첨가제: 경화촉진제는 2% 황산칼륨(potassium sulfate, K_2SO_4), 석고이수화물, 염화나트륨(sodium chloride, NaCl)이 사용되며, 10분인 경화시간을 4분 정도 단축시킬 수 있다. 경화지연제는 2% 붕사(borax), 구연산칼륨 등이 사용되며, 경화시간의 연장이 필요한 경우 사용된다.

② 혼합시간: 혼합시간이 짧아지면 경화시간이 길어진다.

③ 혼합속도: 정해진 혼합시간동안 혼합속도를 빨리하면 혼합회전 수가 증가하여 경화를 촉진한다. 혼합 시 황산칼슘이수화물 결정이 파괴되어 작은 결정수의 증가로 짧은 시간 내에 경화된다(표 5-2).

④ 혼수비: 혼수비가 높으면 물의 양이 많아져서 경화시간이 길어진다(표 5-3).

⑤ 물의 온도: 20~37℃의 온도에서는 황산칼슘 반수화물과 물의 반응속도를 증가시켜 경화시간이 단축되지만, 37℃ 이상에서는 반응속도가 늦어져 경화시간이 길어진다.

⑥ 기타: 혈액이나 타액 등의 기타 이물질은 석고 표면의 경화를 지연시켜 표면 강도를 떨어뜨리므로, 인상채득 후에는 이물질이 남아있지 않도록 즉시 세척한다.

4) 경화팽창

모든 석고는 경화 시에 측정가능한 정도로 선 팽창을 보이는데 이것을 경화팽창(setting expansion)이라고 한다. 보통석고는 0.2~0.3%, 경석고는 0.08~0.10%, 초경석고는 0.05~0.07% 정도로 팽창된다. 경화 후 1시간 이내에 70% 정도의 경화팽창이 나타난다. 혼수비가 많거나 혼합속도가 느린 경우 경화팽창이 감소되고, 물의 온도가 높거나 혼합이 빠르면 경화팽창은 증가된다(표 5-4). 수동혼합에 비해 자동혼합의 경우 경화팽창량이 적은 것으로 나타났다. 경화 도중에 석고 재료를 물에 담그거나 접촉하면 결정성장의 저항

표 5-2. 혼합회전수가 경화시간에 미치는 효과

재료	혼수비(ml/g)	혼합회전수	경화시간(분)
보통석고	0.50	20	14
		100	11
		200	8
경석고	0.30	20	10
		100	8

표 5-4. 석고 사용 시의 여러 가지 변수가 각종 특성에 미치는 영향

조작조건	경화시간	점조도	경화팽창	압축강도
혼수비 증가	증가	감소	감소	감소
혼합속도 증가	감소	증가	증가	효과없음
물의 온도 증가 (23℃→30℃)	감소	증가	증가	효과없음

이 감소하여 팽창량이 증가하는데 이를 수화팽창(hydro-scopic expansion)이라 한다. 수화팽창량은 정상 경화팽창량의 약 2배이고, 주조용 매몰재의 경화팽창 증가에 사용된다. 과도한 팽창을 막기 위해 작업용 캐스트를 경화되는 동안 물에 담그지 않도록 한다. 경화팽창량의 측정은 경화팽창기를 이용한다(그림 5-6).

5) 강도

석고의 강도는 압축강도로 측정한다. 석고는 비교적 높은 압축강도를 갖는 재료이지만, 혼수비가 크면 압축강도는 감소한다. 강도는 경화된 재료의 다공성에 좌우되며, 다공성은 작업 시 필요한 혼수비와 연관되어 있다. 보통석고가 가장 많은 혼수비를 요구하므로 보통석고의 강도가 가장 낮고 경석고, 초경석고 순으로 강도가 증가한다(표 5-5). 지대치 보철을 위한 다이 제작용 모형재로 강도가 가장 높은 초경석고를 사용하는 것은 다이 위에서 왁스 조각도를 이용하여 납형 제작을 할 경우 다이 모형이 깎이거나 변형되지 않도록 해야 하기 때문이다. 물의 양은 강도에 영향을 미치므로, 혼합 시 과잉의 물이 혼입되지 않도록 주의해야 한다(표 5-5). 적절한 강도와 점주도를 위해 제조사가 추천한 혼수비를 따르는 것이 가장 좋다.

6) 표면경도

표면경도는 압축강도와 관련되나 표면이 건조한 상태일 때 표면 경도가 가장 크기 때문에 최종 경화가 일어난 후, 잔여

표 5-5. 보통석고, 경석고, 초경석고에서 혼수비가 압축강도에 미치는 영향

재료	혼수비(ml/g)	압축강도(MPa)
보통석고	0.45	12.5
	0.50	11.0
	0.55	9.0
경석고	0.27	31.0
	0.30	20.5
	0.33	10.5
초경석고	0.22	38.0
	0.24	21.5
	0.26	10.5

수분이 모두 증발하면 강도와 경도가 급격히 증가한다. 이는 석고모형의 표면이 내면보다 빨리 건조되기 때문이다.

4. 석고 조작법

1) 재료 및 기구

혼합용 용기(러버볼), 혼합용 스파튤라, 계량컵, 계량스푼, 저울, 물과 석고를 준비한다(그림 5-7). 적절한 성질을 얻으려면 혼수비를 정확하게 조절한다.

2) 물 계량

계량컵을 이용하여 사용될 분말의 양에 맞는 물을 정확

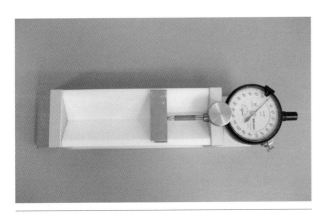

그림 5-6. 경화팽창기

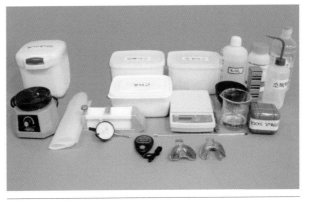

그림 5-7. 석고제품, 계량컵, 스파튤라, 러버볼, 저울

하게 계량한다.

3) 분말 계량

분말은 저울을 이용하여 혼수비에 맞춰 정확한 양을 준비한다.

4) 분말과 물 첨가

혼합 용기에 계량된 물을 먼저 담고 계량한 분말을 추가한다. 적절한 점주도를 얻기 위해 물과 분말을 임의로 반복 추가하는 행동은 피해야 한다. 이는 낮은 강도와 모형 변형을 초래하는 원인이 된다.

5) 혼합

수동혼합은 스파튤라를 이용하여 분말과 물을 혼합한다. 혼합물은 매끈하고 기포가 없도록 해야 한다. 덩어리와 기포를 감소시키기 위해 혼합 용기 벽을 문지르는 동작으로 혼합한다. 석고 내부의 기포를 줄이기 위해 진동기(vibrator)를 사용한다(그림 5-8). 혼합시간은 20~30초간 시행한다.

진공 혼합은 석고 혼합 시 기포를 줄이고 균일한 점주도를 얻기 위해 자동혼합기를 이용하여 진공 혼합을 하면 석고 내부의 기포를 줄여 강도를 증가시킨다(그림 5-9).

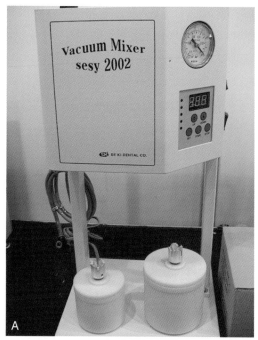

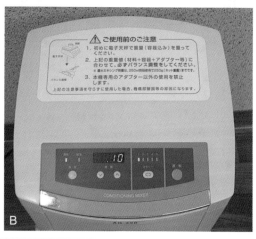

그림 5-9. 자동혼합기를 이용한 진공 혼합

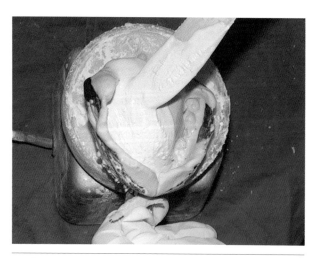

그림 5-8. 진동기를 사용한 수동혼합

6) 석고 주입

혼합된 석고를 인상체에 주입할 때는 진동기를 이용하여 석고 혼합물을 인상의 한쪽 끝에서부터 서서히 흐르게 함으로써 공기가 들어가지 않도록 한다(그림 5-10). 또한 석고 혼합물에서 진동기를 이용하여 내부에 만들어진 기포를 표면으로 올리는데도 사용한다. 올바른 석고 조작을 통해 견고한 모형재를 얻도록 노력한다.

그림 5-10. 인상체에 석고 주입

인상체에 채워진 석고는 100% 상대습도에서 경화될 때 까지 보관해야하며 차아염소산나트륨 1:10 희석액에 침지하거나 요오드액을 분무하는 방법으로 모형을 소독할 수 있다.

작업은 경화 후 완전히 건조된 후 시행하는 것이 좋으며 경화된 다이는 물과 닿지 않도록 주의한다.

석고의 부적절한 보관은 경화특성을 변화시킨다. 물은 경화반응에 필수적이지만 석고는 대기 중의 습기를 흡수하여 경화시간을 변화시킬 수 있다. 석고제품이 수분에 오염되면 황산칼슘 이수화물로 전환되어 혼합물에서 결정화를 위한 핵으로 작용하기 때문에 경화시간이 빨라진다. 또한 석고가 타액이나 혈액에 오염되면 경화반응이 지연된다. 따라서 석고 보관 시 공기 중에 노출되지 않도록 반드시 밀폐된 용기에 보관하여야 한다.

5. 석고 취급 시 주의사항

석고산물의 최종적인 성질을 좌우하는 것이 바로 혼수비이므로, 제조사의 지시대로 분말과 물의 양을 정확히 지켜야 한다. 혼합 시 공기가 들어가지 않도록 계량된 물을 먼저 넣고, 그 다음 석고분말을 추가로 넣는다. 또한 혼합물 내부의 공기를 제거하기 위해 진동기를 이용하여 적절한 진동을 주면서 혼합한다.

>>> Summary

- 석고는 구강 내 상태를 양형으로 복제하는데 사용된다. 이 복제물을 모델, 캐스트, 다이라 한다.

- 석고는 보통석고, 경석고, 초경석고의 3가지 형태로 분류된다. 석고의 적절한 혼수비는 보통석고 45~50 ml/100g, 경석고 28~30 ml/100g, 초경석고 19~24 ml/100g이다.

- 석고의 경화시간은 화학물질 첨가, 혼합시간, 혼수비, 혼합하는 속도, 물의 온도의 영향을 받는다.

- 석고를 물과 혼합하기 시작한 때부터 제품을 조작하는데 필요한 시간을 작업시간이라 한다. 또한 석고와 물을 혼합시작한 때부터 완전히 굳어 인상체에서 변형이나 파절없이 분리할 수 있을 때까지의 시간을 최종경화시간이라고 한다.

- 석고 중 보통석고는 최대 0.2~0.3%, 경석고는 0.08~0.10%, 초경석고는 0.05~0.07% 경화팽창되며 혼수비가 적을수록 경화팽창이 감소하며 물의 온도가 높거나 혼합 속도가 빠를수록 경화팽창은 증가된다.

- 석고의 강도는 재료의 다공성에 의해 좌우되며, 보통석고, 경석고, 초경석고 순으로 강도가 증가한다.

- 석고가 습기에 노출되면 경화시간이 변화되므로 보관할 때는 반드시 밀폐된 용기에 보관하여야 한다.

>>> Learning Activities

1. 보통석고, 경석고, 초경석고의 혼수비를 다양한 비율로 혼합하였을 때 경화시간에 어떤 영향을 미치는지 살펴보자.

2. 보통석고, 경석고, 초경석고의 혼합시간을 각각 1분, 2분, 3분으로 하였을 때 경화시간에 어떤 영향을 미치는지 살펴보자.

Review Questions

01 석고 사용 시 여러 가지 변수가 성질에 미치는 영향에 대한 설명으로 옳은 것은?

① 혼수비가 증가할수록 경화시간이 감소한다.
② 혼합속도가 증가할수록 압축강도가 증가한다.
③ 물 온도가 증가할수록 경화시간이 증가한다.
④ 혼수비가 증가할수록 점주도가 증가한다.

02 석고의 경화팽창에 대한 설명으로 옳은 것은?

① 보통석고가 가장 적은 경화팽창량을 가진다.
② 혼합속도가 빠를수록 경화팽창량이 증가한다.
③ 혼수비가 많을수록 경화팽창량이 증가한다.
④ 물의 온도가 높을수록 경화팽창량이 감소한다.

03 김00환자는 오늘 #36, 37 크라운 제작을 위해 인상채득 하였다. 해당 부위의 양형복재를 위해 선택하기에 가장 적합한 석고산물은 무엇인가?

① 보통석고
② 플라스터
③ 경석고
④ 초경석고

04 석고의 경화시간을 지연시킬 수 있는 방법으로 적절한 것은?

① 2% 붕사
② 소량의 식염수
③ 물의 온도 증가
④ 혼합속도 증가
⑤ 혼수비 감소

05 치과용 석고 취급법에 대한 설명으로 옳은 것은?

① 분말을 먼저 넣고 물을 추가한다.
② 석고는 물속에서 경화시킨다.
③ 석고는 밀폐용기에 보관한다.
④ 석고 주입시 양쪽에서 흘려보낸다.

정답 | 1.④ 2.② 3.④ 4.① 5.③

참고문헌

1. 한국치과재료학교수협의회. 치과재료학 5판. 군자출판사. 2008.

2. 한국치과재료학교수협의회. 치과재료학 7판. 군자출판사, 2015.

3. Bird DL, Robinson DS. Torres and Ehrlich: Modern Dental Assisting. 7th ed., Philadelphia: Saunders. 2002.

4. Duke P, Moore BK, Haug SP, Andres CJ. Study of the physical properties of type Ⅳ gypsum, resin-containing, and epoxy die materials. J Prosthet Dent 2000.

5. Power JM, Sakaguchi RL, eds. Craig's Restorative Dental Materials. 12th ed. St. Louis: Mosby. 2006.

6. Ragain JC, Grosko ML, Raj M, Ryan TN, Johnston WM. Detail reproduction, contact angles, and die hardness of elastomeric impression and gypsum die material combinations. Int J Prosthodont 2000.

PART 06

왁스

01 왁스
Wax

●-●-●-●-●--

치과용 왁스는 실온에서는 고체 상태이지만 열을 가할 경우 성형이 가능한 성질을 가지고 있다. 왁스는 지방산 및 알코올과 에스테르 등으로 구성되는 분자량이 큰 유기 고분자로 천연왁스와 다양한 화학적 조성을 가지는 합성왁스로 구분할 수 있다. 왁스는 약 200여 년 동안 사용되어져 왔으며 처음에는 밀납을 이용하여 구강 내 인상을 채득하는 정도였으나 현재는 치과 보철물 제작에 빼놓을 수 없을 정도로 중요한 역할을 하고 있다.

치과위생사는 치과 진료실과 기공실에서 자주 다루어지는 왁스의 다양한 종류 및 용도에 따른 각 특성을 잘 이해하여 목적에 맞게 바르게 사용해야 한다.

1. 왁스의 조성

치과용 왁스는 천연왁스, 합성왁스, 레진으로 구분되며 한 가지 성분으로 사용되는 경우는 거의 없고 적절한 성질을 얻기 위하여 지방이나 오일, 색소 등의 여러 가지 성분이 포함되어 있다.

임상에서는 물리적, 기계적 성질이 서로 다른 다양한 종류의 왁스를 사용하므로, 왁스의 특성을 올바로 이해하고 목적에 맞도록 사용해야 한다. 특히 치과용 왁스는 치과재료 중에서 열팽창계수가 가장 큰 재료이므로 보철물의 정확도에 최소한의 영향을 미치도록 하여야 한다.

1) 천연 왁스(natural wax)

천연 왁스는 광물성 왁스, 동물성 왁스, 식물성 왁스, 곤충 왁스로 분류할 수 있다.

(1) 광물성 왁스

① 파라핀 왁스(paraffin wax)

석유에서 정제되는 백색의 반투명 왁스이며, 탄소원자를 포함하는 메탄계 탄화수소의 혼합물이다. 파라핀 왁스는 40~71℃의 용융온도를 가지며 분자량이 증가할수록 용융온도가 높아진다. 또한 상온에서는 부서지기 쉬운 성질이며 37~55℃의 온도에서는 연화된다. 치과용 왁스로 사용하기 위해서는 파라핀 왁스가 유동성이 크고 조각성이 떨어지기 때문에 다른 성분을 첨가해서 사용해야 성형이 용이하다.

② 미세결정 왁스(microcrystallin wax)

미세결정 왁스는 석유에서 얻어지며, 결정이 극히 미세하다. 파라핀 왁스보다 질기면서도 유연하며 용융온도가 60~91℃로 높다는 점 외에는 파라핀 왁스의 성질과 유사하다. 파라핀 왁스의 용융점을 증가시킬 때 첨가하여 사용한다. 반달 왁스(barnsdahl wax)는 70~74℃ 녹는점을 갖는 미세결정왁스로 녹는 범위와 경도를 증가시키고 파라핀 왁스의 흐름성을 감소시킨다.

③ 세레진(ceresin)

세레진은 석유나 갈탄에서 얻어지며 경도가 높다. 또한 높은 용융온도를 가지고 있어 용융점을 증가 시킬 때 사용한다.

(2) 동물성 왁스

① 스퍼마세티 왁스(spermaceti wax)

향유고래의 정액에서 얻어지는 왁스로서 희고 투명하며 광택이 있다. 스퍼마세티 왁스는 주로 치실의 표면처리제로 사용된다.

(3) 식물성 왁스

① 카나우바 왁스(carnauba wax)

열대야자의 잎사귀에서 얻어지며, 경도가 크고 84~91℃의 높은 융점을 갖는 것이 특징이다. 파라핀 왁스의 용융온도와 경도를 높이는데 사용된다.

② 오우리쿠리 왁스(ouricury wax)

경도가 크고 79~84℃의 높은 융점을 갖고 있다. 카나우바 왁스와 마찬가지로 경도가 높기 때문에 부서지기 쉬운 특징이 있으며, 파라핀 왁스의 용융온도와 경도를 높이는데 사용된다.

③ 칸델릴라 왁스(candelilla wax)

카나우바 왁스와 오우리쿠리 왁스와 마찬가지로 경도가 커서 파라핀 왁스의 경도를 높이는데 사용되지만, 68~75℃의 용융온도를 갖고 있어 용융온도를 높이는 것은 어렵다.

(4) 곤충왁스

밀납(bees wax)은 꿀벌의 벌집에 얻는 왁스로서 용융온도가 63~70℃이다. 상온에서는 부서지기 쉬운 성질이지만 체온에서는 가소성을 가지므로 스티키 왁스(sticky wax)의 주성분으로 사용된다.

2) 합성 왁스(synthetic wax)

융해온도나 경도는 천연 왁스와 유사하며 폴리에틸렌 왁스(polyethylen wax), 폴리옥시에틸렌 글리콜 왁스(polyoxy-ethylen glycol wax), 할로겐 탄화수소 왁스(halogenated hydrocarbon wax), 수소왁스(hydrogenated wax), 왁스 에테르(wax ester) 등이 있다.

3) 레진

천연 레진과 합성 레진이 있으며, 모양이나 성질이 왁스와 비슷하고 왁스 제조 시 왁스를 단단하게 하는데 주로 사용된다.

천연 레진에는 식물성 레진과 곤충에서 얻는 레진이 있으며 식물성 레진에는 담마르(dammar), 송진(rosin)이 있으며 곤충에서 얻는 레진에는 셸락(shellac)이 있다.

합성 레진에는 폴리에틸렌(polyethylene)과 비닐레진(vinyl resin)이 있고, 파라핀 왁스의 용융온도와 강도를 개선하기 위해 첨가된다.

그 외에 왁스에 첨가하는 물질로는 지방이나 오일 등이 있는데 지방은 무미, 무취 및 미끄러운 느낌이 있는 물질이다. 지방은 합성 왁스의 용융온도와 경도를 증가시키기 위해 첨가한다. 화학적으로 글리세롤이 있는 여러 지방산의 에테르로 구성되며 글리세라이드(glyceride)라고도 한다.

탄화수소 오일은 왁스의 혼합물을 연화시키기 위해 사용하며 실리콘 오일은 왁스의 표면 광택을 위해 첨가한다.

2. 왁스의 성질

1) 용융온도 범위(melting range)

치과용 왁스는 서로 다른 용융온도를 갖는 요소들이 첨가되므로 일정한 융점(melting point) 대신 용융온도 범위가 존재한다. 용융온도가 높은 성분이 많이 첨가될수록 전체적인 용융온도가 상승한다. 제조사는 광물성, 동물성, 식물성 왁스들의 연화 온도와 용융온도를 고려하여 용도에 맞는 왁스를 제작한다.

2) 열팽창(thermal expansion)

열팽창율은 최종 보철물의 정확도에 영향을 미치는데, 보철물 제작 과정 중 사용 되는 재료 중에서 열팽창계수가 가장 큰 것은 치과용 왁스이다. 열팽창계수란 온도를 높이면 팽창하고 온도를 낮추면 수축하는 값의 차이인데, 열팽창계수가 크다는 것은 온도변화에 의한 크기 변화가 크다는 것으로 납형을 취급할 때에는 크기 변화를 최소화하도록 주의해야 한다. 왁스마다 열팽창계수의 차이가 있으며, 인레이 왁스는 열팽창계수가 커서 최종 주조물의 정확성에 영향을 줄 수 있다(그림 6-1).

3) 기계적 성질(mechanical properties)

왁스는 조성성분과 온도에 따라 탄성계수, 압축강도, 비례한계와 같은 기계적 성질이 좌우된다. 왁스의 탄성계수와 비례한계, 압축강도는 다른 재료와 비교하여 매우 낮으며 이런 성질은 온도에 의해 영향을 받는다.

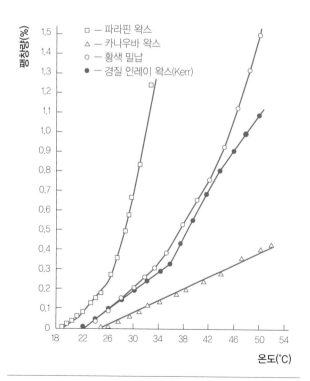

그림 6-1. 4가지 왁스의 열팽창 곡선

인레이 왁스의 탄성률은 수화팽창을 이용하여 주조할 때 매우 중요하다. 매몰재가 수화팽창하는 동안 납형은 매몰재의 팽창 압력을 받게 되고 이에 따른 변형을 유발할 수 있다. 즉 금관(crown)과 같이 불규칙한 형태를 한 납형의 경우, 납형의 두께가 두꺼운 부분과 얇은 부분의 탄성계수 차이로 인하여 뒤틀림이 나타날 수 있는데, 금관의 측면은 인레이 왁스로 제작하고 교합면은 연질 주조왁스로 제작하는 등 금관의 특정부위를 탄성계수가 다른 왁스를 형성해 주면 이러한 현상을 최소화할 수 있다.

4) 흐름성(flow)

왁스의 안정성(stability)과 성형성(mouldability)을 측정하는 주된 요인은 흐름성이다. 이러한 성질은 크리프(creep)와 관련된다. 흐름성은 온도, 왁스의 조성, 변형을 야기하는 힘이나 힘이 가해진 시간에 의해 좌우된다. 납형을 치아로부터 제거할 때 변형이 일어날 수 있으므로 구강 내 온도에서는 거의 흐름성이 없어야 한다. 또한 왁스는 흐름의 양에 따라 용도가 좌우되며 인레이 왁스의 흐름성은 표 6-1과 같다. 치과진료실 또는 치과기공소에서 납형 제작 시 사용되는 제1형은 30℃에서 최대 1%, 40℃에서 최소 50%, 45℃에서 70~90% 정도의 흐름성을 가져야하며, 구강 내에서 직접 사용하는 제2형은 37℃에서 최대 1%, 40℃에서 최대 20%, 45℃에서는 70~90% 정도의 흐름성을 가져야 한다.

5) 연성(ductility)

흐름성과 유사한 개념으로 온도가 높아지면 왁스의 연성도 증가되며, 용융온도가 낮은 왁스가 높은 왁스에 비해 더 많은 연성을 나타낸다.

6) 잔존응력(residual stress)

재료는 외력을 받아 변형이 일어날 때 가해진 외력에 대항해서 원래의 자기자리로 되돌아가려고 하는 성질이 있다. 이렇게 응력이 왁스에 남아 있는 경우를 잔존응력, 혹은 잔류응력이라 한다.

납형 성형 시 압축하여 성형하는 경우, 온도가 상승하면 열팽창에 의한 변화와 잔존응력에 의한 변형이 일어난다.

이것은 왁스 가공 시 압축정도에 따른 열팽창과 수축량에 차이가 있기 때문이다. 압축 하에 형성된 납형은 온도 상승에 따라 체적변화는 열팽창에 의한 변화와 함께 내부 잔존응력이 풀리면서 가중되어 더 큰 형태 변화를 초래하게 된다. 반대로 인장 하에 형성된 납형의 경우 잔존응력의 풀림이 열팽창과는 반대로 작용하므로 낮은 체적변화를 보이게 된다.

잔존응력의 이완이나 비틀림 현상은 보관시간과 온도에 의해서도 좌우된다. 즉 온도가 높거나 보관시간이 길면 변형의 양도 증가한다.

왁스의 잔존응력을 최소화하기 위해서는 왁스를 충분히 연화시킨 후 납형을 제작하고, 제작 후에는 납형을 매몰한다.

3. 치과용 왁스

치과용 왁스는 사용용도에 따라 천연 및 합성 왁스를 적절하게 혼합해서 만든다. 왁스는 다른 치과용 재료에 비해 매우 유연한 재료이므로 온도, 응력, 보관온도, 시간 등에 의해 변형이 생길 수 있다. 그러므로 왁스 취급 시 변형을 최소화하도록 세심한 주의가 필요하다.

용도에 따라 패턴용(pattern), 작업용(processing), 인상용(impression) 왁스로 나눌 수 있다.

1) 패턴용 왁스
(1) 인레이 왁스(inlay wax)

인레이 또는 금관이나 계속가공의치와 같은 보철물은 왁스로 원형을 똑같은 모양으로 제작한 뒤 매몰하고, 왁스를

소각시킨 다음 그 부위에 금속을 주조하여 제작한다. 왁스를 이용하여 치아의 만곡도나 교두 등의 해부학적 형태를 있는 그대로 재현하므로 납형, 또는 패턴 왁스라 부른다.

납형제작에 주로 사용되는 왁스는 인레이 왁스인데 직접법이나 간접법으로 납형을 제작한다. 인레이 왁스의 주성분은 파라핀 왁스가 60% 정도 함유되어 있으며, 카나우바 25%, 세레진 10%, 밀납 5% 등이 포함되어 있다. 파라핀 왁스는 조각하거나 구부릴 때 쪼개지거나 부서져서 작업이 원활하지 않아 다른 종류의 왁스가 첨가된다.

인레이 왁스는 모형 상에서 패턴 제작 시 간접용으로 사용하는 제1형(연질형, soft wax)과 구강 내에서 직접 패턴 제작 시 사용하는 제2형(경질형, hard wax) 왁스로 구분할 수 있다(표 6-1, 그림 6-1). 간접법(indirect method)은 제1형 왁스를 사용하여 작업 모형 상에서 납형을 제작하는 방법이며 직접법(direct method)은 제2형 왁스를 사용하여 구강 내에서 직접 납형을 제작하는 방법이다.

인레이 왁스는 구강 내에서의 식별이 용이하기 위해서 진한 녹색이나 청색, 자주색 등의 색소를 첨가하고 일반적으로 둥글거나 육각의 봉상으로 제공된다.

① 인레이 왁스의 요구사항

인레이 왁스는 납형의 제작부터 소환까지 크기와 형태가 변하지 않아야 한다. 또한 연화 시 균일하게 연화되어야 하며 왁스의 색과 모델 다이의 색이 서로 구분되어 수복물이나 장치물의 원형을 만드는데 어려움이 없어야 한다.

정밀한 납형을 제작할 수 있도록 다이의 와동 변연부를 다듬을 때 왁스가 깨지거나 기구에 달라붙지 않아야 하고 왁스 소환 시 매몰재에서 모두 제거되어야 한다.

표 6-1. 인레이 왁스의 흐름성

왁스의 유형	30°C 최대	37°C 최대	40°C		45°C	
			최소	최대	최소	최대
제 1형(연질, 간접용)	1.0	–	50	–	70	90
제 2형(경질, 직접용)	–	1.0	–	20	70	90

ISO 15854: 2003 Dentistriy (미국치과의사협회 규격은 1형과 2형이 ISO 규격과 반대임) 출처: 군자출판사 치과재료학 다섯째판

② 인레이 왁스의 사용 시 주의사항

인레이 왁스를 구강 내(약 37℃)에서 작업하고 실온(24℃)으로 옮기면 온도차에 의해 0.4% 가량 수축하므로 작업 시 가능한 열수축이 적도록 주의해야 한다. 또한 앞서 설명하였듯이 왁스 내에 잔존응력이 생기지 않도록 적정한 온도에서 납형을 제작한다. 인레이 왁스 작업 시 가장 큰 문제는 납형을 보관할 때 변형과 뒤틀림이 나타난다는 점이다.

이러한 납형의 변형을 줄이기 위해서는 납형을 제작한 즉시 매몰하고 저온에서 보관하는 것이다. 높은 온도에서 납형을 보관해 두면 잔존응력의 해소가 빨라지므로 더 많은 변형이 나타나게 된다. 따라서 납형을 매몰하지 않은 채로 30분 이상 보관해야 할 경우에는 반드시 냉장고에 보관하고, 꺼낸 후에는 실온으로 온도를 상승시킨 후 매몰하여야 한다. 주입선을 부착할 때도 경질왁스나 금속 주입선을 스티키 왁스로 신속히 부착하여 주면 납형의 변형을 줄일 수 있다.

(2) 주조용 왁스(casting wax)

국소의치의 금속 구조물과 같이 자주 사용하는 형태의 왁스패턴을 미리 제작하여 판매하는 왁스이며 봉상, 판상, 그물상 등 다양한 형태와 크기로 제조된다(그림 6-3). 성분은 인레이 왁스와 비슷하지만 다이에서만 작업하므로 흐름성을 나타내는 온도는 인레이 왁스보다는 높다.

성질은 부착성이 있으며 인레이 왁스와 마찬가지로 소환 시 완전히 제거되어야 한다.

(3) 베이스플레이트 왁스(baseplate wax)

베이스플레이트 왁스는 붉은색이나 분홍색의 판상왁스로서 의치의 수직 고경과 교합 평면 형성 등 악궁의 형태를 잡아주고, 의치상의 외형을 형성하고 인공치를 위치시킬 때 주로 사용한다(그림 6-4).

이 왁스의 성분은 세레진 80%, 카나우바 2.5%, 레진 3%, 미세결정 왁스 또는 합성 왁스 2.5%로 조성된다. 물리적 성질은 1형, 2형, 3형으로 구분되며 제1형은 연질로서 외형을 형성할 때 사용한다.

제1형 왁스는 연화시켰을 때 서로 잘 붙어야 하고 연화 시 결이 생기거나 손에 붙지 않아야 한다. 제2형은 경질로서 구강 내 패턴작업용이며 쉽게 작업할 수 있는 경도를 가져야

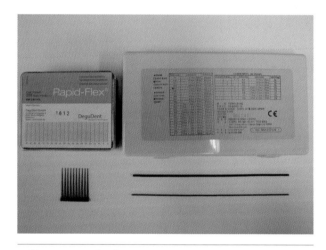

그림 6-3. 주조용 왁스

그림 6-2. 경질형 인레이 왁스

그림 6-4. 베이스플레이트 왁스

하고 구강 내 조직에 자극이 없어야 한다. 제3형은 초경질 왁스로서 구강 내 작업용 왁스이며 불꽃을 대었을 때 표면이 매끄러워야 한다.

베이스플레이트 왁스 역시 외형 형성과 작업 시 잔존응력이 발생할 수 있으므로 작업 후 즉시 매몰해야 한다.

2) 작업용 왁스

작업용 왁스에는 박싱 왁스(boxing wax), 유틸리티 왁스(utility wax), 스티키 왁스(sticky wax)가 있다.

(1) 박싱 왁스(boxing wax)

박싱 왁스는 길고 얇은 띠 형태의 판상왁스로서(그림 6-5A), 인상체에 석고를 붓기 전에 인상체 주위를 띠 모양으로 테두리를 막아 모형의 베이스에 맞는 크기와 형태를 형성하고 인상체 주변에 석고가 흘러내리지 않도록 돌려 붙일 때 사용한다(그림 6-5B, C). 박싱 왁스는 실온에서 쉽게 성형이 가능하며, 인상체에 쉽게 부착된다.

(2) 유틸리티 왁스(utility wax)

여러 가지 작업의 편이성을 위하여 사용되는 왁스이다.

유틸리티 왁스는 주로 적색, 오렌지색의 가늘고 긴 막대 형태(그림 6-6)나 판 형태의 왁스로서 인상용 트레이의 형태와 크기 수정, 보철 작업 시 임시 고정용, 교정용 브라켓에 의한 구강점막 손상 보호 등 다양한 작업의 편이성을 위해 사용하는 왁스이다(그림 6-7). 연성과 유동성이 높아 상온(21~24℃)에서 쉽게 조작되는 작업성과 잘 부착되는 부착성

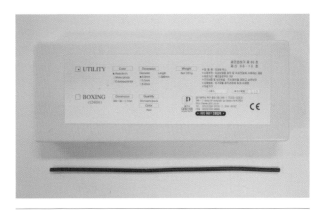

그림 6-6. 유틸리티 왁스

을 가지고 있다.

유틸리티 왁스는 밀납, 바셀린, 연질왁스로 구성된다.

(3) 스티키 왁스(sticky wax)

스티키 왁스는 왁스와 레진의 혼합물로 구성된다. 실온에서는 접착성이 없고 단단하여 부러지는 성질을 갖지만 연화되면 우수한 접착력을 가져 일시적인 접착이 필요할 경우 사용된다. 석고 등 치과재료와 쉽게 구분되도록 선명한 색으로 되어있다(그림 6-8).

3) 인상용 왁스

(1) 수정인상용 왁스(corrective impression wax)

1차 인상채득 후 연조직 인상의 작은 부분을 수정하기 위하여 인상체의 수정부위에 흘려 넣고 다시 구강 내에 적용하여 인상을 채득한다. 함몰 부위가 있으면 인상체 제거 시

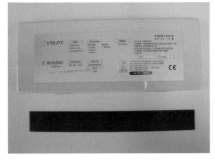
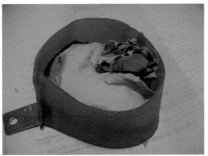
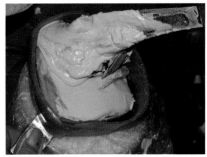

그림 6-5. A:박싱왁스, B, C: 박싱왁스를 이용한 모형제작 과정

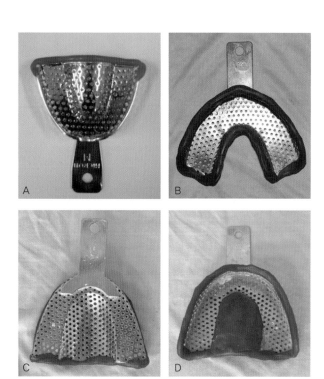

그림 6-7. 유틸리티왁스를 이용하여 트레이 가장자리를 보호한 사진

변형될 수 있으므로 무치악에만 사용이 가능하다. 흐름 특성은 37℃에서 100% 이지만, 상온에서는 단단하다.

(2) 교합인기용 왁스(bite registration wax)

교합인기용 왁스는 바이트 왁스(bite wax)라고도 하며 작업 모형과 대합치 모형의 교합관계를 정확히 인기하거나 환자 고유의 교합관계를 채득할 때 사용하는 왁스이다. 파라핀이나 세레진으로 제조하며 강도 강화를 위해 알루미늄이나 구리 입자를 첨가하기도 한다(그림 6-9).

37℃에서의 흐름성은 2.5~22% 범위로 구강 내에서 제거 시 변형이 일어날 수 있으며, 보관 조건에 따라 정확성과 안정성이 떨어질 수도 있다. 최근에는 고무 인상재를 이용한

그림 6-8. 스티키 왁스

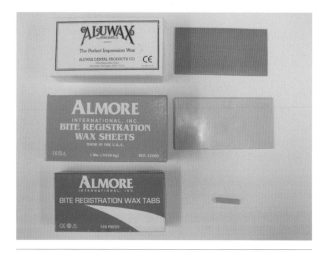

그림 6-9. 교합인기용 왁스

교합인기용 재료가 사용되기도 한다(그림 6-10). 실리콘 타입의 교합인기용 재료는 구강 내에서 열 발생이 없고 강도가 높으며, 온도나 시간에 따른 변형이 없는 것이 특징이다. 경화시간은 약 30초 정도이다.

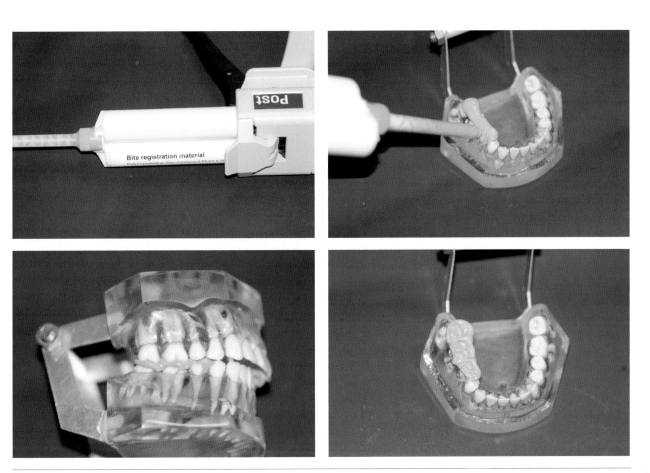

그림 6-10. 고무 인상재를 이용한 교합인기용 재료

≫≫ Summary

- 왁스는 실온에서 고체 상태이며 열가소성을 나타내는 재료이다. 왁스는 지방산 및 알코올과 에스테르 등으로 구성되는 유기분자로 광물, 동물, 식물, 곤충에서 얻을 수 있는 천연왁스와 다양한 화학조성을 갖는 합성왁스가 있다.
- 치과용 왁스는 서로 다른 용융온도를 가지고 있는 여러 가지 왁스로 구성되므로 일정한 용융온도범위가 존재한다. 용융온도가 높은 왁스성분이 많이 첨가될수록 전체적인 용융온도가 상승한다.
- 열팽창계수란 온도를 높이면 팽창하고 낮추면 수축하는 성질인데, 열팽창계수가 크다는 것은 온도변화에 의한 크기 변화가 심하다는 것으로 납형을 취급할 때 온도변화에 의한 크기 변화가 발생되지 않도록 주의하여야 한다.
- 왁스의 탄성계수와 비례한계, 압축강도는 다른 재료와 비교하여 매우 낮으며 이런 성질은 온도에 의해 영향을 받는다.
- 왁스는 구강 내 온도에서 흐름성을 나타낼 경우 납형을 치아로부터 제거할 때 변형이 일어날 수 있으므로 구강 내 온도에서는 거의 흐름성이 없어야 한다.
- 왁스가 외력을 받아 변형이 일어날 때 가해진 외력이 모두 변형을 일으키는 데 사용되지 않고 일부는 왁스 재료 내에 잔존응력으로 남아있게 된다. 이러한 잔존응력을 최소화하기 위해서는 가급적 납형을 바로 매몰해야 한다.
- 왁스는 용도에 따라 패턴용(pattern), 작업용(processing), 인상용(impression) 왁스로 나눌 수 있다.
- 패턴용 왁스에는 인레이 왁스, 주조용 왁스, 베이스플레이트 왁스가 있으며, 작업용 왁스는 박싱 왁스, 유틸리티 왁스, 유틸리티 왁스, 스티키 왁스가 있다. 인상용 왁스에는 수정인상용 왁스와 교합인기용 왁스가 있다.

≫≫ Learning Activities

1. 인레이 왁스로 왁스 패턴 제작과정을 알아보자.
2. 다양한 왁스들을 용도별로 간단히 사용해보자.

Review Questions

01 구강 내에서 납형을 제작할 때 사용하는 왁스는?

① 연질 인레이 왁스(soft inlay wax)

② 경질 인레이 왁스(hard inlay wax)

③ 주조용 왁스(casting wax)

④ 스티키 왁스(sticky wax)

02 왁스가 외력을 받아 변형이 일어날 때 일부는 왁스 재료 내에 남아있게 되는데 이러한 성질을 무엇이라 하는가?

① 용융온도범위 　　② 잔존응력

③ 흐름성 　　　　　④ 취성

03 인레이 왁스의 요구사항이 아닌 것은?

① 납형의 제작부터 소환까지 크기와 형태가 변하지 않아야 한다.

② 다이의 와동 변연부를 다듬을 때 왁스가 깨지거나 기구에 달라붙지 않아야 한다.

③ 왁스의 소환 시 매몰재에서 모두 제거되어야 한다.

④ 왁스의 색과 모델 다이의 색이 균일해야 한다.

04 다음 중 작업용 왁스가 아닌 것은?

① 박싱 왁스(boxing wax)

② 유틸리티 왁스(utility wax)

③ 스티키 왁스(sticky wax)

④ 인레이 왁스(inlay wax)

05 다음에서 설명하는 왁스는?

① 스티키 왁스(sticky wax)

② 유틸리티 왁스(utility wax)

③ 박싱 왁스(boxing wax)

④ 인레이 왁스(inlay wax)

 정답 | 1. ② 2. ② 3. ④ 4. ④ 5. ③

참고문헌

1. 정인성, 정경풍, 차성수, 허성윤. 치과재료학. 신광출판사. 2000.

2. 치위생과치과재료학연구회. 최신치과재료학. 고문사. 2007.

3. 한국치과재료학교수협의회. 치과재료학 5판. 군자출판사. 2008.

4. 한국치과재료학교수협의회. 치과재료학 7판. 군자출판사. 2015.

5. Anusavice KJ. Phillips Science of Dental Materials. 1th ed. Philadelphia: Saunders. 2003.

6. John F. McCabe and Angus W.G. Walls. Applied Dental Materials. 9th ed. Blackwell. 2008.

PART 07

치과용 합금 및 주조

01 치과용 합금
Dental Alloy

✔ 치과용 귀금속 합금에 사용되는 금속의 종류와 특성을 설명할 수 있다.
✔ 치과용 비귀금속 합금에 사용되는 금속의 종류와 특성을 설명할 수 있다.
✔ 금속-세라믹금관용 합금의 종류와 특성을 설명할 수 있다.

●━━●━━●━━●━━●━━━

치과 수복 및 장치물 제작에 있어 심미성을 중요시 하는 경우에는 레진이나 세라믹 소재의 사용빈도가 늘어나고 있으나, 교합력을 중요시하는 부위에서는 치과용 합금이 꾸준히 사용되고 있다.

합금(alloy)이란 두 종류 이상의 금속 원소를 혼합시켜 만든 재료를 말한다. 치과용 금속은 구강 내 교합압을 고려해 순금속보다는 대부분 합금의 형태로 사용한다.

합금을 만들기 위해서는 여러 금속이 첨가되는데 첨가 금속들은 합금의 강도, 내식성 또는 용융점을 개선시키기 위해 사용된다. 치과위생사는 합금의 특성과 성질을 잘 알고 있어야 금속의 변색이나 강도, 연마나 심미성 등의 여러 가지 문제를 환자에게 바르게 설명해 주고 올바르게 보철물을 관리할 수 있다.

1. 치과용 합금의 분류

치과용 합금은 금합금, 코발트-크롬 합금, 니켈-크롬 합금, 티타늄 합금, 금속-세라믹용 합금으로 분류할 수 있다. 또한 성분에 따라 귀금속 합금, 비귀금속 합금으로, 사용목적에 따라 충전용, 보철용 합금으로, 사용형태에 따라 주조용, 가공용으로 구분할 수 있다.

본 장에서는 성분에 따라 귀금속 합금과 비귀금속 합금으로 나누어 치과용 합금의 특성을 알아보고자 한다.

2. 치과용 귀금속 합금

치과용 귀금속 합금은 금을 기본성분으로 하여 백금, 팔라듐, 은 등의 귀금속 원소와 동, 아연, 인듐 등의 비귀금속 원소가 포함되며, 그밖에 이리듐, 로듐 등의 백금족 원소가 첨가된다. 각 구성 성분의 역할은 다음과 같다.

1) 금(gold, Au)

금은 전기 양도체가 은(Ag), 동(Cu) 다음으로 좋으며, 금속 중에서 전성 및 연성이 가장 좋다. 또한 주조성과 내식성이 우수하다.

합금 내 금의 함량은 캐럿(carat, K), 백분율(%), 순도(fineness, F) 등으로 표시할 수 있다.

예를 들어 75%의 금 함량은 18 K이며, 750 F로 나타낼 수 있다. 치과용 합금으로 적절한 내식성을 부여하기 위해서는 적어도 16 K 이상이어야 한다.

금은 연하고 전성이 풍부하며 산소 및 유황과 반응하지 않아 공기 중에서 안정하다. 구강 내에서 변색하는 경우가 있지만 부식하는 경우는 없다.

2) 백금(platinum, Pt)

백금은 은백색의 금속으로 내식성이 우수하고 대기 중에서 가열하더라도 거의 산화되지 않는다. 융점이 높으며 가공성이 풍부하여 가공이 용이하다.

합금의 강도를 증가시키고 부식저항성을 향상시키며 용융온도를 상승시킨다. 금합금에 10% 첨가하면 백색화되어 금합금의 황금색이 사라진다.

3) 팔라듐(palladium, Pd)

팔라듐은 합금을 경화시키고 부식저항성을 향상시킨다. 백금과 화학적 성질이 비슷하고 가격이 저렴하여 백금의 대용합금으로 사용되고 있다. 특히 은의 황화를 방지하는데 매우 효과적이나 6% 이상 첨가되면 합금을 백색화 시킨다. 또한 가열하면 수소기체를 다량 흡수하는 성질이 있다. 다른 금속과 합금화가 쉽고 산에 대한 저항성은 백금족 원소 중 가장 낮다. 그러나 융점을 상승시키므로 합금에 다량 함유되어서는 안된다.

4) 은(silver, Ag)

은은 전성과 연성이 금(Au) 다음으로 우수하며, 보통 상태에서는 산소와 반응하지 않고, 금처럼 내식성이 우수하다. 그러나 황(S) 이온을 함유하는 용액에 의해, 가스가 있는 공기 중에서 방치하면 검게 변한다. 팔라듐(Pd)을 첨가하면 구강 내의 부식을 방지할 수 있다. 은 25% 첨가되면 약한 녹색을 띄고, 합금을 백색화하는 경향이 있으며, 금-동 합금에서 동으로 인한 붉은 색을 중화시킨다. 은 함량은 보통 20%이하로 사용한다.

5) 동(copper, Cu)

동은 적색의 금속으로 금, 은과 함께 많이 사용되어 왔으며 연성과 전성이 좋고 은 다음 가는 전기의 양도체이다.

금에 동이 첨가되면 융점이 떨어지고, 고용체 강화가 생겨 합금은 강화되며 경화 처리를 가능케 한다. 금합금에 동이 함유되면 합금이 붉은색을 띠며, 내식성은 저하된다. 또한 금합금의 밀도를 낮추고, 강도와 경도를 증가시키나 다량으로 첨가되면 변색이 잘되고, 부식 저항성과 주조성이 떨어진다.

6) 아연(zinc, Zn)

아연은 치과용 귀금속 합금에 약 0.5% 정도의 적은 양이 첨가되며 주조 시 탈산제 역할을 하며 주조성을 향상시킨다. 경도를 증가시키며 용융온도를 낮춘다.

7) 인듐(indium, In), 주석(tin, Sn), 철(iron, Fe)

인듐은 용융온도를 낮추고 탈산효과가 있으며 특히 주석과 함께 금속-세라믹 합금에 사용되어 합금 표면에 산화물을 형성시켜 세라믹과의 결합에 기여한다.

백금족 원소(platinum group)는 백금(Pt)을 비롯하여 팔라듐(Pd), 이리듐(Ir), 로듐(Rh), 오스뮴(Os), 루테늄(Ru)을 말한다. 이 중 이리듐(iridium, Ir), 로듐(rhodium, Rh), 루테늄(ruthenium, Ru) 등을 소량 첨가하면 결정립 미세화 효과를 얻을 수 있다.

다음은 기계적 특성에 따른 치과용 귀금속 합금의 권장 용도이다(식품의약품안전청 고시, 제2008-41호, 치과용 귀금속 합금, 2008. 7. 1).
① 제0형(연질): 단일치아용 고정성 수복물(간단한 인레이(O cavity), 금관(crown) 등)
② 제1형(연질): 단일치아용 고정성 수복물(2면이나 3면(BO, LO, MOD cavity), 금관 등)
③ 제2형(중질): 단일치아용 고정성 수복물(2면이나 3면(BO, LO, MOD cavity), 온레이(onlay), 금관 등)
④ 제3형(중질): 다수의 고정성 수복물(온레이, 얇은 합금 이장, 의치, 금관과 계속가공의치)
⑤ 제4형(초경질): 높은 응력을 받는 얇은 부위로 구성된

장치(가철성 국소의치, 클래스프(clasp), 얇은 전장 치관, 넓은 또는 작은 결손치 부위의 계속가공의치, 바(bar), 어태치먼트(attachment), 임플란트 용 상부 구조물)

⑥ 제5형(초경질): 고강도와 고탄성계수가 모두 요구되는 부위로 구성된 장치(얇은 가철성 국소의치, 단면적이 얇은 장치, 클래스프 등)

합금을 고온으로 가열하거나 냉각속도를 조절하여 합금의 성질을 개선시키는 방법으로 열처리가 있는데, 치과용 귀금속 합금의 열처리는 연화열처리와 경화열처리로 나눌 수 있다.

연화열처리는 주조한 수복물을 750℃에서 15분간 가열한 후 물속에 담가 급냉시키는 방법으로 강도 및 경도는 감소하고 연성은 증가한다.

철을 주성분으로 하는 강(steel)의 경우, 강도를 증가시키기 위하여 가열한 후 급냉하지만, 치과용 귀금속 합금은 그와 반대로 서냉하면 강도가 증가한다. 따라서 경화열처리는 연화열처리한 수복물을 약 370℃에서 15분간 가열한 후 서냉하면 강도, 경도는 증가하고 연성은 감소한다.

3. 치과용 비귀금속 합금

치과용 비귀금속 합금은 조성에 따라 코발트-크롬(Co-Cr) 합금, 니켈-크롬(Ni-Cr) 합금, 스테인리스강, 티타늄 및 티타늄 합금 등으로 분류할 수 있다.

1) 코발트-크롬(Co-Cr) 합금

코발트-크롬 합금은 기계적 성질이 우수하고 내식성이 뛰어나다. 주조용 코발트-크롬 합금은 스텔라이트(stellite)로 더 잘 알려져 있다.

주성분인 코발트가 45~75% 함유되어 있고 크롬이 15~25%, 이외에 몰리브덴(Mo), 텅스텐(W) 등이 첨가되어 있다. 용융온도가 높고, 연마가 어려워 치과 영역에서 금관용으로는 사용하지 않고 국소의치의 구조물, 클래스프, 바, 교정용 선재 등의 용도로 쓰인다.

2) 니켈-크롬(Ni-Cr) 합금

니켈 70~80% 와 크롬 약 15%, 그 외에 알루미늄(Al), 베릴륨(Be), 망간(Mn) 등이 첨가된 합금으로, 치과 영역에서는 금속-세라믹용 합금, 금관, 의치상 클래스프, 바, 교정용 선재, 유치의 임시치관의 용도로 사용되고 있다.

3) 스테인리스강(stainless steel)

스테인리스강은 철을 주성분으로 하며, 내식성 향상을 위하여 크롬(Cr)을 첨가하고, 그 외에 니켈(Ni), 망간(Mn), 탄소(C) 등이 함유된 합금이다. 주조하여 사용하지는 못하며 주로 가공용으로 사용된다.

치과 영역에서는 주로 교정용 브라켓, 임시용 공간유지장

표 7-1. 치과주조용 귀금속합금의 기계적 특성에 관한 요건

분류	최소항복강도(0.2%), (MPa)	파절 후 최소 연신율 최소	최소 탄성계수(GPa)
0	–	–	–
1	80	18	–
2	180	10	–
3	270	5	–
4	360	2	–
5	500	2	150

(ISO 22674: 2006)

치(space maintainer), 교정용 선재와 파일 및 리머 등의 보존용 기구에 사용된다.

4) 티타늄(titanium) 및 티타늄 합금

티타늄(Ti)은 우수한 생체적합성, 부식 저항성을 가지고 있어 임플란트 재료로 가장 많이 사용되고 있다. 무게는 금의 1/4 정도이며, 높은 강도를 보이며 반응성이 매우 높아 공기와 접촉하면 산화막을 형성하기 때문에 임상에서 도재 소부용으로 응용된다.

순 티타늄은 우수한 생체 적합성 때문에 임플란트 재료로 가장 많이 사용되고 있다. 티타늄은 반응성이 좋고 공기 또는 체액과 접촉하면 산화된다. 이러한 반응은 생체부식을 최소화하기 때문에 임플란트 재료에 바람직하다. 합금으로는 Ti-6Al-4V가 대표적인 임플란트 소재로 사용되고 있다.

4. 금속 주조체 구조물에 세라믹 접착 시 사용하는 합금

1) 고금 합금

도재 소부용 합금으로 처음 사용된 합금으로 85% 이상의 금, 6% 팔라듐, 4% 백금을 함유한다. 경화를 위해 철(Fe), 도재와 금속간의 결합을 위해 주석(Sn), 인듐(In)등을 소량 첨가하기도 한다.

2) 팔라듐-은 합금

50~60% 팔라듐, 30~40% 은을 함유하며 금 합금보다 낮은 밀도를 가진다. 합금 원소인 은은 도재를 녹색으로 변색시킨다.

3) 팔라듐-동 합금

70~80% 팔라듐, 10~15% 동, 5~10% 칼륨을 함유한다. 팔라듐-은 합금과 성질이 유사하며 은은 첨가되지 않아 도재의 녹색 변색이 없다.

4) 니켈-크롬 합금

70~80% 니켈, 15% 크롬, 소량의 알루미늄, 베릴륨, 망간을 함유한다. 주조, 납착의 어려움이 있으며 강도가 크기 때문에 도재의 파절을 막을 수 있다.

5. 귀금속 합금과 비귀금속 합금의 차이

비귀금속 합금은 귀금속 합금보다 용융온도가 높으며, 강도 및 경도는 금 합금보다 2배 정도 높다. 비귀금속 합금의 비중은 귀금속 합금의 1/2 정도이며, 비귀금속 합금은 귀금속 합금에 비하여 주조 수축이 커서 변연적합성이 나쁘다.

6. 치과용 합금의 생체 친화성

니켈(Ni) 가루를 과량 흡입하면 피부염, 폐렴, 비강암, 후두암 등을 유발할 수 있다. 베릴리움(Be)은 접촉성 피부염, 폐렴, 기침, 가슴통증, 폐 기능 이상뿐만 아니라 암 유발 가능성도 있으므로 사용에 유의해야 한다.

⋙ Summary

• 금은 합금 형태로 사용되며 내부식 및 내 변색성을 부여하고 동은 금에 경도와 강도를 증가시키며 은은 강도와 경도 증가, 변색저항성을 낮추고, 백금은 용융점을 증가시키며 팔라듐은 수소를 흡수, 이리듐은 결정립 미세제(grain refiner), 아연은 탈산제 역할을 하여 기포를 감소하며 철, 주석, 인듐은 금속-세라믹용 합금의 경화제 및 결합제 역할과 용융온도를 증가시킨다.

• 귀금속 합금은 귀금속 함량이 98%인 합금이다. 팔라듐-은 합금은 금 합금 보다 밀도가 낮으며 가격이 저렴하나 세라믹 소성 중 은의 증발과 확산으로 세라믹이 녹색으로 변색되는 문제점이 있다. 팔라듐-동 합금은 휨성이 높아 6전치와 같은 긴 브릿지(bridge)에는 사용하지 않는다. 니켈-크롬 합금은 고가의 귀금속 합금 대용재료로 조성에 따라 다양한 기계적 성질을 갖는다.

• 코발트-크롬 합금은 국소의치 구조물(framework)을 제작하는 데 사용하고 티타늄 합금은 임플란트에 주로 사용된다.

⋙ Learning Activities

1. 임상에서 사용되고 있는 주조용 금속들의 구성성분을 알아보자.

Review Questions

참고문헌

1. 한국치과재료학교수협의회. 치과재료학 5판. 군자출판사. 2008.

2. 한국치과재료학교수협의회. 치과재료학 7판. 군자출판사. 2015.

3. Christensen G. Longevity Vs Esthetics in Restorstive Dentistry. J Am Dent Assoc 1998;129:1023-1024.

4. Farah JW, Powers JM, eds. 20 years of all-ceramic restoration : 1982-2002. Dent Advisor 2002;19(8):1-6.

01 다음 〈보기〉 중 티타늄에 관한 설명으로 옳은 것은?

> 가. 금보다 1/4정도가 가볍다.
> 나. 강도가 높다.
> 다. 생체 친화성이 우수하다.
> 라. 부식저항이 높다.

① 가, 나, 다   ② 가, 다

③ 나, 라   ④ 라

⑤ 가, 나, 다, 라

02 니켈-크롬 합금이 금합금에 비해 갖는 장점은?

① 변연적합성이 좋다.

② 연마가 용이하다.

③ 주조수축이 적다.

④ 마모저항성이 적다.

⑤ 강도 및 경도가 높다.

02 치과용 합금의 주조
Casting

✓ 치과 주조법의 단계를 설명할 수 있다.
✓ 주조체의 수축을 보상하는 방법을 설명할 수 있다.

●-●-●-●

주조(casting)는 금속의 주조성을 이용하여 원하는 모양과 크기의 주조체를 만드는 방법을 말한다. 주조는 구강 내에서 제작하기 힘든 복잡한 형상의 것을 만드는데 편리하다.
주조방법은 다양하지만 일반적으로 어떤 모양과 크기의 주조체를 만들고자 할 때, 먼저 모형재에 왁스를 이용하여 원하는 형태와 크기의 납형을 만들고 매몰재를 사용하여 주형을 제작한 후 주형의 몰드에 녹은 금속을 주입하는 방법으로 진행한다.
치과위생사는 임상에서 보철물의 주조 과정을 정확히 이해하고 있어야 주조 시 소요되는 시간을 예측하고, 보철물을 장착한 환자에게 사용방법과 취급 시 주의사항에 대한 정확한 정보를 제공할 수 있다.

1. 주조법(casting)

주조란 내화성 재료로 주형(casting mould)을 형성한 다음 여기에 녹인 금속을 주입하여 원하는 모양과 크기의 주조체를 만드는 것을 말한다. 주조에 의한 수복물의 제작은 수복물의 종류, 크기, 주조용 합금에 따라 다르지만 일반적인 과정은 비슷하다.

이전 장에서 왁스, 합금에 대해 이해했다면 이 장에서는 납형을 만드는 방법, 주조용 링 내의 납형 위치와 매몰, 합금의 용융 및 주조에 대해서 다루도록 한다.

주조과정은 먼저 모델이나 다이에 왁스를 이용한 납형을 제작한 후, 납형에 주입선 핀을 부착한다.

주입선 핀은 용융된 합금의 도가니 역할을 하게 되는 원추대에 고정한다. 납형 주위에 주조용 링과 완충재를 위치시킨 후, 매몰재를 부어 납형을 완전히 매몰한다.

주형을 전기로에서 가열하는 소환(burnout)과정을 거쳐

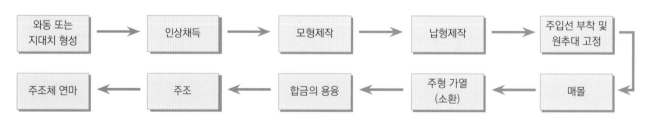

그림 7-1. 주조체 제작과정

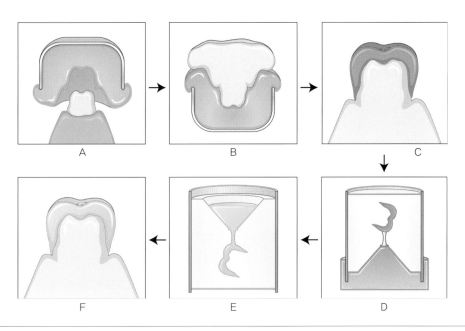

그림 7-2. 금관제작과정(A: 인상채득, B: 작업모형제작, C: 납형제작, D: 매몰, F: 완성된 금관의 시적, E: 주조시행, F: 완성된 금관의 시적)

원심주조기의 도가니 부위에서 합금을 녹여 원심력을 이용하여 녹은 금속이 주형의 빈 공간을 채우도록 한다.

주조체가 냉각되면 주입선을 잘라내고 연마를 통해 마무리한다(그림 7-1, 2).

1) 납형 제작

납형은 인레이 왁스나 주조용 왁스를 이용하여 직접법(direct method)과 간접법(indirect method)으로 제작한다. 납형의 제작방법에는 압접법과 적층법이 사용된다. 간접법에는 적층법이 사용되며, 직접법은 압접법이 사용된다.

직접법은 제II형 왁스를 사용하며, 적당한 연화를 통해 구강 내 와동에서 직접 납형을 제작하는 방법이다. 이 때 왁스를 지나치게 가열하면 환자의 불쾌감, 조직의 손상과 지나친 유동성으로 인한 사용상의 어려움 등이 있으므로 적당히 가열하도록 해야 한다.

간접법은 제I형 왁스를 사용하여 구강내의 상태를 인상채득하여 만든 모형상에서 납형을 제작하는 방법으로(그림 7-3), 흐름성 있는 왁스를 압접하거나 왁스를 녹여 모형에서 제작하고자 하는 보철물의 형태를 만드는 방법이다.

그림 7-3. 간접법을 이용한 납형 제작

주조체는 왁스소실법(lost-wax technique)을 이용하여 만들어진다.

납형을 주조용 링에서 소환을 통해 모두 제거하고, 그 빈 공간에 녹은 합금을 주입한다.

2) 주입선 핀의 부착

납형이 제작되면 바로 주입선 핀(sprue pin, sprue former)을 부착한다.

주입선 핀의 역할은 매몰 시 납형 고정, 매몰 후에 소환 시 녹은 왁스가 빠져 나오는 통로와 주형에 녹은 금속이 주입되는 역할을 한다.

주입선은 주조체가 변형되지 않고 가장 잘 만들어질 수 있는 길이와 직경을 고려하여 위치시킨다. 주입선 핀은 용융된 금속이 흘러 들어가 공동을 채우기 전에 주입선에서 고체화되는 것을 방지하기 위하여 굵고 짧게 부착되는 것이 좋다. 직경이 가는 주입선 핀을 사용하게 되면 녹은 합금이 주입될 때 통로가 금방 응고되어 금속이 주입되기 어려워진다. 따라서 통로가 늦게 응고되도록 하기 위해 주입선 핀의 직경을 납형의 최대 두께보다 두껍게 부착하거나 납형에서 1 mm 위쪽에 리저버(reservior)를 붙여야 한다(그림 7-4).

3) 원추대 고정

주입선 핀이 부착된 납형은 모형으로부터 조심스럽게 분리한다. 분리된 납형은 바로 원추대(sprue base)에 고정한다. 원추대의 역할은 매몰재 내에서 납형의 위치를 정하고, 주형의 도가니 부분이 되어 이 부분에 금속을 녹여 주입할 수 있는 입구가 된다(그림 7-5).

4) 주조용 링과 완충재의 위치

납형을 원추대에 고정하고, 납형을 주조용 링(casting ring) 가운데 위치시키고 주조용 링 내면에 젖은 완충재를 위치시킨다(그림 7-6). 완충재는 금속의 주조수축을 보상하기 위해 매몰재의 팽창을 허용하는 역할을 한다. 완충재를 주조용 링 안에 위치시킬 때는 위 아래 3mm의 공간을 두어

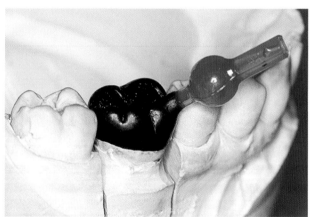

그림 7-4. 주입선 핀에 부착된 리저버

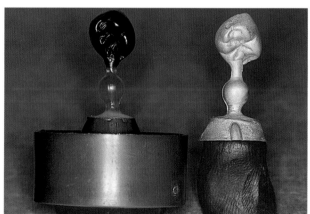

그림 7-5. 원추대에 고정된 납형

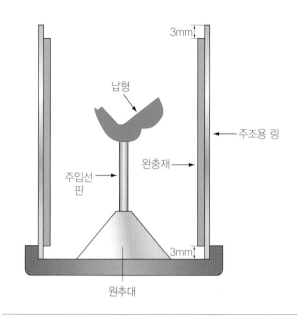

그림 7-6. 왁스 패턴을 매몰하기 위해 준비한 상태

그림 7-7. 매몰

매몰재 주형이 주조용 링에서 분리되는 것을 방지한다.

석고계 매몰재는 주형이 파손되지 않도록 금속재의 주조용 링이 사용되나 주조용 링을 사용하지 않는 링레스(ring-less) 주조를 하는 경우 금속 링처럼 경화팽창을 억제하지 않으므로 완충재를 사용하지 않고 합성수지로 된 주조용 링을 사용한다.

석고계 매몰재는 가열되면 부서지기 쉬우므로 주형의 파손 방지를 위해 금속제의 주조용 링이 사용되며, 주로 철 또는 스테인리스강으로 된 파이프가 사용된다.

5) 매몰(investing)

원추대에 고정된 납형을 주조용 링으로 둘러싼 후 매몰재로 채워 주형을 제작하는 과정을 매몰이라 한다(그림 7-7).

(1) 매몰재

매몰재는 내화재와 결합재로 구성되어 있다. 내화재(refractory material)는 이산화규소(SiO_2)인 크리스토발라이트(cristobalite) 혹은 석영(quartz)이다. 결합재(binder material)는 석고 혹은 인산염이다.

석고계 매몰재는 주로 금합금의 주조에 이용되고, 고온용융 귀금속이나 비 귀금속의 주조에는 사용할 수 없다. 그

이유는 석고계 매몰재의 주성분인 황산칼슘($CaSO_4$, calcium sulfate)이 700℃ 이상으로 가열하면 산화칼슘(CaO)과 이산화황(SO_2) 및 산소로 분해되어 금 주조체를 오염시키기 때문이다.

비귀금속 합금의 매몰에는 인산염계 매몰재를 사용하는데 인산염계 매몰재는 석고계 매몰재보다 내열성이 높기 때문에 고온 주조용으로 사용된다. 석고계 매몰재와 마찬가지로 실리카를 사용하지만, 결합재로 인산염을 사용하는 것이 다른 점이다.

(2) 매몰재의 팽창

납형 제작부터 주조까지는 수축과 팽창을 반복하는데 납형 제작과 합금 용융 후 냉각 시 발생되는 수축을 보상하기 위해 매몰재의 팽창을 이용한다. 매몰재의 팽창은 경화팽창, 수화팽창, 열팽창이 있다.

매몰재의 경화팽창은 경화되는 동안 석고 결정체가 만들어지는 것으로, 경화 시 0.25% 팽창한다. 수화팽창은 매몰재의 광택이 소실되기 전까지 추가적으로 물을 공급하여 발생하는 것으로 경화팽창량의 2~4배 정도로 팽창한다.

열팽창은 납형을 녹여서 제거하고 용융된 합금이 주형에 원활하게 주입되게 하기 위해 매몰재를 가열하는 과정에서 발생하는 것으로 크리스토발라이트가 약 1.4%, 석영 매몰재는 0.8% 정도이다.

매몰재의 열팽창을 유도하기 위해 금합금은 석고계 매몰재를 이용하며, 450~700℃의 범위에서 천천히 소환하거나 빠르게 소환할 수 있다. 비귀금속 합금인 니켈-크롬(Ni-Cr)

합금은 대략 700~900℃에서 소환하며, 코발트-크롬(Co-Cr) 합금은 1,000℃에서 인산염계 매몰재를 이용하여 주조한다.

매몰재의 팽창이 주조용 링 내에서 균일하지 않으므로 주조체의 변형을 최소화하기 위하여 납형은 주조용 링의 가운데 위치시키며, 매몰재는 다공질이고 두껍지 않아야 내부 기체가 모두 빠져나가 주조체가 정밀하게 만들어 질 수 있다.

매몰재가 경화되면 주조용 링에서 원추대를 조심스럽게 분리한다.

6) 소환(burnout)

소환은 납형의 왁스를 완전히 제거하여 정확한 공동을 만들고 주형을 적절히 열 팽창시켜 주조수축을 보상하고, 주형의 온도를 높여 액체 금속의 유입 시 냉각 및 응고에 의한 주조실패를 방지하기 위해 전기로 안에서 서서히 가열시키는 것을 말한다(그림 7-8).

처음에는 왁스를 주형 내에서 완전히 제거하기 위해 가열로(furnace)에서 주입선을 아래쪽으로 하여 왁스가 액체 상태로 흘러 내려가게 하고, 30분 후에는 산소가 쉽게 들어가도록 주조용 링을 뒤집어 주입선이 위로 가게 하여 왁스를 기화시킨다.

석고계 매몰재로 만든 주형은 매몰재 성분 중의 황산칼슘이 700℃ 이상에서 이산화 황으로 분해되어 주조 금속을 오염시킴으로 주조체의 취성을 높이게 된다. 따라서 주조 시에는 온도조절이 잘되는 전기로(electric furnace)를 사용한다.

7) 합금의 용융

납형이 주조온도에 도달하면 합금을 녹여 주형 공동으로 신속하게 주입한다. 합금을 용해하면 그 과정에서 산화가 일어나거나 산소나 수소, 유황 등의 가스를 흡수하여 주조체의 성질이 저하되거나 오염되므로 융제(flux)를 첨가하거나 잘 조절된 불꽃의 환원대로 가열해서 산화를 방지한다.

융제는 녹은 금속의 표면을 막으로 피복하여 산소와 금속의 접촉을 차단하여 산화를 방지하고 금속 산화물을 흡수 제거하는 작용을 갖고 있다.

융제로는 금 합금에는 붕사(borax)가 사용되며, 500℃ 이하 또는 1,100℃ 이상의 융점을 갖고 있는 합금은 융제를 사용하지 않는다.

8) 주조

주조과정은 주조용 합금을 용융하여 주형의 공동으로 주입시키는 것이다(그림 7-9). 치과용 합금의 주조에 사용하는 방법은 원심주조기(centrifugal casting machine)를 이용한 원심주조법이다. 주조온도가 높을수록 주조체에 용융된 금속이 잘 주입되어 주조성이 향상되지만, 주조온도와 주조압에

그림 7-8. 전기로 안에 위치한 주조용 링

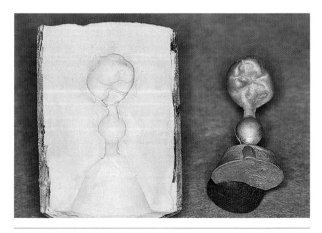

그림 7-9. 소환 후 주형 내의 공간과 완성된 주조체

의해 주조 결함이 생기게 된다.

전기로에서 가열된 주형을 꺼내서 원심 주조기에 위치시킨 후(그림 7-10) 합금을 녹여 주조를 시작한다. 합금이 충분히 용융되면 원심주조기를 회전하여 녹은 합금을 주입한다.

금합금은 주조체를 연화시키고, 연마의 용이성을 위해 물속에 넣어 급냉시킨다. 비귀금속 합금은 급냉하면 금속이 단단해지므로 실온에서 천천히 냉각시킨다.

9) 주조체 연마

냉각되면 주조용 링과 매몰재에서 주조체를 분리시킨 후, 솔, 샌드블라스트(sandblast), 초음파 세척기를 이용하여 주조체를 세척한다.

세척이 끝나면 50% 염산용액을 이용한 산세(acid pickling)에 의해 표면산화물을 제거하고 물로 깨끗이 세척한 후, 디스크(disc)와 버(bur)를 이용해 주입선을 절단한다.

주조체는 연마용 버와 고무 휠(rubber wheel) 등을 이용하여 연마한다.

10) 주조체의 결함

매몰재가 전기로에서 너무 빨리 열을 받게 될 때 기포가 발생한다. 이러한 기포는 주조 시 표면에 동글 동글한 모양

의 주조물을 형성하게 되며 마무리와 연마 시 많은 시간이 소요된다.

주조물의 기포는 주조물의 표면에 나타나거나, 연마나 마무리할 때 드러나는 경우가 있다. 매몰재가 파절된 부분 같은 지저분한 입자들이 남아 있어 주조체의 표면에 기포를 형성한다.

부정확한 주조물이 발생되는 원인은 여러 가지가 있지만, 주입선 핀의 수와 위치가 올바르지 않아 발생되는 경우가 많다.

합금이 완전히 용해되지 않았을 경우, 주조압의 부족과 용해된 금속 양의 부족, 낮은 주형 온도, 냉각 수축 시 주조체의 결함이 발생할 수 있다. 또한, 납형 제작에서부터 주조 과정까지 팽창과 수축이 균형 있게 발생해야 정확한 주조물을 만들 수 있다. 매몰재의 경화 팽창을 보상하기 위한 합금의 주조 수축이 정확한 크기를 보상할 수 있는 중요한 방법인데, 부정확한 매몰재의 열팽창 온도는 부정확한 주조물의 원인이 된다.

치과위생사는 임상에서 제작된 보철물을 환자에게 적용하기 전에 주조 결함이 발생되었는지 여부를 파악할 수 있어야 하며, 보철물 주조 시 소요되는 시간과 주조과정을 정확히 이해하여야 환자 관리에 올바르게 적용할 수 있다.

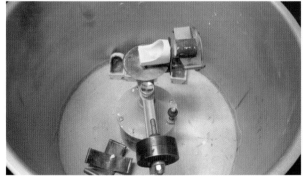

그림 7-10. 원심주조기

>>> Summary

- 주조체를 만드는 순서는 납형 제작 → 주입선 부착 → 매몰 → 소환 → 주조 → 주조체 연마 순이다.
- 왁스의 수축과 합금 수축은 왁스팽창과 경화팽창, 수화팽창, 열팽창으로 보상하여 준다.

>>> Learning Activities

1. 주조결함에는 어떤 것이 있는지 발표해보자.
2. 인레이 왁스를 이용해서 1급 와동에 인레이 납형을 만들어보자.

Review Questions

01 주조과정에서 수축을 보상할 수 있는 팽창현상이 아닌 것은?

① 경화팽창
② 수화경화팽창
③ 열팽창
④ 왁스팽창
⑤ 지연팽창

02 다음 금속의 주조과정 시 주의하여야 할 점이 아닌 것은?

① 즉시 매몰한다.
② 주형을 700℃이상 가열하지 않는다.
③ 주조 링 내면에 완충재를 깔아 주어 팽창 유도한다.
④ 주조체를 꺼낼 때는 금속집게를 사용한다.
⑤ 주조 후 1~2분 정도 냉각시킨 후 급냉시킨다.

참고문헌

1. 한국치과재료학교수협의회. 치과재료학 5판. 군자출판사, 2008.
2. 한국치과재료학교수협의회. 치과재료학 7판. 군자출판사, 2015.
3. Christensen G. Longevity Vs Esthetics in Restorstive Dentistry. J Am Dent Assoc 1998;129:1023-1024.
4. Farah JW, Powers JM, eds. 20 years of all-ceramic restoration: 1982-2002. Dent Advisor 2002;19(8):1-6.
5. Marica Gladwin, Michael Bagby. Clinical Aspects of Dental Materials: Theory, Practice, and Cases, 3rd. ed. Lippincott Williams & Wilkins, 2008, Chapter 1 and 2.
6. Powrers JM & Sakaguchi RL, eds. Craig's Restorative Dental Materials, 12th ed. St. Louis: Mosby, 2006, Chapter 14-19.
7. Wataha JC. Biocompatibility of Dental Casing Alloys: a review. J Prosthet Dent 2008;83:223-224.

정답 | 1.⑤ 2.④

PART 08

시멘트

01 시멘트
Cement

✓ 접착 및 수복재에 관하여 설명할 수 있다.
✓ 시멘트의 종류에 따른 특성을 설명할 수 있다.
✓ 치과용 시멘트의 취급법을 설명할 수 있다.

•—•—•—•—•--

치과용 시멘트는 인레이나 금관(crown), 계속가공의치(bridge) 및 기타 수복물과 여러 장치 등의 접착 및 고정을 위한 접착재로의 기능과 수복물에 기계적인 지지력을 제공하며 치수에 가해지는 압력이나 열충격을 차단하기 위한 수복재로서의 기능이 있다. 그러나 치과용 시멘트는 구강에서 시간이 지남에 따라 타액에 의해 침식되는 성질을 가지고 있어 영구성이 떨어지며 강도가 낮은 편이다. 따라서 치과위생사는 다양한 종류의 시멘트에 대한 특징을 이해하고 정확한 조작법을 습득하고 있어야 한다. 치과용 시멘트는 분말/액이나 연고형태로 공급된다. 연고형인 경우는 같은 길이로 분배하여 혼합한다. 치과용 시멘트의 종류에는 산화아연유지놀(zinc oxide eugenol), 인산아연(zinc phosphate cement), 글라스아이오노머(glass ionomer cement), 폴리카복실레이트(polycarboxylate cement), 레진(composite cement) 및 그 외 다양한 종류의 시멘트가 있다.

1. 수복물의 접착

수복물을 접착하는데 사용되는 접착용 시멘트는 $25\mu m$ 이하의 피막도를 갖고 있어야 하며, 시멘트의 점도가 높은 경우 피막도는 높아지며, 보철물의 변연부에 시멘트의 층이 두껍게 남게 된다. 시멘트 층이 두꺼운 경우 경화되는 과정에서 수분에 용해되거나, 보철물의 강도에 영향을 미칠 수 있다.

수복물의 유지력은 기계적 결합과 화학적 결합 또는 이 두 가지의 결합 기전이 동시에 진행되어 이루어지며, 수복물과 치면 사이의 미세한 공간을 시멘트가 충분히 적셔 주어야 유지력과 강도가 증가될 수 있다. 기본적인 기계적 결합과 더불어 화학적 결합이 병행된다면 치과용 시멘트의 유지력은 증가될 수 있다(그림 8-1).

2. 치과용 시멘트의 성분

치과용 시멘트로 사용되는 분말로는 산화아연분말, 유리분말이 있고, 액으로는 유지놀, 인산, 아크릴산이 사용된다(그림 8-2).

1) 분말(powder)
(1) 산화아연(zinc oxide)

불용성이며 무독성이고 반응성 산화물 또는 수산화물로 산 반응에 이용한다. 첨가제로 사용하는 산화알루미늄과 산화마그네슘은 산화물로 경화속도를 조절한다. 산화알루미늄은 매우 강하고 화학적으로 불활성이어서 시멘트의 기계적 성질을 보강해준다.

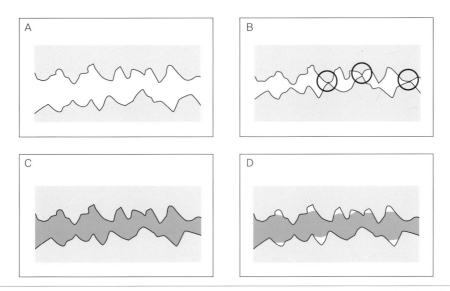

그림 8-1. 지대치-수복물 계면의 현미경 사진 A: 중간층이 시멘트로 채워진 모양 B: 시멘트의 적심성이 낮아서 기포가 형성된 모양 C: 중간층이 시멘트로 채워진 모양 D: 시멘트의 적심성이 낮아서 기포가 형성된 모양(Adapted from Anusavice KJ: Phillips' Science of Dental Materials, 11th ed., Saunders, 2003)

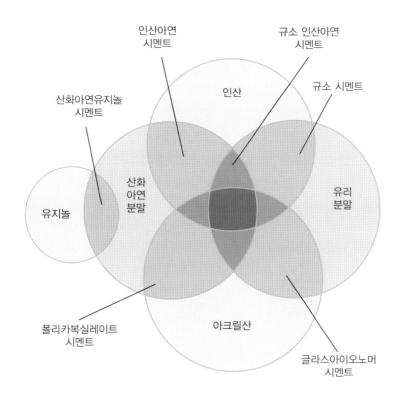

그림 8-2. 분말과 액에 따른 시멘트의 분류

(2) 유리분말(powdered glass)

유리(glass)의 silicon oxide는 매우 비반응적이지만, 충분한 양의 나트륨, 칼슘, 칼륨 등의 산화물을 첨가하면 글라스는 강산과 반응한다. 분말은 작고 반투명한 글라스 입자로 백색이며 불소와 결합하여 항우식효과를 유도할 수 있다. 또한 불소는 시멘트의 녹는 온도를 낮추고 용융된 글라스의 흐름성을 개선한다.

2) 액(liquid)

(1) 유지놀(eugenol)

유지놀은 약산의 유기 용액으로 clove oil의 주성분으로 냄새와 맛(clove)을 함유하고 있다. 항균작용과 치수의 자극을 감소시킨다. 콤포짓 레진수복재료의 경화를 억제하므로 유지놀이 함유된 시멘트는 제한적으로 사용해야 한다.

(2) 인산(phosphoric acid)

치과에서 사용되는 인산은 85% 인산을 사용하며 수분에 의해 희석될 수 있으므로 피부에 닿지 않도록 주의한다. 액이 탁해지면 변질된 것으로 폐기해야 한다.

(3) 아크릴 산(acrylic acid)

치과용 시멘트는 점성이 강한 30~50% 무게비의 아크릴산 수성 용액을 사용한다.

3. 인산아연 시멘트(zinc phosphate cement, ZPC)

인산아연 시멘트는 수세기 동안 치과에서 사용되어 온 가장 대중적인 재료로 산화아연(ZnO) 분말과 인산액(ortho-phosphoric acid)을 혼합하여 사용하는 시멘트이다. 주로 인레이, 금관, 계속가공의치, 교정용 밴드 및 다른 구강 장치의 접착에 사용되며, 베이스용으로도 사용된다. 다른 접착제에 비해 작업시간이 길다.

인산아연 시멘트는 긴 수명과 상아질과 비슷한 열전도율로 임상에서 많이 사용되고 있다.

1) 조성과 경화반응

분말의 조성은 90%의 산화아연(ZnO)과 2~10%의 산화마그네슘(MgO)으로 구성되어 있으며, 액은 45~64%의 인산과 30~55%의 물이 함유된 인산 수용액으로 이루어져 있다. 적절한 작업시간과 시멘트 성질을 부여하기 위해 분말과 액에 아연을 첨가(0~9%)하기도 한다. 공급형태는 분말과 액으로 이루어지며 용도에 따라 점주도를 조절하여 사용한다.

인산아연 시멘트는 분말이 액체에 혼합될 때 화학적 반응이 시작되어 알카리성 분말이 산 용액에 의해 용해된다. 그 뒤 산화아연과 인산의 산·염기반응에 의해 염을 형성, 경화 후 발열 반응이 일어난다.

산화아연 분말은 연한 노란색을 띠기 때문에 심미성에 영향을 준다.

2) 특성(표 8-1)

인산아연 시멘트는 다른 시멘트에 비해 강도가 높고 용해도는 낮다. 인산아연 시멘트는 단단하고 부서지기 쉬운 재료로 경화되어 과잉의 접착 재료는 경화되면 제거하기 용이하다. 그러나 성급히 제거하면 경화되지 않은 재료가 작은 조각으로 부서져 오히려 제거가 더 어려워진다.

작업시간은 3~6분이고 경화시간은 5~14분이다. 작업시간과 경화시간을 조절하는 가장 좋은 방법은 유리 혼합판의 온도를 조절하는 것이다.

유리 혼합판의 온도와 분말을 첨가하는 속도는 혼합 시 발생되는 열로 인하여 경화시간에 영향을 주므로 이점을 고려하여 작업시간을 조절해야 한다. 따라서 혼합판을 차갑게 하는 냉동판 혼합법(frozen slab method) 사용하면 작업시간을 연장할 수 있다. 냉동판 혼합법을 사용하는 경우 작업시간이 4~11분 길어지고, 접착 후 경화시간이 20~40% 정도 짧아지기 때문에 지대치가 여러 개의 가공의치의 접착 시 효과적이다. 냉동판 혼합법으로 혼합한 시멘트의 압축 및 인장 강도, 용해도는 보통 혼합한 경우와 차이가 없으며, 혼합판에 맺힌 물기가 혼합된 시멘트로 들어가게 되는 문제는 분말과 액의 비율을 높여줌으로서 보상한다.

인산아연 시멘트의 장점은 혼합이 쉽고 흐름성이 있는 점주도에서 급격히 경화되는 것이다. 그러나 치수가 자극되고

표 8-1. 치과용 시멘트의 특성

종류	경화시간(분)	피막도(mm)	24시간 후 압축강도(MPa)	24시간 후 간접인장강도(MPa)	탄성계수(GPa)	물에 대한 용해도(Wt.%)	치수 반응
Zinc phosphate	5.5	20	104	5.5	13.5	0.06	Moderate*
ZOE(Type I)	4.0~10	25	6~28	–		0.04	Mild
ZOE-EBA(Type II)	9.5	25	55	4.1	5.0	0.05	Mild
ZOE plus polymer(Type II)	6.0~10	32	48	4.1	2.5	0.08	Mild
Resin	2.0~4.0	< 25	70~172	–	2.1~3.1	0~0.01	Moderate
Polycarboxylate	6.0	21	55	6.2	5.1	0.06	Mild
Glass Ionomer	7.0	24	86	6.2	7.3	1.25	Mild to moderate

※ Note: Based on comparison with silicate cement, a severe irritant. ZOE, zinc oxide-eugenol; EBA, orthoethoxybenzoic acid

항균작용의 결핍과 취성, 산 용액에서의 용해성은 단점으로 지적될 수 있다.

인산아연 시멘트의 pH는 혼합 후 2분 정도까지 약 pH 1.6의 강산성, 경화 후 1시간까지의 pH는 4로 하강되고 24시간 후에야 pH가 6~7정도로 회복된다.

경화된 시멘트의 pH가 낮게 장기간 유지되면 심부와동은 장기간 치수자극을 받게 되므로 치수보호가 반드시 필요하다. 따라서 먼저 와동에 이장재(liner)나 바니쉬(varnish)를 도포하고 인산아연 시멘트를 사용한다. 혼합할 때 혼수비를 높여 신속한 경화가 일어나게 하여 최소화 시킬 수 있으며, 이장재로 수산화칼슘을 사용하면 치수에 미치는 영향을 줄일 수 있다. 시멘트의 혼합에 있어 낮은 혼수비와 부적절한 혼합 및 구강 내 타액의 노출은 압축강도와 탄성계수를 낮춘다.

3) 조작법(그림 8-3)

(1) 유리 혼합판(glass slab)에 분말과 액을 분배한다.

(2) 분말을 제조사의 지시에 따라 적절히 등분한다.

(3) 길고 좁은 스테인리스강 스파튤라를 사용하여, 1분 30초 동안 유리판의 넓은 면적을 활용하여 혼합한다.

(4) 많은 양의 분말을 한꺼번에 혼합하게 되면, 온도가 높아져 반응이 빨라져 점도가 급격히 높아지므로, 혼합

초기 분말을 조금씩 첨가하여 적절한 점주도로 조정한다. 점주도는 스파튤라에 1인치(inch) 정도 당겨 올라올 때가 가장 적당하다. 분말을 첨가할 때마다 혼합시간은 15~20초 정도로 총 혼합시간은 60~90초가 적당하다.

(5) 시멘트 스파튤라와 혼합용 유리판은 재료가 경화되기 전에 흐르는 물에 세척한다. 세척이 지연되면 경화된 재료의 제거가 매우 어려우므로, 베이킹소다(baking soda)수용액에 담그면 세척이 용이하다.

4. 개량형 인산아연 시멘트

개량형 인산아연 시멘트는 불소 또는 동 등을 첨가하여 항우식효과 및 살균효과를 나타낸다. 불화물을 첨가한 인산아연 시멘트는 교정용 밴드 접착에 적당하다. 불소유리가 장기간 지속되며, 교정용 밴드 하방의 법랑질 탈회 빈도를 감소시키기 위해 사용한다.

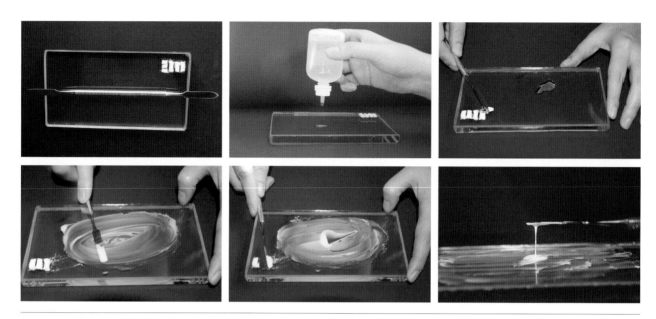

그림 8-3. 인산아연 시멘트의 혼합과정 A: 냉각된 glass slab에 액과 분말을 분배, B: 첫 분말 분량을 액에 혼합, C: 유리판 전면을 사용하면서 분말의 분량을 혼합체에 첨가, D: 접착 용도 시멘트 혼합체는 "string" 1inch를 형성, E: base 용도 시멘트 혼합체는 ball roll을 형성, F: 분배된 ZPC 액과 분말

5.산화아연유지놀 시멘트(zinc oxide eugenol cement, ZOE)

산화아연유지놀 시멘트는 밀봉이 잘 되고 생체친화성이 좋으며, 심부와동의 치수진통과 치수보호 또는 진정용 충전이 필요할 때 동통 완화효과를 나타낸다. 산화아연유지놀 시멘트는 수복물의 임시 시멘트, 치아의 임시충전 시 주로 사용한다(그림 8-4).

1) 조성과 경화반응
분말의 조성은 69%의 산화아연(ZnO)이며, 액은 85%의 유지놀(Eugenol)로 구성되어 있다(표 8-2).

경화반응은 먼저 산화아연의 가수분해가 일어난 후 수산화아연과 유지놀이 반응하여 무정형의 유지놀산 아연을 형성하면서 경화된다.

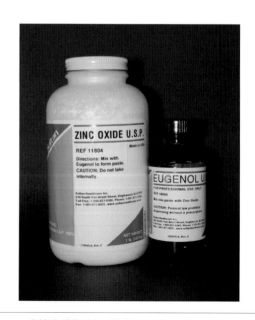

그림 8-4. 산화아연유지놀 시멘트

표 8-2. **산화아연유지놀 시멘트의 조성**

	분말	액
성분	산화아연 69%	유지놀 85%
	로진 29%	알코올이나 아세트산, 물
	아세트산 아연	

수복물을 장착 한 후 탈락되는 이유

- 시멘트의 액과 분말의 비율이 높은 경우
- 실내 온도가 높은 경우, 혼합판의 온도가 높은 경우.
- 혼합과 장착사이의 작업 시간이 연장된 경우
- 인산아연 시멘트나 산화아연유지놀시멘트의 혼합 시 물이 첨가되면 작업시간과 경화시간이 단축된다.

영구 수복물 접착 시 고려사항

- 금관을 영구적으로 접착시켜 줄 때는 재료의 높은 인장강도와 낮은 피막도 및 낮은 용해도가 중요한 요소이다. 정상적인 유지 형태에서의 임상적 차이는 거의 없으나 불량한 유지형태라면 인산아연 시멘트를 사용하는 것이 좋다.
- 접착용은 혼합된 재료를 스파튤라에 묻혀 위로 당겨보았을 때 1 inch 정도 당겨 올라올 정도의 점주도면 적당하다. 고강도 베이스로 혼합할 때의 점주도는 흐름성이 없게 혼합한다. 적당한 베이스의 혼합은 재료가 기구에 들러붙지 않고 와동에 넣거나 도포 및 균등한 조각이 가능한 것이다.
- 모든 치과용 시멘트처럼 경화된 재료는 물에 거의 녹지 않는다. 따라서 사용한 기구는 재료가 경화되기 전에 물로 깨끗이 세척한다. 경화된 산화아연유지놀 시멘트가 기구에 붙어 제거하기가 어려워졌을 때는 알코올이나 오렌지 오일을 사용하면 비교적 용이하게 제거할 수 있다.

$$ZnO + H_2O \rightarrow Zn(OH)_2$$
$$Zn(OH)_2 + eugenol \rightarrow Zn\text{-}eugenolate + 2H_2O$$

2) 특성(표 8-1, 3)

산화아연유지놀 시멘트의 산도는 유지놀은 알레르기 유발물질(allergen)이어서 결합조직과 직접적으로 피부에 접촉되면 자극이 될 수 있다.

합착용의 혼합시간은 60초이며, 경화시간은 4~10분정도

이다. 베이스용이나 충전용은 사용법에 따라 경화시간이 3분 정도로 짧아질 수 있다. 혼수비가 높을수록 경화시간이 짧아지고, 혼합판의 온도가 낮을수록 경화시간이 길어진다.

반응속도는 산화아연의 공급원 및 성질, 반응성, 수분 양 그리고 유지놀의 순도에 의존한다. 인장강도가 낮으며 0.9% 체적수축과 열팽창 $35 \times 10\text{-}6/℃$에도 재료의 밀폐효과가 우수하다. 임시접착재나 임시수복재로 많이 사용되며 치주처

표 8-3. 치과용 시멘트의 요구 조건

화학적 유형	용도	최대 피막도 (mm)	순경화시간 (분) 최소	순경화시간 (분) 최대	최소 압축강도 (MPa)	최대 산 용해도 (mm/시간)	반투명도 ($c^{0.70}$) 최소	반투명도 ($c^{0.70}$) 최대	최대 비소 함량 (mg/kg)	최대 납 함량 (mg/kg)
인산아연	합착용	25	2.5	8	50	0.30	–	–	2	100
폴리카복실레이트	합착용	25	2.5	8	50	0.40	–	–	2	100
글라스아이오노머	합착용	25	1.5	8	50	0.17	–	–		100
인산아연	베이스/이장재	–	2	6	50	0.30	–	–	2	100
폴리카복실레이트	베이스/이장재	–	2	6	50	0.40	–	–	2	100
글라스아이오노머	베이스/이장재	–	1.5	6	50	0.17	–	–		100
글라스아이오노머	수복용	–	1.5	6	100	0.17	0.35	0.90	–	100

치제로도 사용된다.

3) 조작법

(1) 분말(powder)과 액(liquid)

① 분말을 분배하고 액은 유리판(glass slab)에 방울로 떨어 뜨려 분말과 혼합한다.

② 스파튤라로 분말을 액에 밀어 넣으면서 혼합한다. 혼 합과정은 먼저 많은 분량의 분말을 혼입하고 나서 점주 도에 따라 분말을 추가하여 혼합한다.

(2) 연고(paste)

① 2개의 연고를 혼합지에 동일한 길이로 분배한다. 연고 는 서로 다른 색으로 구성된다.

② 2개 연고를 스파튤라(spatula)를 이용해 균일한 색이 될 때까지 혼합한다.

③ 경화된 ZOE 재료는 알코올, 오렌지 용액에 용해된다.

6. 강화형 산화아연유지놀 시멘트(rein-forced zinc oxide-eugenol cement)

최근에 강화형 산화아연유지놀 시멘트가 소개되었는데, 산화아연유지놀과 유사한 생물학적 효과를 가지고 있다. 구 강액에 노출되면 가수 분해되고 연조직에 염증반응과 알레 르기 반응이 나타날 수 있다. 접착 용도로 사용할 때는 기 계적 성질이 낮은 것이 단점이다. 레진 수복재료를 연화 및 변색시킨다.

7. 폴리카복실레이트 시멘트(polycarboxyl-ate cement)

산화아연 시멘트의 생물학적 효능과 인산의 강도가 혼합 된 접착성 치과용 시멘트로 1960년대 후반에 개발되었다.

1) 조성과 경화반응

폴리카복실레이트 시멘트는 산화아연 분말과 폴리아크릴 릭산(polyacrylic acid) 수용액의 혼합으로 구성된다(그림 8-5). 분말과 액의 혼합에서 산화아연이 함유된 유리 분말 과 폴리아크릴릭 산 수용액이 반응한다.

2) 특성(표 8-1)

작업시간은 실온에서 2.5~3.5분이고 경화시간은 37℃에서 6~9분이다. 물과 혼합하는 재료는 경화시간이 더 연장된다. 일반적으로 산화아연 시멘트보다 압축강도는 낮으나 장력은 더 강하다. 초기 산도는 산성이지만, 경화반응이 진행됨에 따라 중화된다. 작업시간이 인산아연 시멘트보다 짧기 때문 에 차게 한 혼합판을 사용하면 작업시간을 연장할 수 있다.

폴리카복실레이트 산은 분자량이 커서 상아세관을 통과 하지 못하므로 생체친화성이 우수하고 미세누출이 적으며 카르복실기가 치질과 화학적으로 결합하므로 유지력이 우 수하다.

실리케이트, 산화아연, 글라스아이오노머 시멘트보다 덜 깨지고 더 단단해진다.

폴리카복실레이트 시멘트는 법랑질과 상아질에 양호한 접착을 나타낸다. 타액으로 오염되면 치아 또는 합금 표면 의 결합이 감소된다. 불소가 함유된 시멘트는 불소를 유리 하고 항우식 효과를 나타낸다.

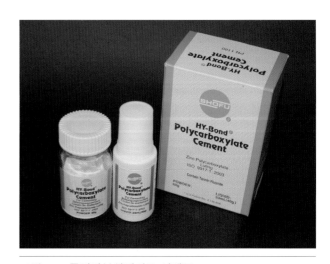

그림 8-5. 폴리카복실레이트 시멘트

장점은 낮은 자극과 높은 접착력 및 쉬운 조작, 그리고 인산아연 시멘트와 비교되는 강도와 용해도 및 피막도이다. 단점은 적당한 성질과 조작을 위한 정확한 배분이 필요하고 인산아연 시멘트보다 압축강도가 낮고 점탄성이 높으며 일부 재료의 작업시간이 짧다.

3) 조작법

(1) 분말과 액을 두 번에 분배하여 유리판이나 종이 혼합지에 스파튤라로 혼합한다. 혼수비는 1:1~2:1 정도이며, 합착용인 경우는 혼수비가 5:1이다.

(2) 분말을 반으로 나누어 한번에 절반씩 혼합하며, 총 30~60초간 혼합한다.

(3) 작업시간은 2분 30초~6분정도이며, 차게 한 혼합판을 이용하는 경우 작업시간이 10~15분 연장된다.

(4) 혼합된 재료를 수복물 내부에 도포하고 시멘트가 광택이 있는 동안에 수복물을 장착한다.

8. 글라스아이오노머 시멘트(glass ionomer cement)

글라스아이오노머 시멘트는 제 I, II, III형으로 분류된다. 접착용으로 사용하는 제 I 형과 전치부 수복용으로 사용하는 제 II 형, 치수보호제 및 치면열구전색용으로 사용하는 제 III형이 있다(그림 8-6).

글라스아이오노머는 실리케이트와 폴리카복실레이트의 복합형태로서 불소 유리와 치질에 접착되는 성질을 결합시켜 개발한 것이다. 치경부 수복과 유치 수복, 치면열구의 전색 및 치관부 축조, 와동 이장, 그리고 수복물 접착 등에 사용된다.

글라스아이오노머 시멘트는 물성과 기계적 성질이 좋아 임상적 사용이 매우 대중적이며 다양한 제품이 시판되고 있다. 상아질을 보호하고 피복할 목적으로 레진과 글라스아이오노머를 혼합한 복합재료인 레진 개량형(resin-modified glass ionomer) 또는 레진 강화형 제품이 있다.

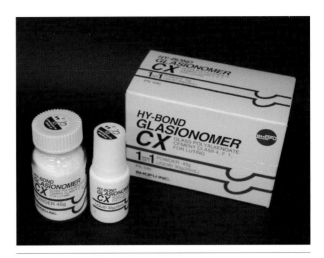

그림 8-6. 글라스아이오노머 시멘트

1) 조성과 경화반응

실리케이트와 폴리카복실레이트를 결합한 체계로 구성된다. 분말은 불화알루미늄실리케이트글라스(calcium aluminum fluoro-silicate glass)로 최대 분말크기는 13~19 μm 정도이다.

액은 약 5% 타르타르 산(tartaric acid)이 함유된 폴리아크릴산-이타콘산(polyacrylic-itaconic acid) 혼합액 또는 폴리카복실산(polycarboxylic acid)의 50% 수용액이다.

시멘트를 혼합하면 폴리산은 유리 분말에 침투하여 칼슘, 알루미늄 및 나트륨 등의 양이온과 불소이온을 유리시키는데, 이들 이온은 액의 음이온과 반응하여 불용성 염의 겔을 형성한다.

경화 초기에는 칼슘염이 만들어지고, 약 48시간동안 알루미늄염이 만들어져 시멘트의 경화와 변형 억제를 도모한다.

2) 특성(표 8-1)

글라스아이오노머 시멘트는 접착성과 심미성이 좋고 불소 유리에 의한 항우식작용과 양호한 생체 친화성을 가지고 있다.

우수한 강도와 용해 저항성, 불소 유리 외에 폴리카복실레이트와 같은 접착성질을 갖고 있다. 치질과의 결합력이 좋고 스테인레스 강과 금속-세라믹 합금에도 잘 결합한다.

겔이 건조되면 균열이 나타나므로 충분한 강도가 될 때까지 노출된 변연을 물과 접촉되지 않도록 해야 한다. 심부 수복 시에는 수산화칼슘으로 베이스를 사용하며 치수염이 있거나 예상되면 사용을 피하도록 한다. 치수과민 반응은 시멘트의 산도와 그 지속시간 및 점도에 의한 것으로 보고되고 있으며, 합착용 시멘트의 분액비가 낮은 경우에 나타난다.

글라스아이오노머 시멘트의 탈수는 표면의 균열을 일으켜 착색과 미세누출을 증가시키고, 경화 초기의 수분 오염은 시멘트의 용해도를 증가시키므로 바니쉬를 사용하여 차단한다.

산화아연보다 압축강도가 크며 열팽창계수는 치질보다 낮다. 글라스아이오노머는 피막도가 높아 진하고 강하다. 3급 와동의 우식병소, 유치의 1, 2급 와동 및 결손부 변연의 회복과 파절치의 임시 피복, 우식증, 침식증, 마모증에 의한 치경부 병소의 수복에 주로 사용한다.

광중합 글라스아이오노머 시멘트는 구강 내 물을 흡수하면 과도하게 팽윤하므로 수분이 닿지 않도록 주의한다.

3) 조작법

(1) 분말과 액을 두 번에 분배하여 유리판이나 종이 혼합지에 스파튤라로 혼합한다. 혼수비는 1.3:1~1.35:1 정도이며, 합착용인 경우는 혼수비가 3.3:1~3.4:1이다.

(2) 분말을 반으로 나누어 한번에 절반씩 혼합하며, 총 30~60초간 혼합한다. 캡슐형은 혼합기를 이용하여 10초간 혼합하여 수복부에 직접 넣는다.

(3) 작업시간은 2분 정도이며, 차게 한 혼합판을 이용하는 경우 작업시간이 9분으로 연장되지만, 압축강도와 탄성률이 낮아지므로 사용을 자제한다.

(4) 수복용 글라스아이오노머 시멘트와 치아와의 결합력 증가를 위해서는 치아 표면이 깨끗해야 하며, 와동형성 후 남아 있는 도말층을 제거하는 것이 효율적이다.

(5) 경화된 글라스아이오노머 시멘트는 스테인레스강으로 제작된 스파튤라에 화학적으로 반응하므로 플라스틱 스파튤라를 사용한다.

9. 레진 시멘트

레진 시멘트는 인레이, 금관 및 계속가공의치의 수복물, 산부식된 계속가공의치, 교정용 브라켓, 심미 수복재의 접착에 사용된다.

1) 조성과 경화반응

레진 시멘트는 분말로 폴리메틸메타크릴레이트와 무기 필러, 액으로는 메틸메타크릴레이트로 구성되었으며 과산화물 개시제와 아민 촉진제의 반응으로 경화가 이루어진다.

2) 특성(표 8-1)

메타크릴레이트계 시멘트는 용해도가 낮아 물에 잘 용해되지 않는다. 그러나 치수에 유해자극을 가하므로 베이스가 필요하다. 유지력은 비접착성에 이어서 기계적 접착에 의존하므로 와동이 깊으면 만족스러운 치질 접착을 얻는다. 수분이 치아와 시멘트의 계면을 따라 침투되면 유지력이 상실될 수 있으므로 수분에 닿지 않도록 한다.

레진 시멘트는 점성을 줄이기 위해 레진의 함량을 높인 콤포짓 재료이다. 피막도가 매우 높으며 상아질 접착제 개발 전의 레진 시멘트는 미세누출이 높아 술후 과민증의 원인이 되었다. 그러나 최근의 레진 시멘트는 얇은 피막도로 개선하고 상아질접착제를 사용하여 올 세라믹 수복물을 접착하는 용도의 재료로 많이 활용되고 있다.

세라믹 재료를 불산과 실란(silane)으로 적절히 부식처리하고 레진 시멘트를 이용하여 하부 치질에 수복물을 접착한다.

레진 시멘트에는 다양한 색조가 있다. 플라스틱 스파튤라를 사용해 혼합지에서 2개의 연고를 혼합한다. 비니어(veneer)나 교정용 장치 및 기타 다른 유형의 수복물 접착에 사용한다.

치아에 상아질 접착제를 도포하거나 수복물을 장착하는 동안에는 구강 내 타액에 오염되지 않도록 주의해야 한다.

레진 시멘트는 접착된 세라믹 및 금속 수복물의 교합조정과 표면 연마 과정동안 열 발생에 유의해야 한다. 열 발생은 콤포짓 시멘트의 물성을 변화시켜 수복물의 접착에 영향을 미치게 된다.

광중합인 경우 중합시간은 40초 이상 조사하는 것이 좋으며, 이중중합형(dual-cure system)은 광중합으로 빠른 중합 후에 화학중합이 천천히 진행된다. 이중중합형은 수복물의 두께가 2.5mm 이하의 수복물에 적용하며, 2.5mm이상의 수복물에는 화학중합형 시멘트를 사용하여 합착한다.

3) 조작법

(1) 치아 면에는 레진시멘트와 상아질과의 결합력 도모를 위해 상아질 결합재를 병용하고, 포세린이나 콤포짓트 레진의 피착 면에는 화학약품 처리를 하여 레진 시멘트와의 합착력을 향상시키는게 좋다.

(2) 치면을 연마하고 분리하여 건조한다.

(3) 인산용액을 이용하여 15~60초간 산부식을 한다

(4) 치면을 재건조한 후, 2개의 연고형 콤포짓트 레진 시멘트를 20~30초간 혼합하여 치면 적용한다.

(5) 중합한다.

레진의 이원중합(dual cure)

광중합과 화학중합의 복합 반응을 말하며, 강도 강화와 우수한 접착력을 위하여 광중합과 화학중합의 이원중합을 시행한다.

---

10. 콤포머

콤포머는 콤포짓 레진의 내구성에 글라스아이오노머 시멘트의 불소방출 효과를 동시에 볼 수 있으며, polyacid modified composite라고 한다.

1) 조성과 경화반응

보통 단일 연고로 구성되고, 수복용으로 사용되는 것은 광중합형이다. 실리케이트 유리입자와 불화나트륨, 폴리산 첨가형 단량체로 구성되며, 단량체가 중합되며 경화된다. 경화 후 구강 내에서 타액에 의해 흡수된 수분에 의한 산-염기 반응에 의해 불소를 방출한다.

2) 특성

재래형 글라스아이오노머 시멘트에 비해서 불소 방출량이 적지만, 내구성이 좋기 때문에 수복용으로도 사용된다. 주로 응력이 적은 부위인 3급이나 5급 와동에서 콤포짓트 레진을 대신하여 사용되고 있다.

11. 이장재, 베이스, 바니쉬

1) 이장재(liner)

화학적 자극으로부터 치수를 보호하는 용도에 사용하며 이차 상아질의 형성을 촉진하거나 치수의 치료 효과를 나타낸다. 너무 얇게 도포하면 열차단 기능이 없어지므로 도포할 때 주의한다. 치수에 위해작용이 없어야 하므로 수소이온농도(pH)는 11~12로 염기성이어야 한다.

이장재는 강도가 낮아 아말감과 같은 수복재료의 충전력에 잘 저항하지 못한다.

수산화칼슘 또는 산화아연으로 구성되거나 메틸셀룰로우즈(methyl cellulose)를 첨가하여 점성을 증가시켜 물성을 개선시킨다.

수산화칼슘 시멘트(calcium hydroxide cement)(그림 8-7)는 상아질이 치수를 얇게 덮고 있는 와동형성부 또는 치수노출이 의심될 때 직접 치수복조술(pulp capping)에 추천된다. 종래 수산화칼슘 제품은 물성이 약해서 이장재로 사용되어 왔지만 개선품은 재료의 강도를 높여 베이스로 사용할 만큼 강하다.

최근에는 상아질 접착제 개발과 콤포짓트 재료의 생체친화성에 대한 이해로 수산화칼슘 제품의 사용이 크게 감소

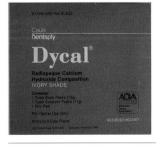

그림 8-7. 연고 형태로 공급되는 수산화칼륨 시멘트

되고 있다. 수산화칼슘의 경화반응은 물로 가속된다. 상아질의 습기 때문에 상아질 표면에 도포하면 몇 초 내로 재료를 충분히 경화시킨다. 따라서 수산화칼슘은 건조된 피막에서는 균열을 일으킨다.

수산화칼슘은 치수복조 용도와 심부 형성부에서 다른 치과용 수복재료의 하부에 베이스와 이장재로 사용된다. 또한 상아질과 치수 등의 치아조직과 산을 함유한 시멘트 및 수복재료 사이의 보호용 장벽으로 사용된다.

2) 베이스(base)

열차단의 목적으로 이장재 보다 두껍게 도포하게 되면 강도가 높아진다. 수복재료를 지지하고 불소를 첨가하여 항우식 효과 및 저작압에 의한 완충작용과 낮은 수소이온농도(pH)로부터 보호 작용을 한다.

(1) 고강도 베이스(high-strength bases)

고강도 베이스는 열, 전기 및 화학자극으로부터 치수를 보호하며, 수복물에 기계적인 지지력을 제공하고 치수에 가해지는 자극으로부터 보호하기 위해 사용된다.

열차단의 목적으로 이장재 보다 두껍게 도포하게 되면 강도가 높아진다. 수복재료를 지지하고 불소를 첨가하여 항우식 효과 및 저작압에 의한 완충작용과 낮은 수소이온농도(pH)로부터 보호 작용을 한다.

고강도 베이스 재료 중에서는 인산아연시멘트가 가장 강하고 산화아연유지놀 시멘트가 가장 약하다.

(2) 저강도 베이스(low-strength bases)

저강도 베이스는 경화되어도 강도가 낮아 아말감의 응축력이나 수복물 하방에서 교합력을 지지하기에는 약해서 다만 얇은 층으로 치아에 적용하여 자극적인 화학물질을 차단하는 보호막 역할과 치수에 치료효과를 제공하는 기능을 한다.

화학적 자극으로부터 치수를 보호하는 용도에 사용하며 이차 상아질의 형성을 촉진하거나 치수의 치료 효과를 나타내기도 한다. 치수에 위해작용이 없어야 하므로 수소이온농도(pH)는 11~12로 염기성이어야 한다.

① 수산화칼슘 시멘트(calcium hydroxide cement)

수산화칼슘 시멘트는 상아질이 치수를 얇게 덮고 있는 와동 형성부 또는 치수노출이 의심될 때 직접 치수복조술(pulp capping)에 추천된다. 또한 상아질과 치수 등의 치아조직과 산을 함유한 시멘트 및 수복재료 사이의 보호용 장벽으로 사용된다.

종래 수산화칼슘 제품은 물성이 약해서 이장재로 사용되어 왔지만 개선 제품은 재료의 강도를 높여 베이스로 사용할 만큼 강하다. 최근에는 상아질 접착제 개발과 콤포짓트 재료의 생체친화성에 대한 이해로 수산화칼슘 제품의 사용이 크게 감소되고 있다.

② 산화아연유지놀 시멘트

제4형 산화아연유지놀 시멘트를 저강도 베이스로 사용한다. 2개의 연고로 되어 있고 각각 산화아연과 유지놀이 들어 있다. 반응 후에는 단단하게 굳으며 습도나 온도 상승에 따라 경화반응이 촉진된다.

3) 바니쉬(varnish)

용매가 증발하면 얇은 층의 레진이 남는데 초기 용해도가 높은 재료의 용해도를 낮추거나 수복물의 미세누출을 감소시키기 위하여 사용하는 재료이다. 나무 보호용 바니쉬와 유사한 코팔(copal) 바니쉬를 이용하며 레진을 용매로 녹여 사용한다(그림 8-8). 도포하면 유기용매는 기화하고 용질만 남아 얇은 다공성 피막(20~40 μm)을 형성한다.

아말감 수복물 하방에 사용하여 아말감 수복물의 초기 미세누출을 감소시킨다. 그러나 복합레진 재료에는 접착 장애가 나타나므로 사용하지 않는다.

12. 기타 시멘트

1) 임시 충전재

수복물이 완성되기 전까지의 기능적, 심미적인 역할 수행과 상처 치유 및 치수보호를 위하여 임시적으로 사용하며, 영구 수복물이나 보철물이 제작될 동안 임시적으로 수복물

그림 8-8. cavity varnish

의 유지에 사용하는 수복재를 말한다. 산화아연유지놀 시멘트는 쉽게 혼합되고 구강 습도에서 신속히 경화하여 가장 많이 사용한다.

임시 충전재는 와동 봉쇄효과가 좋아야하고, 교합압 및 물리화학적 자극으로 인한 변형이 없어야한다. 또한 충전 및 제거가 용이해야 하며, 열전도성이 낮아야 한다. 그리고 치아의 경조직 및 치수에 대해 위해성이 없어야 한다.

임시 충전재로 사용하는 재료에는 열가소성 재료인 스타핑(stopping)과 수경성(water-settable) 임시충전재, 산화아연유지놀 시멘트, 레진계 임시충전재 등이 있다.

2) 치주팩

치주 팩은 치유 중인 조직을 보호하기 위해 외과시술 부위에 도포하는 물리적인 장벽을 말한다. 일부 동요치아의 부목(splinting) 역할을 제공하고, 치주수술 후 하부조직과 점막 및 치은의 밀접한 접착을 유지한다.

(1) 치주 팩의 종류

① 산화아연유지놀(zinc oxide eugenol, ZOE) 팩

초기 치주 팩은 ZOE 혼합물로 제조되었다. 일부 환자의 유지놀 부작용으로 오늘날에는 거의 사용하지 않는 팩이다.

② 가시광선활성 외과용 팩

우레탄 디메타크릴레이트(urethane dimethacrylate) 레진

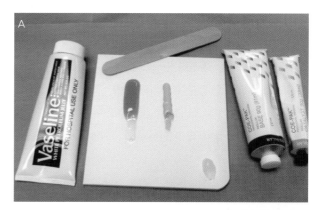

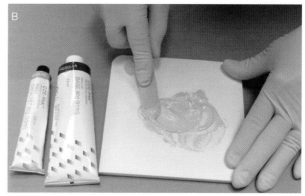

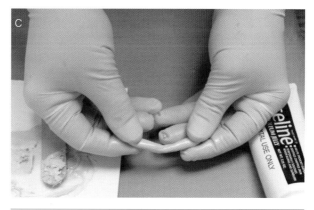

그림 8-9. 치주 팩 조작과정

계열 재료로 직접도포용 시린지를 이용한다. 조작과 경화시간을 술자가 조절하는 가시광선 활성재료를 사용한다. 활성화되면 취성과 맛이 없는 창상 보호용 투명 탄성 피복체를 형성한다. 심미성이 고려되는 전치부에 사용된다.

③ 비유지놀 치주 팩

비유지놀 치주 팩으로 가장 많이 사용되는 것은 Coe-Pak으로 수술부위의 표면을 보호하며 변연치은과 유두를 보호한다.

(2) 치주 팩 조작법

팩이 손에 붙지 않게 장갑에 수분을 유지하여야 한다. 근육부착부의 장애를 검사하기 위해 팩 부위의 조직을 젖히고 환자의 교합장애를 검사하기 위해 후방, 전방, 측방운동을 시행한다.

① 혼합지에 동량의 베이스(base)와 촉진제(accelerator)를 분배한다(그림 8-9A).

② 균일한 색이 되게 30~45초 혼합한다(그림 8-9B).

③ 한 덩어리로 혼합물을 모으고 팩이 끈적이지 않을 때까지 기다린다(그림 8-9C).

④ 멸균된 거즈로 외과수술 부위와 해당된 치아를 건조한다.

⑤ 외과수술 부위의 전방 순측에서 시작하여 이환된 연조직과 치아의 치경부에 대해 팩을 납작하게 도포한다. 최소 4개 또는 5개 치아를 포함한다.

⑥ 외과수술 부위의 설면에 팩을 바르고 협측과 설측의 인접면 사이 부분을 서로 누른다.

⑦ 유지형태를 만들기 위해 매끈한 기구로 인접면 사이 부위를 적합한다.

⑧ 근육 부착부와 교합면의 일부 과잉 팩을 다듬고 변연을 매끈하게 한다.

3) 근관충전용 실러(sealer)

근관충전용 실러는 신경치료 후 비워진 근관강에 Gutta percha를 서로 접착시켜 유지시키기 위한 목적으로 사용한다.

>>> Summary

- 치과용 시멘트는 치아에 수복물을 서로 접착하는 재료이다. 시멘트의 용도는 인레이나 금관(crown), 계속가공의치(bridge) 및 기타 수복물과 여러 장치 등의 접착 및 고정, 치수에 가해지는 압력이나 열 충격 차단 등의 치수보호와 그 밖의 임시 수복용이다.
- 치과용 시멘트에 사용되는 분말에는 산화아연분말과 유리분말이 있고 액에는 유지놀과 인산 및 아크릴산이 있다.
- 치과용 시멘트 종류에는 인산아연시멘트, 산화아연유지놀시멘트, 폴리카복실레이트시멘트, 글라스아이오노머시멘트, 레진시멘트와 임시시멘트가 있다.
- 그 외 기타계열에는 레진시멘트와 임시시멘트가 있다.
- 베이스 및 이장재 용도로 사용하는 재료는 높은 점도로 혼합하지만 혼합시간과 혼합방법은 접착용과 같다.
- 치주 팩은 치유 중인 조직을 보호하기 위해 외과시술 부위에 도포하는 재료이다.
- 치주 팩의 종류에는 산화아연유지놀 팩, 가시광선활성 외과용 팩, 비유지놀 치주 팩이 있다.

>>> Learning Activities

1. 인산아연 시멘트를 혼합하는 혼합판의 온도를 실온과 차가운 유리판으로 다르게 하여 혼합한 경화시간을 상호 비교해보자.
2. 산화아연 시멘트의 혼수비를 달리해서 접착용과 베이스용으로 혼합해보고 경화시간을 비교해보자.
3. 글라스아이오노머 시멘트의 혼수비를 달리해서 접착용과 베이스용으로 혼합해보고 경화시간을 비교해보자.

Review Questions

01 다음 중 치수자극을 완화시키는 치과용 시멘트는?

① 수산화칼슘　　　② 산화아연유지놀
③ 인산아연　　　　④ 글라스아이오노머

02 발열반응을 없애기 위해서 천천히 혼합하는 치과용 시멘트는?

① 수산화칼슘　　　② 산화아연유지놀
③ 인산아연　　　　④ 글라스아이오노머

03 다음 중 세라믹 수복물의 접착에 주로 사용되는 치과용 시멘트는?

① 글라스아이오노머　　② 인산아연
③ 폴리카복실레이트　　④ 레진

04 초기용해도가 가장 높은 시멘트는?

① 인산아연
② 산화아연유지놀
③ 글라스아이오노
④ 폴리카복실레이트

05 산화아연유지놀의 용도가 아닌 것은?

① 치주용 팩　　　② 근관충전재
③ 베이스　　　　④ 임시수복재

06 글라스아이오노머 시멘트에 대한 설명으로 옳은 것은?

① 글라스아이오노머 시멘트는 치질과의 결합력이 떨어진다.
② 글라스아이오노머 시멘트는 겔이 건조되기 전에 소량의 물과 접촉하도록 하여 강도를 증가시킨다.
③ 글라스아이오노머 시멘트는 금속제 스파튤라를 이용하여 혼합한다.
④ 글라스아이오노머 시멘트는 산화아연시멘트보다 압축강도가 크다.
⑤ 글라스아이오노머 시멘트는 피막도가 낮다.

07 상악 왼쪽 측절치와 중절치 사이의 부착치은에서 5 mm의 종양을 절제한 환자가 치과에 내원했다. 그 환자는 심미적인 문제로 걱정을 하고 있다. 그는 2달 후에 출장이 계획되어 있다. 이 환자에게 적합한 최적의 치료는?

① 1일 3회 따뜻한 소금물로 양치 추천
② 비유지놀 산화아연 팩 장착
③ 가시광선 활성 외과용 팩 장착
④ cyanoarylate 팩 장착

정답 | 1.① 2.③ 3.④ 4.③ 5.② 6.④ 7.③

참고문헌

1. 연세대학교 치과재료학 연구소. 치과재료 제5권 1997.

2. 한국치과재료학교수협의회. 치과재료학 5판. 군자출판사, 2008.

3. 한국치과재료학교수협의회. 치과재료학 7판. 군자출판사, 2015.

5. Charles QL, Lyda H, and Charles MC: Evaluation of glass ionomer as an endodontic sealant: An in vitro study. J Endodon 1997;23(4);209-212.

6. Craig RG: Dental materials, a problem-oriented approach. 1978 The C.V. Mosby Co. Saint Louis.

7. Craig RG: Restorative dental materials. 1985 7th ed. The C.V. Mosby Co. Saint Louis.

8. Crisp S and Wilson AD: Reactions in glass ionomer cements: I. Decomposition of the powder. J Dent Res 1974;53;1408-1413.

9. Crisp S, Pringuer MA and Wardleworth D: Reactions in glass ionomer cements: II. An infrared spectroscopic study. J Dent Res 1974;53;1414-1419.

10. Crisp S and Wilson AD: Reactions in glass ionomer cements: III. the precipitation reaction. J Dent Res 1974;53;1420-1424.

11. Crisp S and Wilson AD: Reactions in glass ionomer cements: V. Effect of incorporating tartatic acid in the cement liquid. J Dent Res 1976;53;1023.

12. Fukazawa M, Matsuya S, and Yamane M: The mechanism for erosion of glass-ionomer cements in organic-acid buffer solutions. J Dent Res 1990;69(5);1175-1179.

13. Garcia-Godoy F and Malone KF: Microleakage of posterior composite resins using glass ionomer cement bases. Quintessence Int 1988;19(1);13-18.

14. Gladwin M, Bagboy M: Clinical aspects of dental materials; theory, practice, and cases, 2nd ed. Philadelphia: Lippincott Williams & Wilkins, 2004.

15. Kent BE, Lewis BG, Wilson AD: The properties of a glass ionomer cement. Br. Dent J 1973;135;322-326.

16. Lindhe J, Karring T, Lang NP, eds. Clinical Periodontology and Implant Dentistry. 3rd ed. Copenhagen: Munksgaard, 1997, Chapter 18.

17. McCaghren RA, Retief DH, Bradley EL and Denys FR: Shear bond strength of light-cured glass ionomer to enamel and dentin. J Dent Res 1990;69(1);40-45.

18. McLean JW and Wilson AD: The clinical development of the glass-ionomer cements: I. Formulation and properties. Aust Dent J 1977;22;31-36.

19. McLean JW and Wilson AD: The clinical development of the glass-ionomer cements: II. Some clinical applications. Aust Dent J 1977;22;120-127.

20. Newman MG, Takei HH, Klokkevold PR, Carranza FA. Carranza's Clinical Periodontology. 10th ed. Philadelphia: WB Saunders, 2006, Chapters 64, 66.

21. Phillips RW: Skinner? Science of dental materials. 1982 8th ed. Ikaku-Shoin/ Saunders Co. Tokyo.

22. Sejal B Jobalia, et al. Bond strength of visible light-cured glass-ionomer orthodontic cement. Am J Orthod Dentofac Orthop 1977; 112:205-208.

23. Smith DC: Dental cements: current status and future prospects. DCNA 1983;27(4);763-792.

24. Smith DC: Dental cements: current status and future prospects. DCNA 1983;27(4);763-792.

25. Swift Jr. EJ: An update on glass ionomer cements. Quintessence Int. 1988;19;125-130.

26. Taleghani M and Leinfelder KF: Evaluation of a new glass ionomer cement with silver as a core buildup under a cast restoration. Quintessence Int 1988;19(1);19-24.

27. Van de Voorde A, Gerdts GJ, Murchison DF: Clinical uses of glass ionomer cement: a literature review. Quintessence Int 1988;19(1);53-62.

28. Wilson AD and Kent BE: A new translucent cement for dentistry: the glass ionomer cement. Br. Dent J 1972;132;133-135.

29. Wilkins EM. Clinical Practice of the Dental Hygienist. 10th ed. Baltimore: Lippincott Wilkins, 2008, Chapter 40. orthodontic cement. Am J Orthod Dentofac Orthop 1977; 112:205-208.

30. Van de Voorde A, Gerdts GJ, Murchison DF: Clinical uses of glass ionomer cement: a literature review. Quintessence Int 1988;19(1);53-62.

31. Wilson AD and Kent BE: A new translucent cement for dentistry: the glass ionomer cement. Br. Dent J 1972;132;133-135.

32. Wilkins EM. Clinical Practice of the Dental Hygienist. 10th ed. Baltimore: Lippincott Wilkins, 2008, Chapter 40.

PART 09

세라믹

01 세라믹
Ceramic

✓ 치과용 세라믹의 조성과 성질에 관해 설명할 수 있다.
✓ 금속-세라믹 크라운을 설명할 수 있다.
✓ 올 세라믹 크라운을 설명할 수 있다.

●─●─●─●─●────────────

세라믹은 비금속 무기물을 고온에서 구워낸 고체 재료로서 주로 유리, 도자기, 시멘트를 통틀어 말한다. 치과용 세라믹은 반투명성으로 심미적으로 매우 우수할 뿐 아니라 마모 저항성이 뛰어나고 소성 후의 크기 안정성이 좋아 비니어(veneer), 인레이(inlay), 온레이(onlay), 올-세라믹 크라운(all ceramic crown), 의치용 인공치, 교정용 브라켓 등 여러 분야에서 활용되고 있다.
최근 들어 심미 치과에 대한 관심이 더욱 높아지고 있으므로 치과위생사는 치과용 세라믹의 특성과 성질, 제작과정을 올바르게 이해하고 있어야 한다.

1. 치과용 세라믹

가마에서 점토 등을 구워 만드는 과정을 소성이라 하며, 일반적으로 소성이 안 된 것을 석기, 1회 소성된 것을 토기, 2회 소성한 것을 도기나 자기로 부른다.

$$도기(재) = \frac{도기(재) + 자기(재)}{2회\ 소성} + \frac{토기(재)}{1회\ 소성} + \frac{석기(재)}{소성안함}$$

과거 대부분의 치과용 세라믹은 도재 영역에 속했기 때문에 치과용 도재(dental porcelains)라 불렸는데, 최근에는 도재 영역 이외의 세라믹도 치과에서 사용되고 있다. 따라서 치과용 도재(dental porcelains) 보다는 치과용 세라믹(dental ceramics)이 더 옳은 표현이라 하겠다. 세라믹은 성형, 소성 등의 공정을 거쳐 만들어지는 비금속성 무기재료이다.

치과용 세라믹은 백색이고 흡수성이 거의 없으며 화학적 불활성이나 빛 투과성이 있다. 또한 기계적 강도가 크며 색조의 재현성, 전기 및 열 절연성 등의 우수한 성질을 가지고 있다.

치과용 수복재료로서 세라믹은 뛰어난 심미성을 가지고 있으며 금속 또는 폴리머에서 나타나는 유해한 물질의 유출이 없을 뿐만 아니라 표면의 매끄러움으로 치면세균막이나 미생물의 침착이 잘 생기지 않는다. 그러나 세라믹의 높은 경도는 높은 마모저항성을 갖게 하며 대합하는 자연치나 다른 수복재료를 마모시킬 위험성이 있고, 금속이나 기타 폴리머 재료에 비하여 파절에 대한 저항성이 약하여 수복의 적용 범위가 한정되기도 한다.

1) 조성(composition)

치과용 세라믹은 실리카(silica, SiO_2)와 장석(feldspar, $K_2O \cdot Al_2O_3 \cdot 6SiO_2$), 알루미나(Alumina, Al_2O_3)를 기본 성분으로 하며 세라믹 조성의 비율은 제조회사에 따라 약간의

차이는 있으나 주성분은 석영(quartz), 장석(feldspar), 점토
(kaolin)로 구성되어 있다. 콘크리트에 비유해 보았을 때 석
영은 철근, 장석은 시멘트, 점토는 모래나 자갈의 역할을 한
다. 치과용 세라믹을 위해 사용되는 장석은 비교적 순수하
며 무색이다.

치과용 세라믹의 구성 성분과 역할은 다음과 같다(그림
9-1).

(1) 석영(quartz)

고온 강도 및 구조물을 유지해 주는 것으로서 다른 성분
이 녹아 흐를 때 내열성을 갖고 골격을 이루게 하는 성분이
다. 석영은 용융온도가 매우 높아 열처리하는 동안 치관의
형태를 유지시켜 준다. 그러나 어느 정도 용해되어 액체 상
태로 변하는 경우도 있으며 다량으로 혼합하면 투명도가 감
소한다.

비용해성 석영의 열팽창계수는 세라믹 전체의 열팽창계
수를 좌우하므로 과도한 열처리는 물리적 성질의 변화를 초
래한다.

석영에 실리카(SiO_2)와 같은 물질을 첨가하여 열팽창률을
조절할 수 있다. 어떤 것에는 규소가 많이 첨가된 것도 있는
데 규소는 열팽창률이 낮기 때문에 세라믹 치아의 삭제 시
열 자극에 의해 파절될 위험이 없으며 세라믹의 강도를 증가
시킨다.

석영은 광선을 굴절시키는 성질이 있으므로 열처리를 하
면 불투명도가 심해지는 경향이 있다. 오염된 석영을 열처리
하면 변색되므로 치과 세라믹에 쓰이는 석영은 고도의 순수
성을 지닌 것이어야 한다.

(2) 장석(feldspar)

장석은 세라믹 치아의 대부분(70~90%)을 차지하고 있으
며 금속-세라믹 치관, 치과용 글라스와 세라믹 제조에 사용
된다. 또한 장석은 치과용 세라믹의 고유 반투명도를 구성
하는 성분이다.

칼리장석은 다양한 금속산화물과 혼합되어 높은 온도에
서 소성되면 백류석과 함께 글라스 상을 형성한다. 이때 얻
어진 분말을 치과용 세라믹의 분말로 사용한다.

세라믹에서 입자들이 유합되는 과정을 소결(phase sinter-
ing)이라고 하는데, 이것은 치밀한 고체를 만들기 위해 높은
온도에서 입자들 간의 확산에 의해 조절되는 과정이다.

장석은 열이 가해지는 동안 화학적으로 분해되어 유리상
과 결정형 물체를 형성한다.

(3) 점토(kaolin)

세라믹의 구성 성분으로 보철물의 외형 형성 시 세라믹이

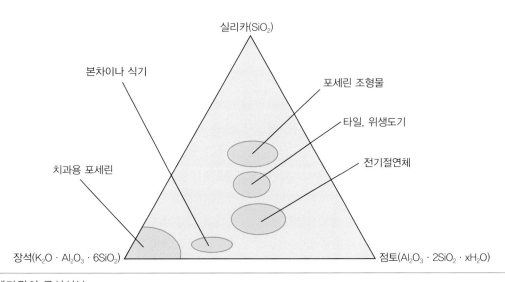

그림 9-1. 세라믹의 구성성분

외형을 유지할 수 있도록 하는 데 사용되며 점성을 가지고 있기 때문에 입자와 입자를 결합시켜 쉽게 조작이 가능하도록 해주며 원하는 형태를 부여할 수 있다. 또한 불투명이므로 소성할 때 색을 변색시키지 않아 세라믹의 색을 아름답게 나타낼 수 있다.

(4) 기타 첨가물

저용융 유리형태의 융제(flux)는 세라믹이 소결되는 동안 하방의 금속이 녹거나 처짐 변형이 일어나지 않도록 분말 입자들의 소결에 요구되는 온도를 충분하게 낮추기 위해 사용한다.

자연치아의 여러 색조를 내기 위하여 다양한 금속 산화물과 글라스 장석분말로 제조한 색조를 착색제로 첨가한다. 색상으로는 철 또는 니켈 산화물(갈색), 구리(녹색), 티타늄(황갈색) 망간(옅은 자주색), 코발트(청색)를 사용한다. 불투명성은 세륨, 지르코니아, 티타늄, 주석 산화물을 첨가하여 얻을 수 있다.

2) 기계적 성질

세라믹은 경도가 우수하지만 취성(brittleness)이 높아 깨지기 쉽다.

내화학성이 좋으며 오랫동안 사용하더라도 표면이 잘 변질되지 않는다. 내열성도 높고 압축강도에도 매우 강하지만 인장강도나 전단강도는 낮다.

세라믹은 플라스틱, 금속과 달리 매우 높은 용융점을 갖는다. 1,000℃ 이상 되면 취성이 커져 가공하기가 쉽지 않게 된다. 따라서 세라믹은 녹는점과 내화학성, 표면 경도를 이용하여 고온의 환경에서 쓰이는 높은 내열성을 가진 제품이나 강한 내부식성과 내화학성 그리고 절연성이 요구되는 제품에 주로 쓰인다.

세라믹 재료에 크리프(creep)가 생기면 원 상태로 되돌아오지 않는 상태의 소성변형이 나타난다.

소성이 덜된 세라믹은 유리화가 완료되지 않았으므로 비교적 약하다. 적정온도에서 소성은 강도 유지에 있어 매우 중요하며 과 소성(over-firing)하게 되면 강도가 감소한다. 또한 세라믹을 너무 급속히 냉각시켜도 잔금이 생겨 강도의 약화를 초래한다.

글래이징(glazing)을 안한 세라믹은 세라믹 면에 글래이징을 한 세라믹보다 강도가 훨씬 낮다(그림 9-2).

수복물의 보존 및 유지와 관련되는 가장 중요한 요소는 지대치 설계이다. 응력의 집중을 분산시킬 수 있는 부드러운 윤곽으로 제작하여야 힘의 방향이 분산될 수 있어 수복물이 잘 유지된다.

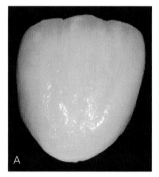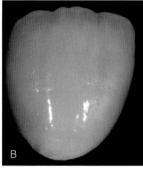

그림 9-2. 축성이 끝나고 글래이징을 한 세라믹 관

3) 치과용 세라믹의 분류

치과용 세라믹은 다음과 같이 분류한다.

(1) 용융온도에 따른 분류

치과용 세라믹은 다양한 소성온도를 갖는 치과용 세라믹을 제조하기 위해 글라스 조절제를 사용하는데 용융온도에 따라 고온 용융형, 중간 용융형, 저온 용융형, 초저온 용융형으로 구분된다(표 9-1).

적당한 용융온도 범위와 양호한 화학적 내구성 간의 균형이 유지되어야만 한다.

중간 용융형과 고온 용융형은 의치 인공치아를 만드는데 사용되고 저온 용융형과 초저온 용융형은 금관가공의치 제작을 위해 사용된다. 일부 초저온 용융 세라믹이 티타늄과 티타늄 합금에 사용되는데 그 이유는 세라믹의 낮은 수축 계수는 이들 금속들의 열수축 계수 값과 조화가 잘 되고 낮은 소성온도는 금속산화물이 성장하는 위험성을 감소시키기 때문이다.

표 9-1. 용융온도에 따른 분류

구분	용융 온도 ℃(℉)	용도
고온 용융형(high-fusing)	1,200~1,400(2,300~2,500)	주로 인공세라믹치관 제작
중간 용융형(medium-fusing)	1,050~1,200(2,000~2,350)	올세라믹크라운(all ceramic crown) 계속가공의치(porcelain pontic) 제작
저온 용융형(low-fusing)	850~1,100(1,600~2,000)	금속세라믹금관(metal-ceramic crown), 계속가공의치(PFM crown)
초저온 용융형(low-fusing)	850 이하	금속세라믹금관(PFM crown)

세라믹의 외면은 첨가형 유약처리(add-on glazing) 또는 자가 광택처리(self glazing)를 시행하는데 첨가형 유약은 소성온도가 낮다.

(2) 사용 부위에 따른 분류

치과용 세라믹은 사용 부위에 따라 불투명(opaque) 세라믹, 치경부(cervical) 세라믹, 상아질(dentin) 세라믹, 법랑질(enamel) 세라믹, 반투명도(translucent) 세라믹으로 구분할 수 있다.

불투명 세라믹은 세라믹 관의 밑바탕을 이루며 금속 색의 투과를 방지하고, 상아질 세라믹과 금속의 결합을 양호하게 한다. 세라믹 분말 중 가장 먼저 사용하며 가장 불투명하고 열팽창률이 분말 중 가장 높다. 이 불투명 세라믹에 알루미나 결정 입자를 40~50% 정도 함유시켜 강도를 강하게 하려 할 때 코어(core) 세라믹을 사용하기도 한다.

치경부 세라믹은 상아질 세라믹으로 재현하기 어려운 치경부 색조를 자연감 있게 나타내기 위해 사용한다. 세라믹 내부로부터 우러나오는 자연스러움을 표현할 수 있다.

상아질 세라믹은 반투명의 세라믹으로써 자연치의 상아질에 해당한다. 각 색조(shade)별로 나뉘어져 있다

법랑질 세라믹은 자연치의 법랑질과 같은 반투명감을 나타내며 무채색이다.

반투명도 세라믹은 자연치아의 절단부위와 표면의 반투명성을 나타내준다. 일명 T-powder라고도 불린다. 투명한 정도를 조절하여 사용할 수 있다(그림 9-3).

글래이즈(glazed powder)는 세라믹 표면에 도포하여 광택을 내는 유약이다. 세라믹 분말 중 열팽창률이 가장 낮고 가장 투명하며 묽은 크림 상태로 반죽하여 사용한다.

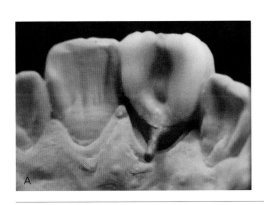
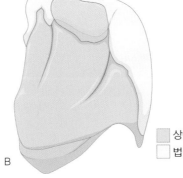

상아질 세라믹
법랑질 세라믹 반투명 세라믹

그림 9-3. 포세린 축성과정에 사용된 분말

2. 금속-세라믹 크라운(porcelain fused to metal crown)

금속-세라믹 크라운은 현재 가장 많이 보급되고 있는 세라믹 관으로 Ceramometal crown이라고도 하며 약칭으로 PFM(porcelain fused to metal crown)이라고 한다. 금속-세라믹 크라운은 금속으로 지대치(abutment)에 지지관(coping)을 제작하여 그 위에 세라믹을 입혀 제작하는 크라운으로서 금속 하부 구조물과 세라믹 구조물로 구성되며 세라믹 구조물은 일반적으로 불투명(opaque), 상아질(dentin), 법랑질(enamel) 세라믹으로 구성된다(그림 9-4).

1) 세라믹과 금속간의 결합

(1) 화학적 결합

세라믹과 금속의 산화막 간의 확산에 의한 것으로 금속-세라믹용 합금에 첨가되어 있는 미량의 금속원소들이 탈산(degassing) 처리 및 세라믹 소성 시의 가열에 의해 금속표면에 산화물 층을 형성하고 이 층과 세라믹 성분의 산화물이 비결정 유리질과 반응하여 화학적으로 결합한다. 가장 강한 결합력을 가진다(그림 9-5).

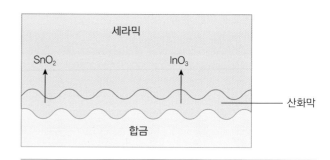

그림 9-5. 화학적 결합

(2) 기계적 결합

금속 구조물의 연마 기구에 의한 표면 조정 후 금속 표면의 요철에 의한 함몰부(undercut) 속에 세라믹이 합입되어 금속 표면에 요철 구조로 생성된 미세유지 형태 내에 세라믹이 들어가 맞물림 효과를 얻게 되는 결합이다(그림 9-6).

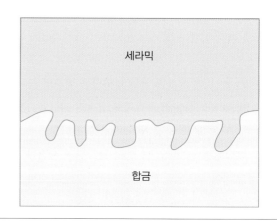

그림 9-6. 기계적 결합

(3) 압축력에 의한 결합

세라믹과 합금의 열팽창률 차이를 이용한 결합으로 세라믹의 열팽창률을 금속보다 낮게 만들어 세라믹이 가벼운 압력을 받은 상태가 되게 해 줌으로써 결합력을 증대시키는 결합이다(그림 9-7).

일반적으로 물체는 열을 받으면 길이와 체적의 변화가 나타난다. 이것을 열팽창이라고 한다.

금속-세라믹 크라운은 산화된 금속 합금의 표면 위에 세

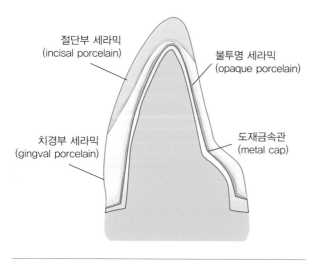

그림 9-4. 금속-세라믹 치관의 구조

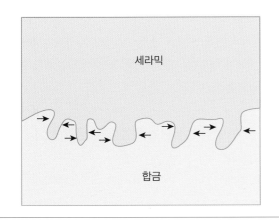

그림 9-7. 압축력에 의한 결합

라믹을 한 겹 도포하는데 이것을 불투명 세라믹이라 하고, 이것은 금속의 산화층과 결합한다.

금속 구조 위에 축성시킨 세라믹을 가열하면 온도 상승에 의해 세라믹은 엉겨 붙게 되고 열가소성 형태가 변하면서 금속구조에 접착된다. 그러나 냉각 과정에서 세라믹이 고체화 되는 시점(600~700℃)부터 온도가 실온까지 하강하게 되면 양쪽의 열팽창률은 거의 동일해지도록 요구 받는다.

고체와 액체의 조합은 그들의 위치관계가 변화되어도 상관없지만 고체끼리 서로 접착하며 서로 다른 상태변화를 일으키면 복합체는 변형을 일으킨다. 글라스와 세라믹은 금속처럼 구부러지지 않기 때문에 금속과 세라믹 사이에서 열팽창 차이가 발생되면 세라믹은 깨지거나 떨어져 나가게 된다.

세라믹의 열팽창(수축)률이 큰 경우, 즉 열팽창계수가 큰 경우 고온에서 세라믹이 용융되고 실온에서 냉각되는 동안 세라믹은 금속 보다 작고 짧아지게 된다. 금속-세라믹 치관인 경우는 양쪽이 합착되어 있으므로 세라믹 쪽에는 인장응력이, 금속 쪽에는 압축응력이 작용하므로 인장응력에 약한 세라믹은 잘 깨지게 된다. 반면에 세라믹보다 금속의 열팽창계수가 큰 경우는 소성 후 실온까지 냉각되는 동안 금속이 많이 수축하므로 세라믹 쪽에 압축응력이 가해지기는 하지만, 세라믹은 압축응력이 상당히 크기 때문에 파괴되지 않고 가장 안정적인 소성체를 이루게 된다. 따라서 금속의 열팽창계수가 세라믹보다 커야 내부로의 압축응력이 형성되어 금속-세라믹 결합이 잘 이루어지게 된다. 그러

나 금속과 세라믹의 열팽창 계수 차이가 너무 크게 되면 양쪽에 전단력이 작용하여 파절되게 된다.

일반적으로 금속과 세라믹의 열팽창 계수의 차이는 1× 10-6/℃ 정도면 바람직하다.

2) 소성반응

세라믹 소성은 치과위생사와 직접적인 관계는 없으나 세라믹의 강도에 영향을 미치므로 기초적인 방법과 단계를 숙지할 필요가 있다.

치과용 세라믹을 소성하면 장석은 유리와 백류석(leucite)이라고 하는 유리질의 결정체가 된다.

소성 온도보다 높거나 너무 오래 소성할 경우에는 유리성분이 백류석을 용해시킨다. 그러나 낮은 온도에서 소성할 경우 백류석의 일부가 용해되지 않고 남게 된다. 그러므로 정확한 시간, 온도 계획 하에 소성하는 것이 중요하다.

(1) 응축(condensation)

분말과 증류수 또는 액을 크림 상으로 혼합하여 금속 상에 올려 축조된 세라믹 입자 사이의 증류수를 제거하고 세라믹 입자 사이를 아주 밀접하게 축성하는 과정이다(그림 9-8).

지지관(coping) 위에 혼합된 세라믹을 올리고 진동을 가하여 응축한다.

(2) 소결

세라믹 소성은 분말의 소결과정이다. 소결은 세라믹을 가

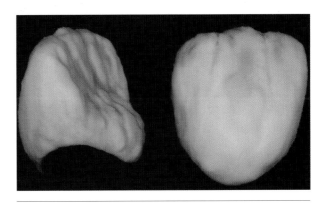

그림 9-8. 세라믹 응축

열하여 분말에서 고상으로 변화시킨다. 분말은 용융되지 않아 일반적인 형태를 유지한다. 소결과정은 눈이 녹지 않고 서로 뭉쳐져 있는 것과 유사하다.

세라믹 소결은 진흙 항아리, 도자기, 세라믹 타일을 굽는 과정과 같다. 제품의 다공성을 줄이는 게 매우 중요하며 제품의 구멍을 줄이면 치밀해져서 최종 제품의 강도가 증가된다.

소결 후 수복물의 최종 형태는 연마재로 다듬는다.

(3) 글래이징(glazing)

세라믹치관 표면은 구강 안에 장착 되었을 때 매끄러워야 한다. 그렇지 않으면 음식물 잔사가 잘 달라붙는다. 글래이즈는 수복물의 성숙온도 보다 낮은 소성온도에서 광택을 내기 위해 세라믹 표면에 사용되는 투명한 유리이다. 형태 수정이 끝난 세라믹을 용융 온도까지 재 가열하고 그 온도에서 냉각 전에 1~3분 동안 유지하면 글라스가 흘러나와 세라믹 표면에 매끄러운 유리막이 형성된다.

만일 세라믹과 글래이즈와의 열팽창률이 같지 않으면 표면에 잔금이 가고 껍질이 벗겨지는 등의 마모현상이 나타난다(그림 9-9).

3) 금속-세라믹 크라운의 장·단점
(1) 장점

세라믹의 내마모성과 내식성, 그리고 생체재료로서의 뛰어난 안정성과 심미성, 금속의 우수한 내충격성이 금속-세라믹 크라운의 장점이다.

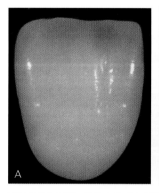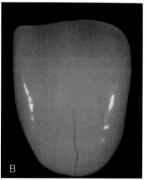

그림 9-9. A: 글래이징이 잘 된 세라믹 치관, B: 글래이징이 잘 안되어 잔금이 생긴 세라믹 치관

(2) 단점

치질의 삭제량이 많고 금속으로 인해 자연치와 유사한 색조의 재현이 어렵다. 또한 치경부 금속선의 노출로 인해 치은이 검게 보인다.

(3) 금속-세라믹 금관의 적응증 및 금기증
① 적응증

우식 부위가 크고 절단 부위까지 전부 피복관으로 회복하여야 할 경우, 또는 변색이나 기형 등의 심미적인 고려가 필요한 경우에 금속-세라믹 금관을 제작한다.

② 금기증

대합치와의 접촉 관계가 긴밀한 치아나 교합압이 집중되는 치아, 이갈이(bruxism)를 심하게 하는 경우는 세라믹 금관이 깨지거나 금이 가기 때문에 제작할 수 없다. 또한 지지와 유지를 주기에 불충분한 치관 길이를 가졌거나 치수의 크기와 넓이가 커서 치질의 삭제량을 충분히 얻을 수 없는 치아는 사용하기 어렵다.

임상 치관의 길이가 짧아 절단이나 교합부위에서의 세라믹의 두께 확보가 어려운 치아 역시 사용하기 어렵다.

3. 올 세라믹 크라운(all-ceramic crown)

올 세라믹 크라운은 금속지지관(coping) 없이 제작되어 금속-세라믹 크라운에 비하여 뛰어난 심미성을 가지고 있다(그림 9-10).

올 세라믹 크라운은 심미적인 측면이 강조되거나 금속에 과민증이 있는 경우, 혹은 전치부 부정교합의 심미적 교정이 필요한 경우에 주로 사용한다. 올 세라믹 크라운은 인레이, 온레이, 비니어 및 계속가공의치에 사용하는 가장 뛰어난 심미 수복물 중의 하나이다.

이 수복물들은 색조, 표면의 성질 및 투명도 등의 관점에서 자연치질과 가장 유사하다. 실제로 잘 제작된 올 세라믹 크라운은 인접 자연치아와 구별하기 어려울 정도이다. 세라믹 치아 표면에 생긴 잔금은 주의 깊게 살펴보지 않으면 발

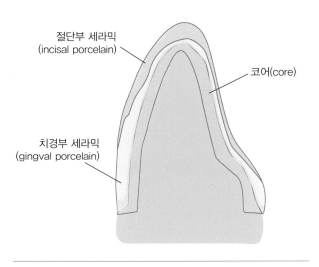

절단부 세라믹
(incisal porcelain)

코어(core)

치경부 세라믹
(gingval porcelain)

그림 9-10. 올 세라믹 치관의 구조

견이 쉽지 않으므로 치과위생사는 스케일링 등의 예방처치를 하는 과정에서 사용 기구의 선택 등에 주의를 기울여야 한다.

최근 심미치과에 대한 관심이 높아지면서 올 세라믹 크라운의 제작방법의 단점이 보완되고 재료의 개선과 새로운 기술이 개발되면서 그에 대한 비중이 더욱 더 커질 것으로 보이므로 이 분야에 관하여 보다 잘 알고 관심을 가지고 있어야 환자 상담 및 치료에 도움을 줄 수 있다.

1) 적응증 및 금기증

올 세라믹 크라운의 유지는 산부식된 세라믹 면과 법랑질 사이에서 이루어지므로 지대치는 충분한 양의 법랑질이 있어야 한다. 특히 세라믹 크라운의 변연부는 반드시 법랑질 상에 놓여야 하는데 이것은 법랑질과의 기계적 결합에 의해 미세누출을 방지하고 이차 우식증을 예방하기 위함이다. 따라서 법랑질이 충분할 경우는 올 세라믹 크라운을 사용할 수 있지만 이갈이 등의 나쁜 구강습관을 가지고 있는 경우는 피하는 것이 좋다.

올-세라믹 크라운의 가장 큰 단점은 낮은 강도이다. 따라서 세라믹으로만 제작된 구치부 계속가공의치의 경우 아직까지는 교합력에 저항할 만큼의 충분한 강도를 지니지 못한다. 이갈이나 다른 물건을 물어뜯는 나쁜 구강습관이 있는

경우, 혹은 절단교합으로 과대한 교합압이 가해지는 경우나 위치 이상과 파절치의 정도가 심한 경우는 사용하지 않는 것이 좋다.

2) 의치용 인공치

의치용 치아로 사용하는 세라믹 인공치이다.

내구성, 내마모성 등이 레진 치아보다 우수하나 의치상과의 결합력은 약하다.

취성과 경도가 높으며 마모저항성이 크다. 아크릴 의치상과 잘 접착되지 않으므로 금속 핀이나 기계적인 유지력이 필요하다.

자연치와 비슷한 심미성이 있으나 음식을 씹을 때 덜그럭거리는 소리(clicking sound)의 마찰음이 발생하거나, 대합치가 레진치아인 경우 대합치를 마모시킬 수 있다.

(1) 적응증

의치를 지지하는 잔존 치조골이 우수하고 대합치가 모두 의치인 경우에 사용한다.

(2) 금기증

대합치가 레진 치아인 경우에는 반대측 치아를 마모시켜 사용하기에 적합하지 않다.

4. 세라믹 비니어(ceramic veneer)

세라믹 비니어는 0.4~0.5 mm의 얇은 판을 지대치 순면에 접착하여 색조와 형태를 회복하는 올 세라믹 크라운의 일종으로 라미네이트라고 부르기도 한다(그림 9-11).

치질의 삭제량이 적으므로 치질이 보존된다는 장점이 있다.

주로 내화성 복재 모형재를 사용하여 축성, 소성하여 제작하며 기계적 결합 강도를 좋게 하기 위해 비니어 안쪽은 실란(silane)처리를 하고 자연치아의 순면은 산으로 부식한 후 레진 시멘트를 이용하여 접착시킨다.

세라믹 비니어는 교합압에 잘 깨질 수 있으므로 사용 시

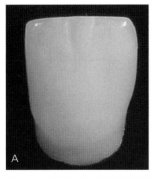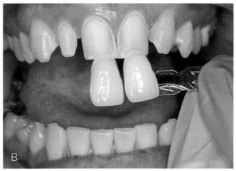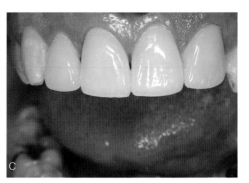

그림 9-11. A: 세라믹 비니어, B: 세라믹 비니어 장착 전 치아삭제 모습, C: 장착 후

주의사항에 대해 환자에게 정확히 교육을 하여야 한다.

5. 세라믹 인레이(ceramic inlay)

세라믹으로 인레이를 제작할 때는 와동 형성 시 심미성과 강도를 얻기 위해 금 인레이 보다 1 mm정도 더 깊게 와동을 형성한다. 최근 컴퓨터를 이용하여 디자인하고 제작하는 방법이 소개되면서 주로 celay, cerec 시스템으로 제작하고 있다.

6. 세라믹의 기계 가공(CAD-CAM 세라믹스)

최근에는 CAD/CAM(computer-aided design/computer-

aided manufacture)에 의한 제작방법이 소개되고 있다(그림 9-12). 이것은 치아형성부의 물리적 인상보다 광학적 인상을 채득, 컴퓨터를 이용하여 소결된 세라믹 블록을 조각한 후 수복물을 기계적으로 가공하는 방법이다.

Celay 시스템은 직·간접법으로 특수 복합수지로 납형을 제작하고 이것을 절삭기계(milling machine)상에서 복제한 뒤 그 모양대로 1차 삭제한다. 그런 다음 다시 모형에 시적해 보고 다시 한번 정밀한 기구로 잘 다듬어서 제작하는 방법이다. 즉 Celay 기법은 왁스 패턴을 제작하고 패턴을 복제하여 세라믹 수복물을 제작하는 것으로 열쇠복제와 유사한 복제 밀링(copy-milling)법으로 절삭가공법 하는 것을 말한다.

Cerec 시스템은 구강 카메라와 스크린, 절삭기계(milling machine) 등 크게 3가지 요소로 구성되어 있으며 와동이 형성된 치아에 구강 카메라를 위치시킨 뒤 영상된 구강상태가 스크린 디스플레이에 전달되어 컴퓨터 모니터에 와동이 확인될 수 있도록 한다. 그 뒤 스크린에 나타난 영상의 변연

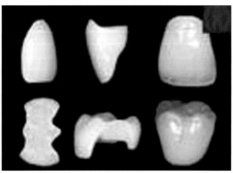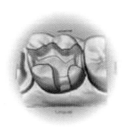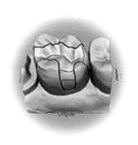

그림 9-12. Cerec3 영상진단설계 세라믹 수복장치(인용: Sirona)

(margin) 부위를 따라 커서를 움직임으로 인레이의 모양 등을 디자인할 수 있다.

즉 Cerec 기법은 컴퓨터를 이용해서 치아를 가공하는 시스템을 말하는 데, 치아를 깎은 다음 인상채득 대신 광학카메라를 이용해서 구강을 촬영하면 컴퓨터에 환자의 구강 상태가 삼차원으로 뜨게 되고 그 이미지에서 치아를 컴퓨터로 디자인한 다음 세라믹을 가공하는 시스템을 말한다.

이러한 방법은 인레이, 온레이 및 비니어의 제작에도 사용된다.

컴퓨터 스크린에 나타난 수복물의 디자인에 따라 절삭기를 이용하여 절삭하여 완성한다(그림 9-13).

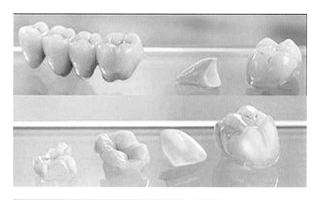

그림 9-13. 컴퓨터운영프로그램에 연결된 세라믹캡쳐장비

이러한 형태로 만들어진 인레이는 복합레진에 비해 용해도가 낮으며 강도가 높고 법랑질과 유사한 마모저항성을 가지므로 강도와 심미성을 고려해야 하는 환자에게 권하면 좋다.

최근 연구결과들은 CAD-CAM 시스템에 의하여 제작된 수복물의 변연 정밀도가 기존의 제작법에 의한 수복물과 거의 차이가 없는 것으로 보고되고 있다.

CAD-CAM 수복물의 단점은 장비가 비싸고 형성한 치아의 상을 얻는데 매우 숙련된 조작이 필요하다는 것이다.

그러나 세라믹의 물리적, 광학적 특성이 기공과정에 영향을 받지 않으며 내부 결함이 거의 없어 기계적 성질의 편차가 작은 것이 큰 장점이며, 현재 전 세계적으로 여러 종류의 치과용 CAD-CAM 기기가 제작, 출시되고 있어, 앞으로 복잡한 기공과정에 더 많이 활용될 것으로 기대되고 있다.

>>> Summary

- 치과용 세라믹은 실리카(silica, SiO_2)와 장석(feldspar, $K_2O \cdot Al_2O_3 \cdot 6SiO_2$), 알루미나(alumina, Al_2O_3)에 기초한 글라스 세라믹으로 세라믹 조성의 비율은 제조회사에 따라 약간의 차이는 있으나 주성분은 석영(quartz), 장석(feldspar), 점토(kaolin)로 구성되어 있다.
- 세라믹은 용융온도에 따라 고온, 중온, 저온, 초저온 용융형으로 분류하며, 사용부위에 따라 불투명 코어용, 치경부, 상아질, 법랑질 세라믹으로 나눌 수 있다.
- 금속-세라믹 금관은 강도강화를 위해 내부에 금속이 있고 그 위에 세라믹을 결합하여 강도와 심미성을 동시에 얻는 것으로 세라믹을 축성할 수 있게 금속내관을 주조하고 산화처리한 후 여러 다른 세라믹 층을 순서적으로 축성과 소성을 반복하여 세라믹 금관을 형성하는 것이다.
- 올 세라믹 크라운은 금속지지관이 없이 제작되어 심미적인 측면에서 뛰어난 장점을 가지고 있지만 강도가 낮은 단점이 있다.

>>> Learning Activities

1. 금속-세라믹 수복물과 올 세라믹 수복물에 관한 사진이나 그림을 모아보고 심미성이나 기능성에 관하여 비교해보자.

Review Questions

01 올 세라믹 크라운의 특징으로 옳은 것은?

① 내부에 금속 코어가 들어간다.

② 불투명 세라믹은 금속의 색을 차단한다.

③ 제작하기 쉽다.

④ 심미성이 제한된다.

⑤ 세라믹 비니어 보다 치아 삭제가 많다.

02 다음 금속-세라믹간의 결합에 관한 설명 중 옳지 않은 것은?

① 세라믹의 열팽창계수가 금속보다 더 크도록 한다.

② 금속표면의 요철 구조로 미세유지 형태를 주도록 한다.

③ 세라믹의 소결수축을 유도한다.

④ 세라믹의 열팽창계수를 금속보다 낮게 설정해서 세라믹 내에 압축응력이 발생하도록 한다.

⑤ 세라믹과 금속의 산화막 간의 확산이 일어나도록 한다.

03 세라믹 수복물을 접착하려 할 때 사용할 수 있는 접착제는?

① 인산아연 시멘트

② 레진 시멘트

③ 산화아연 시멘트

④ 수산화칼슘 시멘트

⑤ 폴리카복실레이트 시멘트

참고문헌

1. 세라믹 기초과학. 박병규, 한림원, 2002.

2. 최신 세라믹 공학. 김종희외 3인, 반도출판사(피어슨에듀케이션), 1991.

3. 한국치과재료학교수협의회. 치과재료학 5판, 군자출판사, 2008.

4. 한국치과재료학교수협의회. 치과재료학 7판, 군자출판사, 2015.

5. Applied Dental Materials, 9th edition, John F. McCabe and Angus W.G. Walls, Blackwell, 2008.

6. Anusavice, K.J., Horner, J.A. and Fairhurst, C.W. : Adherence controlling elements in ceramic metal system. I. Precious alloy. J. Dent. Res. 56, p1045-1047, 1977.

7. Binns, D.B.(1977) : The Chemical and Physical Properties of Dental Porcelain , Ed. H.N.Yamada, Univ. S.Calif School of Dentistry. Los Angeles 1977:25.

8. Jones, D.W. Jones, P.A. and Wilson, H. J. : The Modulus of Elasticity of Dental Ceramics. Dent. Pract. 22:107, 2005.

정답 | 1.⑤ 2.① 3.②

PART 10

의치상용 레진

✓ 의치상용 레진의 사용 용도를 설명할 수 있다.
✓ 의치상용 레진의 성질을 설명할 수 있다.
✓ 의치상용 레진을 이용한 의치성형법을 설명할 수 있다.
✓ 의치의 관리에서 치과위생사의 역할을 설명할 수 있다.

●-●-●-●---

고정성 보철물과 마찬가지로 가철성 의치는 상실치아를 수복해 주는 보철물이다. 치조골과 잇몸의 형태를 정확히 인상채득하여 모형을 제작한 후 의치를 제작하게 된다. 의치 제작에는 다양한 재료들이 사용되었지만, 최근에는 아크릴릭 레진이 많이 사용된다. 치과위생사는 임상에서 의치를 장착한 환자들의 관리를 위해 의치를 제작하는 재료의 특성, 제작 과정과 보관방법을 이해하고 있어야 한다.

1. 의치상용 레진

의치상은 치조골 위에 위치하며 의치(denture)의 인공치아가 고정되는 부분으로 의치의 핑크색 부분이다. 의치상으로 이용되는 재료는 초창기에는 나무와 상아, 경질고무가 이용되었지만 고분자로서 아크릴릭 레진(acrylic resin)이 1930년대 개발되어 현재는 메틸메타크릴레이트(methyl methacry-late) 단량체가 주로 사용되고 있다. 직접 수복재료로는 거의 사용되지 않고 임시치관 제작, 개인용 트레이, 의치제작용으로 사용된다(그림 10-1).

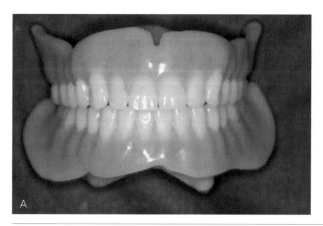
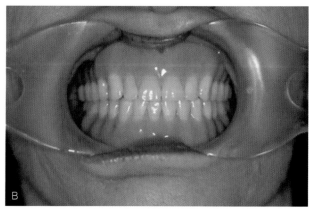

그림 10-1. 의치상용 레진으로 제작한 의치

표 10-1. 의치상용 레진의 분류

구분	종류	특징
제1형	열중합형 레진(heat-cured materials)	-1급 분말과 액(주입형 레진 포함) -2급 플라스틱 케이크
제2형	자가(화학)중합형 레진(Auto-cured materials)	-1급 분말과 액 -2급 분말과 액상형 유입형 레진
제3형	열가소성 레진(Thermoplastic blank or powder)	
제4형	광중합형 재료(Light-cured materials)	
제5형	초음파 중합 재료(Microwave-cured materials)	

2. 의치상용 레진의 분류와 중합반응 단계

1) 분류(표 10-1)

(1) 열중합 레진(heat-activated denture base resin)

열중합 레진은 자가(화학)중합형 레진과 매우 흡사하다.

열중합 레진은 열에 의해 중합이 되는 것으로 재료를 원하는 형태로 만든 후 수조(water bath)에서 재료에 열을 가하면 중합이 진행된다. 열은 중합촉진제로서 자유라디칼을 형성하는 개시제인 벤조일퍼옥사이드를 반응시켜 중합을 시킨다.

분말과 용액으로 공급되며, 분말과 용액을 섞으면 몰딩(molding)을 만드는 반죽형태(dough)가 형성된다.

(2) 자가(화학)중합형 레진(self-curing denture base resin)

자가(화학)중합형 레진은 분말과 용액으로 공급된다(그림 10-2, 표 10-2).

용액은 단량체인 메틸메타크릴레이트(methylmethacrylate)이며, 분말은 폴리메틸메타크릴레이트(polymethyl methacrylate)로 구성된다. 혼합된 분말과 용액은 초기단계에 물리적 변화가 일어난다.

분말이 단량체에 용해되면서 중합반응이 일어나며 분말이 더 용해되면 재료는 병상기(dough stage)에 이르게 된다.

자가(화학)중합형 레진은 용액에 첨가되는 활성제(유기 아민)를 갖는다. 분말과 용액을 혼합하면 벤조일퍼옥사이드(benzoyl peroxide)와 유기 아민이 반응하여 자유라디칼을 생성한다. 이 과정은 재료가 1단계(sandy stage)에서 3단계 병상기(dough stage)로 진행될 동안 일어난다. 초기에는 경화된 재료에 일부 단량체가 잔존하지만 곧 증발한다. 레진의 교차결합은 기계적 성질을 개선시킨다. 일부 교차결합제가 없는 레진은 파괴되기 쉽다. 교차결합제를 첨가하게 되면 재료의 인성이 개선된다.

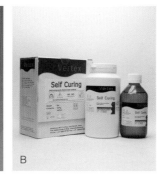

그림 10-2. 분말과 용액으로 공급되는 아크릴릭 레진(acrylic resin)

표 10-2. 의치상용 레진의 구성성분

	자가(화학)중합형 레진	열중합 레진
용액	methyl methacrylate hydroquinone ethylene glycol	methyl methacrylate hydroquinone ethylene glycol
분말	유기 아민 acrylic resin 분말 benzoyl peroxide fibers와 색소	acrylic resin 분말 benzoyl peroxide fibers와 색소

(3) 광중합 레진

기질로는 우레탄디메타크릴레이트(urethanedimethacry-late), 초미세 실리카가 들어있고 광 개시제가 포함되어 있다. 단일 성분의치상 레진이 시트나 로프 형태로 공급되며 부주의한 중합을 막기 위하여 차광성으로 포장되어 있다. 모형상에서 직접 의치상 형태를 성형하며 적절한 시간동안 고강도의 광선을 이용하여 중합한다.

(4) 초음파중합 레진

초음파 중합레진은 중합 시 특별한 조성의 레진과 금속제가 아닌 플라스크(flask)가 필요하며 초음파에 의해 중합이 된다. 이 술식에는 통상적인 전자렌지로 중합에 필요한 열에너지를 공급한다.

2) 단량체와 중합체의 중합반응

중합체 분말과 단량체 용액의 비율은 체적비로 3:1로 혼합하며, 단량체 용액이 분말을 충분히 적셔야 하지만, 단량체의 양이 많으면 중합수축이 커지고, 병상 형성 시간(dough-forming time)이 길어질 수 있다. 혼합시간이 길어지면 혼합물 내에 기포가 많아질 수 있어 강도가 떨어질 수 있고, 착색 등을 유도할 수 있다.

분말과 액의 혼합 시 5단계 반응단계를 보인다.

1단계(sandy stage)에서는 중합체가 분말형태를 유지하고 있고, 단량체 용액이 분말을 적시며 젖은 모래 알갱이와 같은 상태를 보인다.

2단계(sticky 또는 stringy stage)는 분말의 표면이 단량체에 녹기 시작하며 스파튤라를 이용 시 끈적거리는 상태를 보인다.

3단계 병상기(dough stage)는 단량체 용액 내에 용해된 중합체가 증가되며, 유연한 반죽(dough)처럼 더 이상 끈적거리지 않고 용기표면에 달라붙지 않는 상태가 되어 반죽하기 좋다. 가압성형(compression molding)을 위해 몰드에 레진을 채워 넣는 시기에 가장 적당하다. 열중합 레진의 병상기는 약 10분 정도로 유지되며, 병상기 동안 작업이 이루어진다.

4단계(rubbery or elastic stage)는 단량체가 분말 내부로 침투하였거나 기화되어 가소성을 상실하고, 고무와 같은 탄성을 갖게 된다. 이 단계에는 작업을 시행하기 어렵다.

5단계(stiff stage)는 완전히 중합이 끝난 상태로 더 이상 변형이 되지 않는다. 형태가 고정되어 기계적 변형에 저항성을 갖는다.

3. 의치상 레진의 요구사항

① 용액은 육안 관찰 시 침전이나 앙금이 없어야 하고 적절한 반투명성이나 투명성을 가져야 한다.
② 분말은 육안으로 관찰 시 이물질이 없어야 한다.
③ 구강조직에 비 독성, 비 자극성으로 생체적합성이 있어야 한다.
④ 무미, 무취이어야 한다.
⑤ 표면 특성은 매끄럽고 단단하며 광택이 있어야 한다.
⑥ 색조가이드와 색이 일치해야 하며, 색 안정성이 있어야 한다.
⑦ 빛에 의해 투과성이 있어야 하며 변색이나 외형의 변화가 없어야 한다.
⑧ 기포 발생이 적어야 한다.
⑨ 인공 레진치와 결합력이 좋아야 한다.
⑩ 체적 안정성이 있어야 한다.
⑪ 적절한 강도와 내마모성이 있어야 한다.
⑫ 용해되거나 부식되지 않아야 한다.
⑬ 연화온도는 구강으로 섭취되는 뜨거운 음식보다 높아야 한다.
⑭ 간단한 장비로 제작과 수리가 가능해야 한다.
⑮ 가격이 저렴해야 한다.

4. 의치상 레진의 성질

1) 체적 수축

의치상용 레진은 메틸메타크릴레이트와 폴리메틸메타크릴레이트가 서로 중합되면 21%의 체적 수축이 발생한다. 자가중합형 레진은 열중합형 레진보다 열수축이 없고 체적 수축도 적으므로 의치의 적합도가 더 좋다. 열중합 레진은 혼합물의 약 1/3만 용액이므로, 중합 시 체적수축은 약 7% 정도 일어나고, 광중합 레진의 중합수축은 약 3%로 낮다.

2) 기포

의치의 표면에 기포가 형성되면 음식물 잔사가 쌓여 부패되고 다공성으로 인해 재료가 약화된다. 표면의 기포는 의치 세척을 어렵게 하고 의치의 외관을 심미적으로 불량하게 한다(그림 10-3).

또한 기포에 응력이 집중되었다가 응력이 완화가 되면 의치는 변형이 된다. 따라서 아크릴릭 레진을 가공할 때 기포가 생기지 않도록 주의해야 한다. 기포의 발생 원인은 단량체인 메틸메타크릴레이트의 끓는점이 100.8℃인데 중합 시 발생되는 열이 단량체의 끓는점보다 높아지게 되면 단량체가 끓게 되어 의치 내에 기포가 발생하게 된다. 중합 시 압력을 적용하게 되면 휘발성 단량체 상실을 최소화 시킬 수 있어 기포발생을 막을 수 있다.

3) 흡수

폴리메틸메타크릴레이트는 수분이 있는 환경에 놓이면 소량의 수분을 흡수한다. 이 수분은 고분자의 기계적 성질 및 변화에 중요한 역할을 한다. 폴리메틸메타크릴레이트는 수분의 흡수에 의해 무게가 1% 증가할 때 마다 아크릴 레진은 0.23% 팽창하기 때문에 의치상 레진의 체적 변화가 일어난다. 의치는 구강 내에 위치하고 있을 때 타액에 의해 팽창된다. 따라서 건조한 환경에서 보관 시 수축과 팽창의 비가역적인 변형이 일어날 수 있으므로, 의치는 수분 환경에서 보관해야 한다.

4) 용해도

의치상 레진은 구강 내 장착 후 접하게 되는 타액과 음식들에 불용성을 가진다. 그러나 방향족 탄화수소(aromatic hydrocarbon), 케톤(ketone), 에스테르(ester)에는 약간 용해가 되기도 한다. 특히 당뇨병 환자에서 발생되는 아세톤은 대표적인 케톤으로 의치상용 레진의 용해도를 증가시킨다.

5) 균열

의치 제작 시 발생하는 응력으로 인해 의치의 표면에 균열이 발생하고 강도가 저하되어 나중에는 파절의 초기 원인이 된다. 또한 미세한 균열은 레진의 외관이 안개 낀 것 같이 되어 심미성이 감소된다. 균열은 의치가 응력을 받았을 때 중합체 사슬들의 기계적 분리에 의해 생기며 주로 인장응력 때문이다. 즉, 인장응력을 받으면 기계적으로 분리되어 인장응력에 수직방향으로 균열이 발생하는 것이다. 또한 알코올 같은 용매에 레진이 부분적으로 용해되면서 균열이 생길 수도 있다.

6) 강도

의치상 레진의 파절은 저작 시 발생되는 교합압이나 의치를 땅에 떨어뜨렸을 때, 제작에 오류가 있었거나 오래 사용해서 반복응력이 누적되어 피로도가 높아졌을 때도 파절될 수 있다. 의치상 레진은 파절에 저항할 수 있는 강도를 가지고 있어야 한다. 이러한 강도에 영향을 주는 요인으로는 레진의 조성, 제작 술식 및 구강 내 환경 등이 있지만 가장 중요한 결정 인자는 중합도(degree of polymerization)라 할 수 있다.

중합도가 크면 강도와 탄성계수는 증가하게 되는데 레진 중합 시 의치의 두꺼운 부위가 얇은 부위보다 반응열이 많이 발생하게 되므로, 두꺼운 부위의 중합도가 더 높아져 강도는 높아진다.

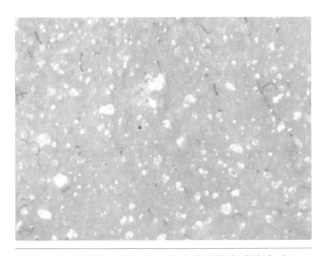

그림 10-3. 불량한 중합으로 발생된 아크릴릭 레진의 기포

7) 크리프(creep)

의치상용 레진은 응력이 제거되면 시간이 지남에 따라 탄성변형을 회복하는 고무와 같은 성질을 가지고 있다. 의치상용 레진이 지속적인 하중을 받으면 재료는 초기 변형을 나타내며 시간이 지남에 따라 추가적인 소성변형이 발생하는데 이런 추가적인 변형을 크리프라고 한다. 크리프는 온도, 응력, 잔류 단량체의 양이 증가함에 따라 증가한다.

8) 열전도성

의치상용 레진은 열전도성이 매우 낮아, 절연체 역할을 하므로 음식의 차갑고 뜨거운 온도를 잘 못 느끼거나 미각을 저하시킨다. 무기필러를 첨가하면 열전도성은 증가하고, 열팽창계수는 감소한다.

5. 의치상 레진의 조작법

1) 가압 성형법(compression molding technique)

플라스크 하함(lower)에 석고를 붓고 인공치아가 식립된 왁스 의치와 모형을 위치시킨다(그림 10-4A). 석고가 경화되면 석고 분리제를 바르고 플라스크 상함(upper)을 위치시킨 후 다시 석고를 부어 왁스 의치를 매몰시킨다(그림 10-4B). 상함의 석고가 경화되면 상함과 하함을 분리한 후, 왁스를 제거한다(그림 10-4C). 이때 인공치아는 석고에 고정되어 있기 때문에 왁스를 제거하면 의치상 레진이 들어갈 주형(mold)이 형성된다(그림 10-4D).

병상기의 의치상 레진을 위치시키기 전에 레진 분리제를 바른 후, 플라스크 하함의 주형에 의치상 레진을 위치시킨다(그림 10-4E). 상함을 하함 위에 위치시킨 후 압력을 주어 여분의 레진이 빠져나오게 한 후 상함과 하함을 분리하여 여분의 레진을 모두 제거한다(그림 10-4F). 다시 상함과 하함을 조립 후 중합이 될 때까지 유지한다. 유지시간은 중합이 완료된 후에 최소한 3시간 이상 압력을 유지해야 한다.

중합이 끝나면 석고를 제거한 뒤에 의치를 제거하고, 마무리와 연마, 소독을 거쳐 의치를 완성한다.

2) 주입 성형법(injection molding technique)

하함의 석고에 왁스로 제작한 의치를 위치시킨 후 경화가 되면, 주입선을 부착하여 상함을 위치시키고 석고를 부어 매몰한다. 석고의 경화가 끝나면 왁스를 모두 제거한 뒤에 주입선(sprue) 부위로 혼합한 의치상 레진을 주입한다. 중합 시 압력을 이용하여 성형한다(그림 10-5).

가압성형법에 비해 중합시간이 짧고, 정확성이 비교적 높다.

3) 유동성 레진법(fluid resin technique)

유입형 레진의 분말과 액을 혼합하면 흐름성이 좋은 상태가 된다. 이 레진을 주형에 붓고 압력을 가한 상태에서 실온에서 경화시킨다.

왁스 의치와 모형을 유동성 레진 전용 플라스크에 위치시킨다. 왁스 의치와 모형이 위치된 곳 주위를 가역성 하이드로콜로이드(hydrocolloid)제재로 채운 후 겔화시킨다. 하이드로콜로이드 제재가 겔화되면 왁스 의치와 모형을 제거 한 뒤에 주입선을 형성한다. 치아를 왁스와 분리하여 하이드로콜로이드 제재 내에 위치시킨 뒤에 혼합된 의치상 레진을 주입선으로 주입한다.

주입 성형법과의 차이점은 매몰재가 하이드로콜로이드 제재를 사용하기 때문에 재활용이 가능하고, 왁스 의치 매몰, 완성된 의치의 제거와 연마가 간단하여 제거 과정중 인공치의 파절 우려가 적은 것이 장점이다. 그러나 제작 과정동안 치아의 위치변화와 레진 주입 시 기포 함입, 의치상과 레진 인공치 사이의 결합력이 저하되는 단점이 있다.

4) 광중합형 레진법

최종 모형 상에서 레진을 이용하여 성형한 뒤에 가시광선을 이용하여 중합시킨다. 플라스크 내 의치매몰, 가열중합, 플라스크로부터의 제거 등의 작업이 생략되므로 절차가 간단하다. 중합시간이 짧아 수축이 적고, 의치상과 적합성은 좋은 반면 인공치와의 접착력이 낮다.

그림 10-4. 가압 성형법에 의한 의치 제작과정
A: 3차 의치 매몰 B: 석고가 굳으면 왁스와 기초상 제거 후 왁스 wash-out C: 인공치를 제외한 부위에 레진 분리재 도포 D: 의치상용 레진 혼합 후 병상 기에 전입(packing) E: 유압기로 가압하여 시험폐쇄(trial closure)하고 여분의 레진 제거 F: 바이스(vice)로 플라스크 고정 후 중합 G: 플라스크에서 제거(deflasking) H: 완성된 의치(사진: 원광대학교 치과대학 보철학교실 조득원)

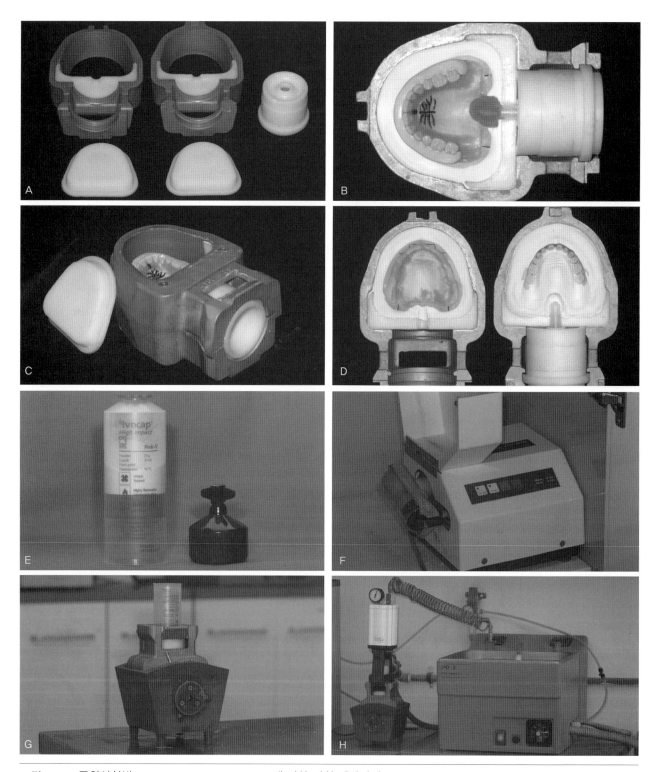

그림 10-5. 주입성형법(injection molding technique)에 의한 의치 제작과정 1
A: 주입성형법용 특수 플라스크, 왼쪽부터 하함 및 상함과 각각의 뚜껑, 주입 실린더 B: 왁스의치의 1차 매몰 후 레진 주입을 위한 주입 실린더 부착 및 스프루 연결 C: 2차 매몰 전 상함 위치 D: 2차 매몰 후 왁스 wash E: 주입성형법에 사용되는 레진의 분말과 액 F: 분말에 액을 넣은 뒤 진동혼합기에 위치시켜 혼합 G: 플라스크를 클램핑 프레임에 넣어 고정 후 혼합된 레진 위치 H: 압력기구를 연결하여 6 bar의 압력으로 5분간 레진 주입

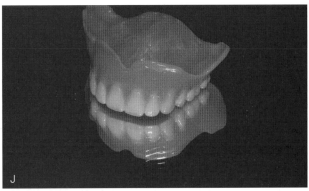

그림 10-5. 주입성형법(injection molding technique)에 의한 의치 제작과정 2
I: 100℃로 예열된 수조에 넣어 35분간 중합 J: 완성된 의치(사진: 원광대학교 치과대학 보철학교실 김치윤)

6. 의치상 레진의 기타 적용

1) 의치상 수리

의치가 파절되면 수리용 레진(repair resin)을 사용한다. 의치의 파절편을 스티키 왁스(sticky wax)로 고정한 뒤에 왁스 내면에 석고를 부어 모형을 만든다. 왁스 제거 후 의치를 석고 모형에 다시 위치한 뒤에 파절된 공간에 레진을 부어 중합한다.

2) 의치의 재이장(relining)

의치의 재이장(relining)에는 자가중합형과 열중합형이 사용되며 분말과 액을 섞어서 사용한다(그림 10-6).

치조골의 형태가 변형되어 의치가 헐거워지면 의치의 내면이 잘 맞도록 보완해줘야 한다. 의치의 내면에 인상재를 담아 의치를 트레이로 사용하여 인상을 채득한다. 인상재 부위에 석고를 부어 모형을 만들고, 의치에 붙어있는 인상재를 제거한다. 인상재를 제거한 의치와 모형 사이의 공간에 의치상 레진을 추가한 후 가압성형법을 이용하여 중합한다.

3) 의치의 개상(rebasing)

개상(rebasing)은 교합관계를 유지하고 있는 치아만 남기고 의치상을 모두 제거한 뒤에 새로운 의치상으로 바꿔주는 것을 말한다. 의치의 개상은 자가중합형과 열중합형이 사용되며 분말과 액을 섞어서 사용한다(그림 10-7).

4) 조직 조절제(tissue conditioner)

의치를 임시로 이장(relining)할 때 사용하는 재료이며, 가소성을 향상시킨 아크릴릭 레진으로 분말과 용액의 형태로 공급된다(그림 10-8). 분말은 폴리메틸메타크릴레이트 또는 공중합체이다. 용액은 에탄올 또는 높은 분자량의 알코올 내에 방향성 에스테르(butyl phthalate butyl glycolate)가 녹아있다.

겔 상태로 혼합하여 약간 삭제된 내면에 첨가해서 구강 내 위치하여 의치상과 구강조직 사이의 공간을 채운다. 조직조절재는 탄성을 가지고 있어 저작압을 흡수하고 쿠션역할을 한다. 점성에 의해 하중을 받는 부분의 형태에 맞게

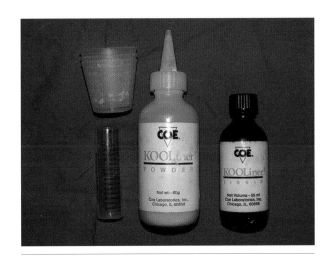

그림 10-6. 의치의 재이장재료

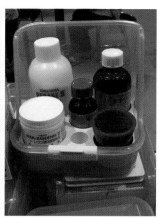

그림 10-7. 의치의 개상(rebase)

그림 10-8. 조직 조절제

6) 치과용 적합시험재(압박 지시재, Pressure Indicating paste)

치과용 적합시험재는 수복물의 적합도를 시험하는 실리콘, 왁스 제재 등의 재료이다. 경화형과 비경화형이 있다. 의치, 가철성 교정장치, 구강 내 보호장치(마우스피스)에 의해 구내에 상처가 생겼을 때 상처부위를 구강 내 장치 내면에 인기 및 표식시켜 패인 위치를 확인시켜 주는 재료이다. 구강 내 장치에 인기된 치과용 적합시험재의 면적와 두께에 따라 과잉 압박 부위와 과연장 등의 부적합 부위를 인지하여 구강 내 장치를 깍아 내는 데 사용한다.

구강점막에 위치한다.

주로 의치에 의해 구내에 상처가 생겼을 때 상처 치유를 촉진하기 위해 사용된다. 지지조직의 형태에 맞게 의치가 조직에 잘 적합 되면 하부조직을 마사지하고 혈액순환을 돕도록 한다. 조직조절제재는 조작과 조절이 쉬우나 수명이 짧은 게 단점이다.

5) 조직 접착제

물에 용해되는 용해성과 용해되지 않는 불용성이 있다. 용해성은 환자가 틀니에 직접 도포하고 씻을 수 있어서 의치상에서 제거가 가능하다. 불용성 형태는 매우 단단하고 견고한 재료로 의치상 표면의 일부분이 된다. 조직 접착제는 조직변화 원인이 될 수 있으므로 사용 시 주의를 해야 한다.

7. 의치의 관리방법

정기적으로 의치를 세정하지 않으면 침착물이 의치에 부착되므로, 의치세정제와 의치용 칫솔을 이용하여 의치를 세척한다. 연마제가 들어있는 치약을 사용하면, 의치상 레진의 표면을 마모시키므로 전용 의치세정제를 사용하여야 한다. 의치는 구강 내에서 제거 시 의치전용 보관액에 보관하거나 임시로 보관 시에는 100% 상대습도 상태에서 보관하여 건조되지 않게 한다.

치과위생사는 이와 같은 의치의 올바른 세척방법과 보관방법에 대해 환자에게 정확히 설명할 수 있어야 한다.

8. 기타 레진

1) 임시치관용 레진(Temporary crown resin)

보철물 제작 과정에서 최종보철물 적용 전에 임시로 사용되는 치관을 제작할 때 주로 자가중합형 레진을 사용하며, 사용하기 쉽고 심미적이라 기존의 폴리카보네이트 임시치관 대신 주로 사용되고 있다(그림 10-9).

직접제작법은 치아를 삭제한 후 구강 내에서 직접 임시치아를 제작하는 방법으로 분말과 액을 혼합하여 병상기가 되면 치아에 위치시켜 치관을 제작한다. 간접제작법은 미리 인상채득을 하여 모형을 제작한 후, 모형 상에서 임시치아를 만든 뒤, 내면을 재조정하여 치관을 완성한다.

2) 개인용 트레이(Individual tray)

모형상에서 각 개인의 구강에 맞게 제작하는 것으로 맞춤 트레이(custom tray)라고도 한다. 주로 의치 제작에 사용하며, 치아 및 구강 조직과 트레이 사이가 일정한 간격이 유지되어 인상재가 균일하게 분포되므로 기성 트레이를 사용하는것에 비해 더욱 정확한 인상을 채득할 수 있다.

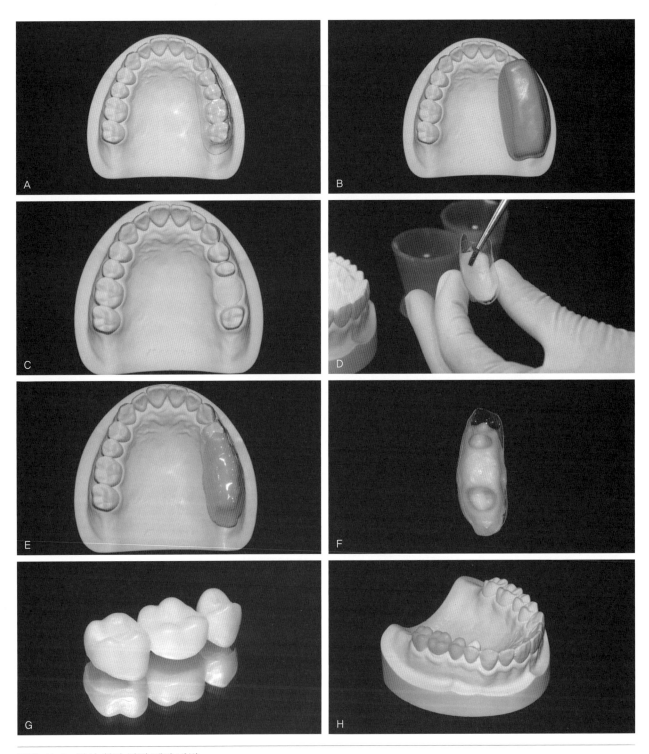

그림 10-9. 임시 치관 간접 제작 방법

A: 임시 치관을 제작하려는 부위에 맞게 잘라 template를 만든다. B: 폴리스티렌 판을 사용하지 않고 putty 고무인 상재로도 template를 만들 수 있다. C: 브리지 제작의 경우, 구강내에서 발치 후 지대치를 삭제한다. D: 임시 치관용 레진을 혼합하여 제작해놓은 template 안에 넣는다. E: 구강내 지대치에 위치시킨다. F: 폴리스티렌 template 내에 형성된 임시 치관 G: template를 제거하고 다듬어 연마한 완성된 임시치관 H: 지대치에 위치(사진: 원광대학교 치과대학 보철학교실 김치윤).

⟫⟫ Summary

- 자가(화학)중합 레진은 분말과 용액으로 공급되는데 용액은 가교결합제가 첨가된 메틸메타크릴레이트이며 분말은 색소와 벤조일퍼옥사이드가 첨가된 폴리메틸메타크릴레이트 레진이다.
- 열중합 레진은 자가(화학)중합 레진과 유사하지만, 열에 의해 중합촉진이 된다. 분말과 액이 혼합되어 병상기에 이르면 의치제작을 위한 몰드에 위치시킨 후 중합한다.
- 의치는 가압성형법, 주입성형법, 유동성 레진법, 광중합형 레진법으로 제작할 수 있다.
- 치조골의 소실로 인해 의치가 부적합하게 되면 의치의 재이장과 개상을 통해 변형되거나 맞지 않는 의치를 수선해 줄 수 있다.
- 의치는 의치 전용 세치제를 사용하여 세척하고 건조되지 않도록 보관한다.

⟫⟫ Learning Activities

1. 가압성형법을 이용하여 의치의 제작과정을 재현해보자.
2. 열중합형 레진을 혼합하여 중합시 발생되는 온도를 측정해보자.

Review Questions

01 아크릴릭 레진의 가교 결합제는 기계적 특성을 증진시킨다. 가장 중요한 특성은 무엇인가?

① resilience

② toughness

③ fatigue

④ creep

02 열중합형 레진을 사용할 때 작업하기 가장 적당한 단계는?

① sandy stage

② sticky stage

③ dough stage

④ stiff stage

03 열중합형 레진의 설명으로 옳은 것은?

① 중합수축이 적다.

② 크리프가 낮다.

③ 젖음성이 낮다.

④ 인공치와의 결합력이 우수하다.

참고문헌

1. 연세대학교 치과재료학 연구소. 치과재료, 1997년, 제5권.

2. 한국치과재료학교수협의회. 치과재료학 5판, 군자출판사, 2008.

3. 한국치과재료학교수협의회. 치과재료학 7판, 군자출판사, 2015.

4. 한국통합치과기재규격 제7호 의치상용 레진.

5. Boone, ME: New materials and techniques in prosthodontics. DCNA 1983;27(4); 793-803.

6. Craig RG: Dental materials, a problem-oriented approach. 1978 The C. V. Mosby Co. Saint Louis.

7. Gladwin M, Bagby M: Clinical aspects of dental materials : theory, practice, and cases, 2nd ed. Philadelphia: Lippincott Williams & Wilkins, 2004.

 정답 | 1.④ 2.③ 3.④

PART 11

매식재

01 임플란트

✓ 치과용 임플란트의 유형과 용도를 설명할 수 있다.
✓ 치과용 임플란트에 사용하는 재료를 설명할 수 있다.
✓ 골유착의 개념을 설명할 수 있다.
✓ 치과용 임플란트의 표면처리방법을 설명할 수 있다.

●—●—●—●—— —

치과용 임플란트(dental implant)는 치아우식증과 치주질환 또는 사고에 의한 외상 등 예기치 않았던 일로 치아를 상실했을 때 결손된 자연치아를 대신하여, 인공대치물을 상악골이나 하악골에 식립함으로 구강의 기능과 치아의 기능을 회복시킬 수 있다.

임플란트 재료로 흔히 사용되고 있는 것은 티타늄(titanium)과 티타늄합금이다. 1952년 스위덴 괴텐버그 대학(University of Gothenburg)의 브레네막(Brånemark) 교수는 뼈와 티타늄 금속간의 골성결합을 발견함으로 골유착 개념을 제시하였다. 그의 이론은 현재까지 수용되고 있으며, 티타늄을 적절히 취급하면 골과 유착되는 장점이 있다.

최근 결손치아의 기능회복을 위하여 치과용 임플란트의 시술이 점차 증가되고 있기 때문에 치과위생사는 치과용 임플란트에 대한 특성을 잘 이해해야 한다.

1. 치과용 임플란트의 유형

1) 골내형 임플란트(endosseous implant)

골내형의 임플란트는 상악골이나 하악골의 무치악제를 덮고 있는 구강점막을 관통하면서 뼈에 구멍을 뚫어 악골에 고정하는 것을 말한다. 뼈 내부에 매식체가 들어가기 때문에 골내형 임플란트라 한다(그림 11-1).

골내형 임플란트는 그 형태에 따라 치근형(screw), 칼날형(blade), 원통형(cylinder)으로 나눌 수 있고, 현재 임상에서 가장 많이 사용되는 임플란트 형태는 치근형이다(그림 11-2A). 지대주(abutment) 부착방법에 따라 분리형, 일체형, 맞춤형으로 나눈다.

2) 골관통형 임플란트(transosteal implant)

골관통형 임플란트는 하악 의치의 안정에 도움을 주기 위해 사용된다. 하악신경의 위치를 고려하여야 하므로 소구치 앞쪽 하악 전치부에만 시술이 가능하고, 무치악재를 덮고 있는 구강점막을 관통하여 하악골 하방 변연부나 돌기를 관통하여 시술한다(그림 11-2B). 골관통형 임플란트는 대부분의 경우 전신마취를 해야 하기 때문에 시술의 적응증이 많지 않다. 또한 하악 전치부의 턱 밑 부분에 구강 외 절개를 시행하므로 흉터가 남을 수 있고, 수술기간 동안 병원에 입원해야 하는 번거로움 때문에 최근에는 거의 사용하지 않고 있다.

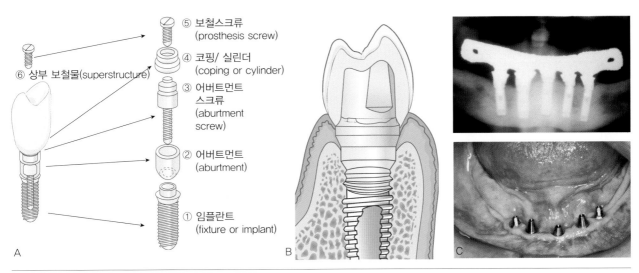

그림 11-1. 골내임플란트 도식도 A: ① 골내 식립되는 인공치근 ② 인공치근과 상부보철물을 연결하는 지대주 ③ 인공치근에 지대주를 고정하는 나사, ④ 상부부보철물 내면을 형성하면서 지대주와 연결하는 구조물, ⑤ 상부보철물을 지대주에 고정하는 나사, ⑥ 상부보철물 B: 골내 매식 된 임플란트 C: 매식 후 방사선 사진과 구내 사진

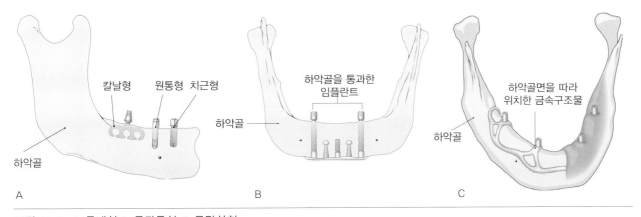

그림 11-2. A: 골내형 B: 골관통형 C: 골막하형

3) 골막하형 임플란트(subperiosteal implant)

골막하형 임플란트는 골막하의 골 표면을 따라 장착되는 것으로, 골막 하부의 골 표면에서 지지를 받는 방법이다(그림 11-2C). 하악골의 골막 하방에 위치시키기 위해 1, 2차 외과수술을 시행한다. 골막하형 임플란트는 하악골의 정확한 모양을 재현하지 못하여 적합도가 좋지 못하며, 임플란트가 협설측으로 연장되지 못하고, 치조정 부위에만 고정되기 때문에 고정나사가 지작력을 견디지 못하는 단점이 있다.

2. 치과용 임플란트 재료

치과용 임플란트 재료는 생체적합성과 우수한 내식성을 가지고 있는 코발트 크롬(Co-Cr) 합금, 스테인레스 강, 티타늄합금이 주로 사용되며, 이 외에도 인산염칼슘, 알루미나, 지르코니아, 글라스와 글라스세라믹, 탄소, 폴리머 등도 사용되고 있다.

코발트 크롬(Co-Cr) 합금은 공업용으로 항공기 엔진용에 개발되어 사용되어 왔으나, 치과용으로는 골절 고정용으로 가공된 코발트 크롬 합금이 사용되고 있다. 스테인레스 강은 골절 고정용 플레이트, 정형외과의 인공관절 등으로 사용되고 있고, 장기간의 안정성이 요구된다.

1) 티타늄(titanium)계 임플란트

티타늄은 지구상에 존재하는 금속 중에서 알루미늄, 철, 마그네슘에 이어 4번째로 풍부한 금속원소이다. 무게에 비하여 높은 강도를 갖고 있으며, 우월한 기계적 특성과 부식저항성이 있다. 표면은 안정된 부동태 산화층(titanium dioxide, TiO$_2$)을 형성하고 있어 우수한 생체적합성 및 골과 직접 결합하는 골융합(osseointegration) 성질 등 임플란트 재료로 적합한 특성을 가지고 있다.

(1) 순 티타늄(cp Ti 또는 상용 pure titanium)

순 티타늄은 다른 순수 금속처럼 강하지는 않지만 생체친화성(biocompatibility)이 우수하고 탄성계수가 자연골에 가장 가까운 임플란트 재료로 의과용 및 치과용 임플란트에 많이 사용된다.

(2) Ti-6Al-4V

Ti-6Al-4V 티타늄은 6% 알루미늄과 4% 바나듐을 함유한 티타늄 합금으로서 치과용 임플란트에 사용되는 금속이다. 항공우주 산업에도 사용되는 재료로 생체친화성이 뛰어나며 순 티타늄보다 강하고 단단하다.

2) 티타늄의 코팅재
(1) 수산화인회석 코팅 티타늄

티타늄 금속에 수산화인회석(hydroxyapatite, HA)을 코팅한 임플란트 재료이다. 치아나 뼈와 같은 경조직은 수산화인회석으로 주로 구성되어 있으며, 수산화인회석은 골유착과 골전도성이 우수하며 골과 수산화인회석 사이에 칼슘 브릿지를 형성하여 다른 물질에 비해 더 강하게 결합한다. 수산화인회석으로 코팅된 티타늄은 다양한 임플란트 유형으로 많이 사용되고 있다.

(2) 인산3칼슘(tricalcuim phosphate, TCP) 세라믹스

인산3칼슘 세라믹스는 수산화인회석과 성질이 닮은 화합물로 다공체로서 Ca$_3$(PO$_4$)$_2$의 화학식을 가지며, 골결손부의 충전용이나 두개골 보충 등에 응용되고 있다. 또한 생체조직에서 용해도가 크고, 골 치환 속도가 빠르며, 체내에 매식된 소결체의 구멍에 신생골이 서서히 진입하여 자기 자신의 뼈로 치환된다. 최근에는 금속에 코팅하여 인공치근으로서의 응용도 고려되고 있으며 분말은 치주질환으로 생긴 골결손부의 충전에 사용되고 있다.

(3) 생체유리(bioglass)

생체유리는 다량의 산화칼슘과 인산을 포함하는 유리로서 골조직과의 친화성이 우수하다. 골조직 이식 시 유리의 표면이 용해되어 수산화인회석 겔(gel)층을 만들며 이것을 사이에 두고 뼈와 결합한다. 생체유리는 강도는 낮지만 치과용이나 정형외과용 금속 이식체의 코팅에서 활발히 연구되고 있는 재료이다.

3) 기타 재료

치과용 임플란트 재료는 티타늄 외에 금속, 세라믹 및 고분자가 사용된다.

(1) 금속

금속과 합금이 치과용 임플란트 재료로 사용된다. 초기에는 내식성이 강하고 물리적 성질이 우수한 스테인리스강과 코발트-크롬 합금이 사용되었으나, 점차 순 티타늄과 티타늄합금이 대표적인 치과용 임플란트 재료로 사용되고 있다.

(2) 세라믹

최근에 수산화인회석과 인산칼슘 재료가 임플란트 재료로 사용되고 있다. 그러나 유리로 된 탄소나 열 분해된 탄소, 알루미나는 임상성공률이 낮다.

(3) 고분자

아크릴릭 레진 같은 중합체가 보철용 임플란트로서는 성공률이 낮아서 다른 용도로 개발되고 있다. 섬유강화형 고어텍스(expanded polytetrafluoroethylene, ePTFE)는 치주에서 조직성장용 차폐막으로 매식되는 중합체 재료로 테프론과 같은 고분자 중합체이다.

3. 임플란트의 골유착(osseointegration) 기전

골유착은 치과용 임플란트에 분자, 섬유, 세포, 조직이 부착하는 것으로, 생체친화성 재료의 사용이나 외과수술의 숙련도 및 적절한 치유기전으로 일어난다.

골유착이란 뼈를 의미하는 라틴어의 "os"와 한덩어리가 된 상태를 뜻하는 "integration"의 합성어로 "광학적 현미경으로 관찰할 때 살아있는 골과 하중을 전달하는 골내 고정체 계면 간의 직접적인 구조적, 기능적 결합이다"라고 정의하였다. 즉, 보철물을 지지하는 임플란트 고정체의 직접적인 골고정으로 교합력을 직접 골에 전달하는데, 이러한 골유착은 적응유착(adaptive osseointegration)과 생체유착(biointegration)으로 나누어 정의된다.

적응유착은 일반적으로 연조직 침투 없이 임플란트 표면과 골조직이 밀착되어 있는 상태이고, 생체유착은 수산화인회석이 피복된 임플란트 표면과 골조직이 생화학적으로 직접 부착된 상태이다.

임플란트 골유착에 영향을 미치는 중요 요소는 다음과 같다.

1) 임플란트 재료의 생체적합성
2) 임플란트 디자인
3) 임플란트 표면 특성
4) 수술부위 골의 상태
5) 외과적 술식 방법(개창용 펀치 이용법, 피판 형성법, 발치 즉시 식립법)
6) 치유조건
7) 저작력

4. 골유착을 증진시키는 치과용 임플란트의 표면처리법

치과용 임플란트는 기계 절삭 공정에서 선반가공으로 표면을 매끈하게 가공한다(그림 11-3). 임플란트 표면은 생체 불활성이므로 확실한 골세포 부착을 위하여 표면처리를 하는데, 크게 물질부착방법과 표면제거법으로 나눌 수 있다.

1) 물질부착방법

치과용 임플란트의 생체적합성을 높이기 위하여 생체친화적인 물질을 다양한 표면처리공정으로 부착시킨다.

(1) 티타늄 또는 수산화인회석 입자의 플라즈마 분사 (plasma spraying, PS)

고온의 아르곤 가스 플라즈마 토치 기계 내부에 티타늄이나 수산화인회석 입자를 티타늄 매식체 표면에 플라즈마를 이용하여 분사하게 되면 빠른 속도로 증착 처리되어 거친 표면을 얻는다(그림 11-4).

이 공정으로 임플란트 표면적이 약 6배 정도 증가되어, 임플란트 초기 고정이 우수해지고 골유착력이 높아진다. 그러나 분사된 입자가 임플란트에서 탈락되어 주변 골에 잔존하거나, 너무 거친 표면에 의한 증착입자의 이온 누출로 골유착이 다른 공정보다 감소한다고 보고되고 있다.

(2) 물리적 진공증착(physical vapour deposition, PVD)

물리적 진공증착에는 다양한 공정이 있으나, 이온주입 표면처리 공정은 치과용 임플란트 표면에 필요한 물질을 이온 상태로 주입한다. 즉, 고에너지의 이온(100 KeV~1 MeV)을 표면에 주입하여 표면에 이온들이 침투하게 하는 방식이다.

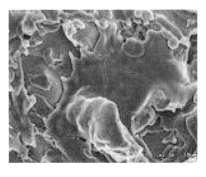

그림 11-3. 기계 가공된 표면

그림 11-4. 플라즈마분사로 티타늄이 증착된 표면

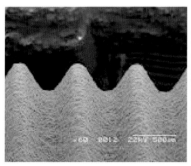
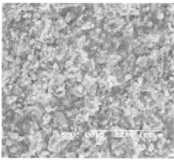
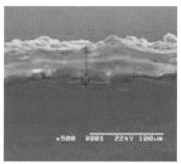

그림 11-5. 수산화인회석을 피복한 표면처리

(3) 화학적 진공증착(chemical vapour deposition, CVD)

플라즈마 방전 공정은 화학적 진공증착 공정의 하나이며, 저압 가스 속에서 플라즈마 발광 방전 상태에서 증착하고자 하는 이온을 임플란트 표면에 증착시키는 표면처리 방식이다. 화학적 진공증착 공정을 이용한 수산화인회석 코팅처리는 수산화인회석(hydroxyap-atite)의 코팅으로 표면의 화학적 성질과 표면형태를 변화시킨다(그림 11-5). 화학적 진공증착 공정은 거친 표면의 미세 구조를 갖으며, 초기 1~2개월은 골형성 및 골결합이 우수하고 결손이 큰 부위에서 골형성이 촉진된다. 상악구치부와 같은 골질이 양호하지 못한 부위에도 사용할 수 있으며, 임상적으로 우수한 성공률을 보인다.

(4) 졸–겔법(sol-gel process)

졸-겔법 공정은 1~1,000nm 정도의 입자들로 이루어진 졸(sol)용액의 열처리하여 겔 상태를 만든다. 대표적인 치과용 임플란트 표면처리는 CMP 졸-겔 공정으로 메타인산칼슘(calcium metaphosphat, CMP)를 피복하는 방식이다(그림 11-6).

2) 표면제거법

기계적으로 가공한 임플란트에 표면처리 공정을 통하여 넓은 접촉 면적을 부여함으로 임플란트와 골과의 유착이 빨리 진행되고 생체안정성을 부여한다.

그림 11-6. CMP 졸-겔법을 이용하여 피복한 표면

(1) 알루미나(Al$_2$O$_3$), 산화티타늄(TiO$_2$) 입자 블라스팅 방법

알루미나, 산화 티타늄 입자를 표면에 분사하여 표면을 거칠게 하는 방식이다. 이 공정으로 임플란트 표면은 굴곡이 있는 거친 표면의 미세 구조를 갖으며(그림 11-7), 적정한 거칠기를 가짐으로 임플란트의 골세포 부착이 용이하도록 한다.

(2) 산부식 표면처리(acid etched surface) 방법

산부식 표면처리 방법은 황산, 염산, 질산, 불산, 과산화수소를 사용하여 표면을 부식하게 한다(그림 11-8). 이 공정으로 임플란트 표면을 산부식 처리함으로 현저하게 표면적이 향상되며, 입자 블라스팅 방법과 비교 시 잔사로 인한 골

그림 11-7. 블라스팅 표면처리

전기화학적 공정으로 임플란트 표면에 나노밀리미터 크기의 나노튜브 미세 구조를 갖는다(그림 11-9).

(4) 구상형 티타늄을 소결한 표면(sintered surface) 처리방법

구상형 티타늄으로 임플란트 표면을 성형한 후 고온고속으로 열처리하여 입자 소결을 표면에 일으키는 표면처리 방법이다(그림 11-10).

5. 임플란트의 다양한 용도

1) 수복치과 분야

단일 치아 또는 여러 개의 치아를 상실했을 경우 치과용 임플란트를 이용하여 회복시킬 수 있다. 또한 치과용 임플란트는 위축성 무치악 하악골에 보철물을 안정시키기 위해 총의치, 피개의치, 또는 국소의치에 사용한다.

유착의 감소가 발생하지 않는 장점이 있다.

(3) 전기화학적 부식방법

양극산화방식의 표면처리(micro-arc oxidation, MAO)는

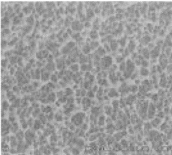

그림 11-8. 산부식 표면

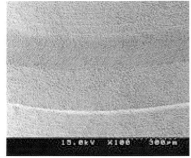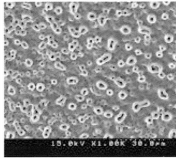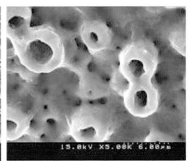

그림 11-9. 전기화학적으로 처리한 표면

그림 11-10. 구상형 타타늄을 소결한 표면

2) 악안면 보철 분야

많은 악안면 보철물은 골유착형 임플란트를 사용하며 주로 안면구조물을 대체한다.

3) 교정 분야

임플란트는 교정치료에서 치아 이동용 고정원(anchorage)으로 사용된다.

6. 임플란트 시술동안 뼈 결손부에 사용되는 뼈 재생술(regeneration)

1) 뼈 재생술의 종류

(1) 뼈유도 재생술(GBR)

뼈 조직을 재생하는 술식으로, 임플란트 주변 결손부나 무치악 부위의 뼈재생에 사용된다.

(2) 조직유도 재생술(GTR)

자연치 주위의 뼈, 치주인대, 백악질을 재생하는 술식이다.

2) 뼈이식 재료

구강 내 뼈 결손부를 심미적, 기능적으로 회복시키고 결손부의 회복을 증진시키는 뼈이식술에 사용된다.

(1) 뼈 치유 기전에 따른 분류

① 뼈 전도성 재료: 황산석고, 인산칼슘, 수산화인회석 (hydroxyapatite)
② 뼈 유도성 재료: 탈회 냉동 건조골(DFDB, Demineralized Freeze Dried Bone), 뼈형성 단백질(BMP)

(2) 채취 장소에 따른 분류

① 자가골(autograft), ② 동종골(allograft), ③ 이종골(Xenograft), ④ 합성골(alloplastic, synthetic)

3) 뼈활성(osteo-active) 재료

(1) 뼈유도 재료(osteo-inducer): 뼈형성 단백질

(2) 뼈촉진 재료(osteo-promotor)

① Transforming growth factor(TGF), ② Platelet-derived growth factor(PDGF), ③ Insulin-like growth factor(IGF), ④ Platelet-rich plasma(PRP), ⑤ Bone Morphogenic proteins(BMPs)

(3) 생체활성 polypeptide

4) 차폐막(차단막, barrier membrane)

조직유도재생술이나 뼈유도재생술에 사용되는 재료이다. 뼈 결손부를 덮어 필요한 조직의 재생을 유도한다. 차폐막은 흡수성과 비흡수성이 있다.

① 자가이식(autograft), ② 동종이식(allograft), ③ 이종이식(xenograft), ④ 합성재료(alloplastic)

>>> Summary

- 임플란트의 3가지 유형은 골내형, 골관통형, 골막하형이 있다. 골내형 임플란트는 가장 일반적인 형태로 치조골에 구멍을 뚫어 치조골 냉 치근에 해당하는 인공치근(fixture)을 식립한다. 골관통형과 골막하형 임플란트는 의치안정을 위해 주로 사용된다.

- 치과용 임플란트는 위축성 무치악 하악골 및 단일 상실치의 수복에 사용된다. 임플란트의 금속재료로는 골유착이 가능한 티타늄이 사용된다. 골유착은 임플란트 고정체와 골조직이 생화학적으로 결합하는 것을 의미한다.

- 골유착은 치과용 임플란트에 분자, 섬유, 세포 조직이 부착하는 것으로 생체친화성 재료의 사용, 외과수술의 숙련도 및 적절한 치유기전으로 일어난다.

- 골유착을 증진시키는 치과용 임플란트의 표면처리법은 물질부착방법으로 티타늄 입자 또는 수산화인회석 플라즈마 분사, 물리적 진공증착, 화학적 진공증착, 졸-겔법이 있고, 표면제거법은 알루미나(Al_2O_3), 산화티타늄(TiO_2) 입자 블라스팅 방법, 산부식, 전기화학적 부식방법, 구상형 티타늄을 소결한 표면 공정이 있다.

- 임플란트는 수복치과분야 뿐만 아니라, 악안면 보철분야 및 교정분야에서도 이용되고 있다.

- 임플란트 시술동안 뼈 결손부에 사용되는 뼈 재생술은 뼈이식재료와 차폐막이 사용될 수 있다.

Review Questions

01 무치악제를 덮고 있는 구강점막을 관통하여, 나사형(screw type)고정체를 이용하는 임플란트의 종류는?

① 골막하형　　　② 판막형 골관통형
③ 골관통형　　　④ 골내형

02 다음 〈보기〉 중 치과용 임플란트 재료로 사용되는 것은?

가. 순 티타늄	나. 생체유리
다. 티타늄 합금	라. 순금

① 가, 나, 다　　　② 가, 다
③ 나, 라　　　④ 라
⑤ 가, 나, 다, 라

03 티타늄 합금의 특성은?

가. 부동태 금속	나. 우수한 부식저항성
다. 고강도	라. 우수한 생체 친화성

① 가, 나, 다　　　② 가, 다
③ 나, 라　　　④ 라
⑤ 가, 나, 다, 라

참고문헌

1. 김영진. 치과 임플란트 길잡이. 신세림. 2002.

2. 한국치과재료학교수협의회. 치과재료학 5판. 군자출판사. 2008.

3. 한국치과재료학교수협의회. 치과재료학 7판. 군자출판사. 2015.

4. Anusavice KJ. Phillips' Science of Dental Materials. 11th ed. Philadelphia: Saunders. 2003.

5. Rapley JW, Swan RH, Hallmon MP. The surface charateristics produced by various oral hygiene instruments and materials on titanium implant abutments. Int J Oral Maxillofac Implants 1990;5:47-52.

6. Wilkins EM. Clinical Practice of the Dental Hygienist. 10th ed. Baltimore: Williams & Willkins. 2008.

7. Worthington P, Lang BR, Rubenstein JE. Osseointegration in Dentistry-An Overview. 2nd ed. Chicago: Quintessence. 2003.

정답 | 1.④ 2.⑤ 3.⑤

PART 12

기타 재료

01 치아미백제
Tooth Whitening

✓ 치아미백 기전을 설명할 수 있다.
✓ 상용화된 미백제의 종류를 설명할 수 있다.
✓ 치아미백을 위한 장치제작법을 설명하고 제작할 수 있다.

● ● ● ● ●

자연변색 또는 착색된 치아의 심미성을 높여주는 것을 치아미백이라 한다. 치아 변색의 원인은 음식이나 흡연 등의 외인성 착색에서부터 약제나 불소증, 치아외상 및 전신질환 등에 의한 내인성 착색에 이르기까지 다양하다. 미백술은 크게 실활치 미백과 생활치 미백, 보조술식으로 구분하며 각각의 치료와 처치가 다르다. 미백은 건강한 자연치의 심미성 개선을 위한 효율적인 방법이며 최근 미백에 관한 관심이 높아지고 있으므로 치과위생사는 미백 재료 및 기전과 방법을 잘 알고 있어야 한다.

1. 치아미백

자연변색 또는 착색된 치아는 미백제로 치료할 수 있다. 변색원인 또는 착색의 정도에 따라 미백 술식을 선택하여 사용하는데 이러한 술식을 치아미백 또는 치아표백이라 한다. 1877년 Chappel이 수산(oxalic acid)을 개발하였고, 1884년 Harlen이 과산화수소(hydrogen peroxide)를 미백제로 소개하여 다양한 유형의 염소이온 화합물과 과산화수소가 치아미백에 이용되었다. 1918년 Abbot가 용액의 온도를 높여 화학반응을 촉진하는 장비를 소개하면서 전류와 자외선을 이용한 최근의 술식이 처음으로 시도되었다.

치아미백은 실활치와 생활치의 치료가 각각 다르다. 실활치는 온도변화 또는 전기 자극에 반응이 없고 치수의 생활력이 없는 것으로 실활치 내 치수강은 근관치료가 종료되면 불활성 재료로 근관을 충전하고 실활치 미백술을 시행한다. 반면에 치수조직이 살아있는 생활치는 환자가 집에서 또는 치과 외래에서 개인용 맞춤 트레이를 사용하여 미백처치

를 시행한다. 최근에는 미백제가 피복된 유연한 접착성 테이프를 이용한 치아미백방법이 소개되고 있다.

1) 변색의 원인
(1) 외인성 착색

커피, 와인, 차 같은 음식류에 의한 착색이며 치면에 직접 부착되어 갈색에서 흑색으로 변색이 발생된다(그림 12-1). 색소음료는 치질을 부식시키면서 동시에 착색시킨다. 철, 불화주석, 망간, 황, 비소, 질산은(silver nitrate), 혈액 분해 산물, 발색성 박테리아(chromogenic bacteria) 및 곰팡이(fungi)가 착색의 원인이 되기도 한다.

불화주석, 황화물, 질산은이나 망간은 회색이나 황색, 연갈색 및 흑갈색 또는 흑색의 착색을 유발하며 구리 화합물은 녹색에서 녹갈색으로, 니켈은 녹색으로, 카드뮴은 황색이나 황갈색으로 나타난다. 이러한 변색은 치면연마나 미백으로 제거가 가능하다.

담배는 황갈색에서 흑색으로 치아를 변색시키는데 주로

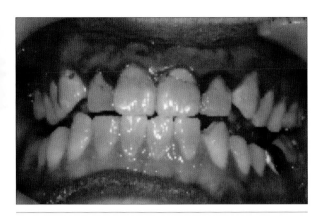

그림 12-1. 외인성 착색 사진

치경부나 설측에 나타난다.

주홍착색은 아동에게서 가끔 나타나고 전치부의 치경부 1/3에 황색이나 오렌지색으로 나타나며 발색성 박테리아 (chromogenic bacteria)가 원인이다.

일부 외인성 착색은 부분적이지만 칫솔과 세치제로 제거된다. 환자 스스로가 제거할 수 없으면 치과의사 또는 치과위생사가 퍼미스(pumice) 혼합물에 3% 과산화수소와 요오드(iodine)를 첨가하여 연마를 시행하여 착색을 제거한다.

(2) 내인성 착색

치아 맹출 전 치아 형성기 또는 석회화 단계에서 발생하는 착색으로 테트라사이클린(tetracycline), 미노사이클린 (minocycline)과 같은 전신 투여 약제가 영구 변색의 원인이 되며 치아 석회화 단계에서 섭취한 테트라사이클린은 상아질과 법랑질 내부에 착색된다(그림 12-2). 완전미백은 어렵고 단지 착색의 정도를 약화시킬 수 있다. 생활치아미백술, 의도적 근관치료를 동반한 미백술, 복합레진과 세라믹을 이용한 비니어 법 등을 사용할 수 있다.

미노사이클린은 테트라사이클린의 반 합성 유도체이다. 여드름과 다양한 감염에 사용되는 약제로 청년 및 장년의 치아에 반지 같은 염색이 나타난다. 테트라사이클린처럼 미노사이클린의 착색 정도와 분포가 다양하며, 약한 증례에서는 미백으로 좋은 결과를 나타낸다.

중등도 형태의 반상치는 법랑질에서 백색반점으로 나타난다. 고농도 불소는 결손된 기질과 부적절한 석회화를 나타내는 법랑아세포의 대사변화가 원인이다.

표 12-1. 외인성 착색의 원인

형태	외인성 원인(extrinsic cause)	
갈색 착색	• 흡연(smoke) • 치면세균막(dental plaque), 음식물 · 차(tea) · 커피 · 와인 • 금속(metal) • 요오드 · 클로르헥시딘 액 • 불화주석(stannous fluoride) • 독시싸이클린(doxycy cline)	
흑색 착색	• 흡연 • betel nut(빈낭, 야프 원주민이 씹는 야자나무 열매로 빨간 액이 나옴) • 치면세균막 · 발색성 박테리아(chromogenic bacteria) • 음식물 · 차 · 커피 · 와인 · 금속	
녹색 착색	• 발색성 박테리아 • 차 • 금속	
주홍 착색	• 발색성 박테리아(chromogenic bacteria) • 차	

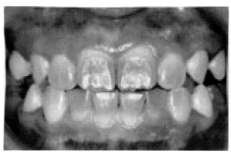
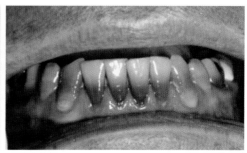

그림 12-2. 테트라사이클린에 의한 내인성 착색

2) 치아미백의 원리

(1) 수산화 이온과 과산화수소 이온

핵자기 공명장치를 사용해 25~30% 과산화수소에서 수산화 이온과 과산화수소의 미백효과를 살펴보면 높은 수산화

이온의 증가가 나타난다. 이것은 이 두 이온이 상아질의 무기질에 영향을 미치지 않으면서 상아질의 유기 성분을 공격한 것으로 발생기 산소와 수산화 이온의 강한 산화작용으로 치면이 밝게 보이는 것이다.

표 12-2. 내인성 착색의 원인

형태	색깔	내인성 원인		
		일반적 변색 (generalizes discoloration)	국소적 변색 (localized discoloration)	지방성 변색 (regional discoloration)
	흰색	• 중등도 불소증 • 상아질 형성장애 (amelogensis imperfecta)	• 법랑질 형성기의 경도 외상 • 초기 치아 우식증	• 법랑질형성기의 감염 • 치아 외상 • 영양결핍 • 경도 불소증
	노란색	• 중등도 불소증 • 상아질 형성부전(dentinal dysplasia) • 고빌리루빈혈증(hyperbillirubinemia) • 용혈설 질병(hemolytic disease) • 치아 마모증, 교모증, 부식증	• 출혈을 동반하지 않는 외상 • 치아 마모증 • 치아 우식증 • 법랑질 형성기의 중도 외상	• 중도 불소증 • 영양결핍 • 고빌리루빈혈증 (hyperbillirubinemia) • 치아형성기의 외상
	갈색	• 선천성 대사이상(porphyria) • 테트라사이클린	• 법랑질 형성기의 심한 외상 • 치수외상	• 치아형성기의 감염 • 심한 불소증 • 치아형성기의 외상
	푸른색 검은색	• 테트라사이클린 치료(tetracycline) • 미노사이클린 치료(minocycline)	• 아말감 수복물 • PFM Cr. 주변의 금속색 • 치수 외상	• 테트라사이클린 치료 (tetracycline)
	녹색	• 고빌리루빈혈증(hyperbillirubinemia)		• 고빌리루빈혈증 (hyperbillirubinemia)

(2) 수산화 이온의 작용

세포막에서 수산화 이온은 세포막의 불포화 지방산을 공격하여 조직을 파괴하고 유기조직 조성의 한 부분인 아미노산의 파괴로 단백질의 펩타이드 사슬을 공격하여 유기물의 파손을 유도하여 미백의 효과를 나타낸다. 즉 수산화이온은 유기 착색분자를 공격하여 미백효과를 발생한다.

(3) 법랑질 기질의 단백질 완전 상실에 의한 미백

미백제에 의해 발생되는 이산화탄소(CO_2)에 의해 완전 산화되어 유기질 분해에 의한 미백이 발생된다.

(4) 보조방법을 이용한 미백효과

보조법으로 미백제 도포 후 산소 양과 침투도를 증가시키기 위한 열 또는 미백용 광선을 조사하면 과산화수소 미백제를 단독으로 시행하는 것보다 미백효과가 더 좋다. 플라즈마 광선을 사용하면 할로겐 광선보다 수산화 이온량이 증가한다. 그러나 치수까지 투과되는 양과 치수 유해반응 효과에 관한 자료는 거의 없으므로 유의해서 사용해야 한다.

초기 미백반응은 치질 내 반응 투과 깊이가 증가된다. 미백은 이루어지지만 재발되는 기간이 단축되므로 주기적으로 연마(polishing)를 철저히 한다. 치면을 깨끗이 닦아서 밝게 보이게 할 수 있다.

3) 미백제

미백제의 작용은 변색의 원인과 치질을 투과한 변색 범위의 깊이 및 기간, 그리고 미백제가 착색원인 부위까지 투과할 수 있는 정도와 심부 착색까지 방출되는 미백제의 잔존기간에 의존한다.

(1) 상용화된 미백제의 분류
① 미백용 겔
② 미백용 용액

표 12-3. 미백 치료 방법

구분	성분
치과전문가용(in-office)	• 과산화수소(hydrogen peroxide) 25~35% • 연조직 보호가 필요 • 활성제(activator) 　– 화학적 반응 　– 열반응 　– 광반응
가정용(take-home)	• 미백 효과가 빠름 • 과산화요소(carbamide peroxide) 21% 이하 • 미백도포용 트레이 사용 　– 하루에 두 번 　– 잠자는 동안 사용 • 자가 미백처치법(patient)
일반의약품(over the counter)	• 과산화요소(carbamide peroxide) 10~15% • 사용법 　– 트레이 　– 스트립(strip) 　– 미백액 도포 　– 양치액 • 자가 미백처치법(consumer)

③ 미백용 치약

④ 미백용 스트립(strip)

(2) 미백재료

미백제는 일반적으로 산화미백제와 환원미백제로 분류된다. 산화미백제는 석회분, 차아염소산나트륨, 아염산나트륨의 염소계가 있다. 환원 미백제는 과산화수소, 과붕산나트륨으로 구성되는 산소계와 아황산나트륨, 하이드로 설파이드로 구성되는 환원계가 있다.

미백은 치질손상과 열화를 고려해서 고농도의 미백제나 고온 및 장시간의 미백 등의 강한 조건은 좋지 않다.

① 과산화수소(hydrogen peroxide, H_2O_2)

과산화수소는 물과 산소로 쉽게 분해되는 강한 산화제이다. 과산화수소 분해는 산소 자유라디칼을 유리하여 외인성 및 내인성 착색에 들어있는 색소와 반응하여 미백효과를 나타낸다. 과산화수소는 법랑질과 상아질을 투과하여 치수조직의 일시적 염증을 나타내는 가역적 치수염을 생성한다. 미백과정의 부작용으로 치수염에 의한 치아 과민증이 자주 보고되고 있다. 따라서 과산화수소 용액으로부터 환자의 눈, 얼굴, 구강 내 연조직(입술, 볼, 혀)을 보호해야 한다. 과산화수소는 5∼35% 강도의 용액 또는 겔 형태로 치아에 도포한다. 과산화수소 미백제는 용액형과 겔형이 있다.

② 과산화요소(carbamide peroxide, $CH_6N_2O_3$)

동의어는 urea hydrogen peroxide, carbamide peroxide로 과산화수소보다 더 안정된 약한 산화제이다. 10∼20% 강도로 용액 또는 겔 형태로 치아에 도포한다. 과산화요소는 요소와 과산화수소의 복합체이다. 과산화수소로 분해되는 물과 산소에 의해 분해된다. 10% 과산화요소 용액은 3% 과산화수소와 같고, 15% 용액은 5% 과산화수소와 같은 농도이다.

③ 과붕산소다(sodium perborate, $NaBO_3 \cdot 4H_2O$)

과붕산소다는 약한 산화제이다. 실활치 미백에 과산화수소와 함께 사용한다. 과붕산소다는 색에 안정하게 고안된 미백의 활성인자이다. 따뜻한 공기나 습한 공기에서 산소를 유리하면서 분해 뚜껑을 잘 닫아 서늘한 곳에 밀봉해서 보관한다. 산화력은 약하나 물에 용해되면 알카리성을 나타내므로 30% 과산화수소 대신에 물을 사용할 수 있다.

④ 과탄산소다(sodium carbonate peroxyhydrate, $2Na_2CO_3 \cdot 3H_2O_2$)

산화계 표백제로 과붕산소다의 대체제이다. 세탁소의 세제로 사용되는 분말로 과붕산소다에 비해 저온의 물에서도 효능이 우수하다. 유효산소 13%의 백색과립이다. 안정성은 과붕산소다 보다 낮고 건조한 장소에 보관하면 활성산소 상실량이 매우 적다.

⑤ 차아염소산나트륨(sodium hypochlorite, NaClO)

가정용으로 시판되는 제품은 유효염소 5∼6% 정도이다. 면, 마 등 셀룰로즈 섬유의 표백에 사용된다. 매번 세탁에 사용하면 섬유의 손상을 조장하고 세탁기의 재질도 상한다. 아세테이드, 나일론 등의 제품이 황변되거나 염색물이 탈색될 수 있다. 목면의 황변을 탈색하기 위해 수개월에 한번씩 상온에서 침적하며, 고무는 취화되므로 표백제를 사용하지 않는다. 미백제, 치약제품은 현재 개발 연구 중이나 살균효과 등을 이용한 근관세척액은 사용되고 있다.

⑥ 아염소산 나트륨(sodium chlorite, $NaClO_2$)

산성용액에서 발생하는 이산화염소(ClO_2)에 의해 산화 표백된다.

주로 나일론, 비닐론, 폴리에스테르 등의 합성섬유를 pH 3∼5, 70∼80℃로 표백한다. 이산화염소(chlorine dioxide)는 황록색의 유독기체로 중금속 염은 폭발성이 있어서 가정용에는 적합하지 않다. 일부 치약은 아염소산나트륨(sodium chlorite)을 이산화염소 100∼150 ppm으로 분해한 제품이 생산된다.

(3) 미백용 트레이 제작과정

① 베이스는 작고 얇게 모형을 깎아 다듬어서 석고 모형을 제작하고, 미백트레이를 제작하기 위한 기구(옴니백)를 준비한다.(그림 12-3A)

② 적당한 위치와 두께로 원하는 치아에 block-out 레진으로 도포하고 중합한다(그림 12-3A, C).

③ 진공 선반의 중앙에 모형을 올려놓고 시트지가 하방으로 1 inch 정도 늘어질 때까지 가열한다.

④ 진공 버튼을 켜고 늘어진 시트지에 진공압을 가한다.

⑤ 진공이 끝나면 모형에서 분리하여 가위로 트레이 변연

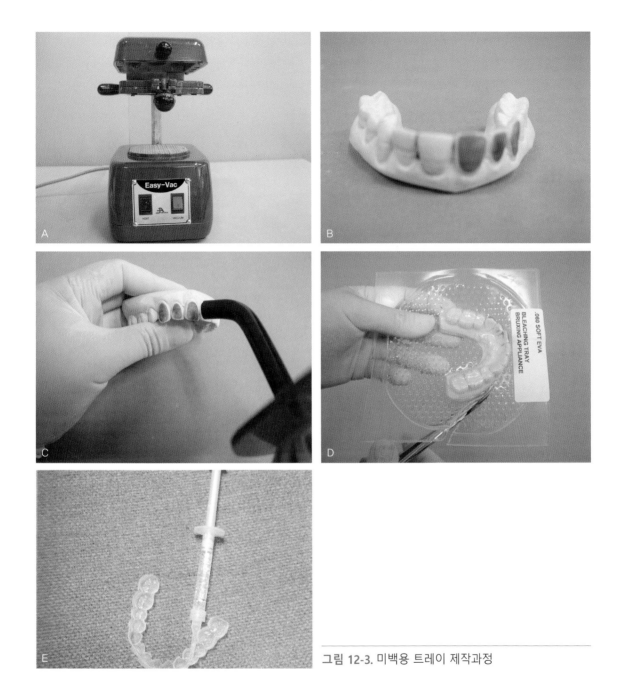

그림 12-3. 미백용 트레이 제작과정

을 다듬는다(그림 12-3D).

⑥ 치은 방향 변연부위의 트레이를 다시 가열한 후 모형
　에 트레이를 재 위치시키고 변연을 부드럽게 마무리 해
　준다.

⑦ 준비된 트레이위에 미백제를 짠다(그림 12-3E).

2. 과잉 치아미백

　과잉 치아미백을 시행하면 신체 기형성 장애(BDD, body dysmorphic disorder)가 나타날 수 있다. 신체 기형성 장애는 정상적인 외모를 가진 사람이 자신의 외모에 어떤 결함(缺陷)이 있다고 생각하는 정신장애이다. 신체의 크기와 형태에 적용되는데, 치아미백치료 결과를 시각적으로 만족하지 않는다. 하얀 치아 색에 사로잡힌 환자는 단어 뜻대로 치아가 더 밝고 더 하얗게 보이지 않는다. 환자는 이미 과도한 치아미백제를 사용한 과거력이 있으므로 하얀 분필가루가 치면을 덮여 보인다. 환자에게 사로잡힌 과잉 미백을 인식시키고 환자 치아건강을 위해 치아미백제의 남용을 막는다. 과잉 미백 후 나타날 치아 자체의 후유증(치아 민감성, 동통, 치수 괴사)을 알려준다.

>>> Summary

- 치아 변색의 원인은 음식이나 흡연 등의 외인성 착색에 의한 변색과 약제나 불소증, 치아외상 및 전신질환 등에 의한 내인성 변색이 있다.
- 치아미백의 원리는 수산화이온과 과산화수소이온을 이용한 것과 법랑질 기질의 단백질 상실에 의한 미백, 보존방법에 의한 미백이 있으며 미백제 도포 후 산소의 양과 침투도를 증가시키기 위한 열 또는 미백용 광선을 조사하는 방법이 있다.
- 상용화된 미백제는 겔, 용액, 치약 스트립, 구강세정용액으로 판매되고 있으며 사용되는 미백재료는 과산화수소, 과산화요소, 과붕산소다, 과탄산소다, 치아염소산나트륨, 아염소산나트륨이 있다.

>>> Learning Activities

1. 삶은 계란 흰자를 커피 반 잔에 24시간 담근 뒤 커피 착색을 살펴보고, 3% 과산화수소에 24시간 담근 다음 표백의 양상을 비교해보자.

Review Questions

01 다음 중 전문가 미백치료는 어느 것인가?

① 미백 치약

② 미백제가 함유된 나이트가드 장착

③ 광조사 미백

④ 미백 양치

02 다음 재료 중 치아미백에 사용되는 것은?

① 탄산이온

② 과산화수소 이온

③ 수소이온

④ 칼슘이온

03 다음 중 상용화 된 미백제가 아닌 것은?

① 미백용 겔

② 미백용 치약

③ 미백용 스트립

④ 미백용 껌

참고문헌

1. 한국치과재료학교수협의회. 치과재료학 5판, 군자출판사. 2008.

2. Aqueous Cleaning TechnologyTM A disruptive new technology promoting oral health and smile aesthetics. GRINrx Corporation, NY, NY; 2006.

3. Buchall W, Attin T. External bleaching therapy with activation by heat, light or laser - A systematic review. DentMat 2006;23:586-586.

4. "Dam that's Kool" Tech Specifications from the Manufacturer Contemporary Esthetics and Restorative Practice. January 2004. retrieved March 14, 2007 from http://www.pulpdent.com.studies/Kool_Dam_Glazer.pdf.

5. Goldstein RE, Garber DA. Complete Dental Bleaching. Chicago: Quintessence, 1995:71-100.

6. Haywood V, Cordero R, Wright K, et al. Brushing with a potassium nitrate dentifrice to reduce bleaching sensitivity. J Clin Dent 2005;16:17-22.

7. Turkin M, Turkin L. Effect of nonvital bleaching with 10% carbamide peroxide on sealing ability of resin composite restorations. Int Endo J 2004;37:52-60.

8. What takes place when your dentist performs professional teeth whitening treatments • Retrieved March 1, 2007 from www.animated-teeth.com.

9. Ziempa S, Felix H, Ginger M, Ward M. Randomized Prospective Effectiveness of Zoom2TM Dental Whitening Lamp and Light-catalyzed peroxide gel. Clinical White Paper. Discus Dental Inc, Feb 2005.

정답 | 1. ③ 2. ② 3. ④

✓ 구강보호대 재료를 나열할 수 있다.
✓ 구강장치 관리법을 설명할 수 있다.

구강장치는 치아미백이나 이갈이(bruxism), 불소 도포 등의 치과처치를 위해 열가소성 중합체와 열경화성 중합체로 구강내부구조에 맞게 제작한 것을 말한다.

외상 가능성이 높은 운동에 참가하는 운동선수들의 치아 손상 및 잇몸, 입술 등의 악안면부위를 보호하거나 충격을 흡수하고 손상을 방지하기 위해 사용된다. 또한 교정 장치를 장착한 환자들의 부가적 보호를 위해 사용하기도 한다. 와이어나 밴드, 혹은 사전 제작된 다른 부분을 포함하여 다양한 재료로 제작하는데 열가소성 재료는 단순하게 가열하고 몰드를 만들 수 있어서 다른 유형의 재료보다 구강 장치를 쉽게 제작할 수 있다.

1. 구강 내 장치의 용도와 목적

구강장치는 다양한 유형(표 12-4, 그림 12-4)이 있는데 가철성 구강장치로 운동 중 치아와 주변조직을 보호하는 운동선수용 구강보호대(mouthguard)와 치아우식증이나 구강건조증, 지각과민증 및 방사선치료를 받은 환자의 다발성 치아우식증 및 치근 우식증을 예방하기 위한 불소도포용 트레이 및 미백용 트레이로 사용된다.

몇 가지 유형의 열가소성 교정장치는 Overbite, Overjet의 문제와 경미한 부정교합의 치료에도 사용된다.

나이트 가드(nightguard)는 이갈이 환자에게 처방한다. 저작근을 이완시키고 꽉 무는 힘을 흡수하여 치열의 마모를 완화시키는 기능을 한다. 간격유지 장치는 유치를 조기 상실하였을 때 사용하는 임시장치이다. 이 장치는 계승 영구치의 맹출 전에 인접치의 이동과 공간 폐쇄를 막는다. 가철성과 고정성 간격 유지장치가 이용된다.

미백용 트레이는 가정에서 환자가 스스로 미백제를 도포하도록 고안되어 있다.

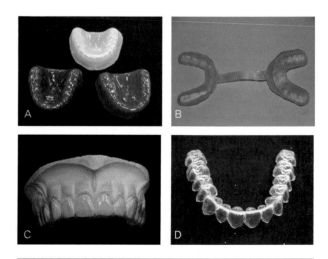

그림 12-4. 각종 구강장치 사진 A: 다양한 색상의 구강보호대(마우스가드), B: 불소도포용 트레이, C: 나이트 가드, D: 미백 트레이

표 12-4. 구강장치의 다양한 용도와 목적

구강장치	목적
구강보호대(mouthguard)	•운동 선수의 구강안면부 손상 차단 •손가락 빠는 습관 정지에 도움
미백용 트레이	•치아미백을 위해 치면에 미백용액을 도포 •환자 스스로 자가미백제를 도포하기 위함
불소도포용 맞춤 트레이	•트레이에 처방된 불소 겔을 도포, 구강에 장착: 탈회 발생 감소와 재광화 증가 •치아우식증, 구강건조증, 치아과민증, 방사선치료를 받는 구강상태에 사용
교정장치	•교정 후 치아를 안정화시키기 위함 •overbite, overjet, 공간 문제의 경미한 부정교합의 치료 •경도의 부정교합 치료 •치아를 조기에 상실하였을 때 인접치 이동과 공간 폐쇄를 위한 간격유지장치
나이트 가드	•치아 표면 마모 습관을 완화 •이갈이 환자의 무는 힘을 단순화 시키기 위함
코골이/수면 호흡정지 장치	•수면동안 공기통로의 폐쇄를 감소시키기 위해 하악을 전진 운동시켜 코골이와 수면 호흡정지를 완화

2. 구강 내 장치제작에 사용되는 재료

　다양한 열가소성 재료가 구강장치 제작에 사용된다(표 12-4). 열가소성은 가열 시 중합체가 연화되고 냉각 시 최종 형태로 경화된다. 열경화성 재료는 몰드에서 중합하는 것으로 가열 시 변화에 저항하는 성질이 있다.

　구강장치 제작에 사용되는 주요 열가소성 재료는 폴리에틸렌(polyethylene), 폴리염화비닐(polyvinyl chloride), 폴리프로필렌(polypropylene), 폴리스틸렌(polystyrene), 폴리카보네이트(polycarbonates)가 있다. 폴리에틸렌은 임시 계속가공의치(0.5~0.75 mm), 스프린트(splint, 0.5~2.0 mm), 미백트레이(1.0~1.5 mm), 나이트 가드(2.5 mm), 구강보호대(3.0 mm)로 사용된다.

끓이면 변형되므로 주의해야 한다. 구강장치의 사용 추천기간은 최소 2년이다(표 12-5).

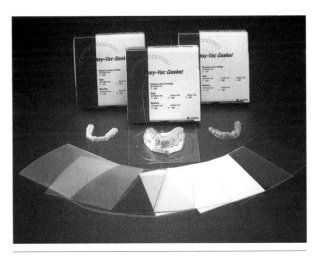

그림 12-5. 다양한 두께의 폴리에틸렌 제품

3. 구강장치의 관리

　부드러운 강모의 젖은 칫솔로 닦아야 하며 마모제가 함유된 세치제를 사용해서는 안 된다. 구강장치 전용 세척제를 이용하여 담궈 놓는다. 구강장치는 뜨거운 물에 세척하거나

표 12-5. **열가소성 수지의 용도**

재료	용도
폴리카보네이트(polycarbonate)	임시 계속가공의치, 교정용 유지장치
폴리에틸렌(polyethylene)	구강보호대, 나이트 가드, 간격유지장치, 불소도포용 맞춤 트레이
폴리프로필렌(polypropylene) 폴리스틸렌(polystyrene)	임시 계속가공의치 몰드, 맞춤 인상용 트레이, 의치상
폴리염화비닐(polyvinyl chloride)	스프린트(splint), 임시 가철성 국소의치, 교정용 유지장치

≫ Summary

- 구강장치는 치아미백이나 이갈이(bruxism), 불소 도포 등의 치과처치를 위해 열가소성 중합체와 열경화성 중합체로 구강에 맞게 제작한 것을 말한다. 구강장치 제작에 사용되는 주요 열가소성 재료는 폴리에틸렌(polyethylene), 폴리염화비닐(polyvinyl chloride), 폴리프로필렌(polypropylene), 폴리스틸렌(polystyrene), 폴리카보네이트(polycarbonates)가 있다.
- 구강장치는 부드러운 강모의 젖은 칫솔로 닦아야 하며 마모제가 함유된 세치제를 사용해서는 안 된다. 구강장치 전용 세척제를 이용해야 하며 뜨거운 물에 세척하거나 끓이면 변형 되므로 주의해야 한다.

≫ Learning Activities

1. 구강 장치를 종류대로 실물이나 사진 등을 조사해 보고 사용목적을 발표해보자.

Review Questions

01 다음 중 구강장치 제작에 사용되는 재료가 아닌 것은?

① 폴리아세테이트(polyacetate)
② 폴리에틸렌(polyethylene)
③ 폴리염화비닐(polyvinyl chloride)
④ 폴리프로필렌(polypropylene)

02 다음 중 구강장치의 관리에 대한 설명으로 알맞은 것은?

① 세치제로 깨끗이 닦는다.
② 구강장치 전용세척제로 깨끗이 닦는다.
③ 뜨거운 물에 소독한다.
④ 부드러운 강모의 마른 칫솔로 닦아야 한다.

참고문헌

1. 한국치과재료학교수협의회. 치과재료학 5판, 군자출판사. 2008.

2. American Dental Association Report. Using mouthguards to reduce the incidence and severity of sports-related oral injuries. J Am Dent Assoc 2006;137(12):1710-1720.

3. Chalmers J. The evolving technology of amorphous calcium phosphate. 2006. Dimensions of Dental Hygiene Web site. Available at: www.dimensionsofdentalhygiene. com/dimensionsCE.asp. Accessed Jan 15, 2007.

4. Kielbassa AM. Dentine hypersensitivity: Simple steps for everyday diagnosis and management. Int Dent J 2002;52:394-396.

5. Kleyman M, Vigil A. Use of mouthguards: review of the literature. JNMD-HA 1996;3:4-19.

6. Nathe C. Athletic Mouthguards. ACCESS 2005, 19:22-24.

7. Nathe C, Logothetis D, Schmidt-Nowara W. Oral Appliances for the treatment of obstructive sleep apnea. J Pract Hyg 2001;10:28-32.

8. Nupro White Gold Doctor's Instructions Directions for Use. Pamphlet. York, PA: Dentsply, 2006.

9. Rose S. Treatment recommendations for nonnutritive sucking habits. J Pract Hyg 1998;9:11-15.

10. Schmidt-Nowara W, et al. Oral appliances for the treatment of snoring and obstructive sleep apnea: a review. Sleep 1995;18:501-510.

11. The Klearway Appliance. Pamphlet. Toward, NY: Great Lakes Orthodontic, 1996.

12. The Vacuum Forming Booklet. Pamphlet. 4th ed. Delano, MN: DR Dental Resources, 1992.

13. TRIAD 2000. Brochure. York, PA: Trubyte/Dentsply, Inc.,2002.

정답 | 1.① 2.②

찾아보기 INDEX